RIPLEY'S GAME

雷普利遊戲

Patricia Highsmith——著

宋偉航——譯

1

「哪有萬無一失的謀殺案！」湯姆跟瑞夫斯說，「不過是玩客廳遊戲*，在腦子裡亂想一通罷了。當然你可以說不是有很多命案都沒破的嗎？但那不一樣！」湯姆煩了，在大大的壁爐面前走過來又走過去，壁爐裡小小一撮火苗窸窣細語，舒適愜意。湯姆覺得他那態度可能太自負、太高傲了點，但重點是他幫不上忙，之前他就跟瑞夫斯說過了。

「是，沒錯，」瑞夫斯應了一聲。室內有幾張黃色緞面扶手椅，他坐其中一張，瘦削的身形耷拉朝前彎，兩手交握夾在膝頭。一張皮包骨的臉，很短的淡褐色頭髮，冷冷的灰色眼睛——長相不甚討喜，但若不是那一道疤，應該還算英俊。疤約五吋長，從右臉的太陽穴劃過臉頰直到嘴邊，顏色比臉上其他地方略淡，泛著淡紅，像是沒縫好，說不定根本就沒縫。湯姆從沒問過他這疤的事，但瑞夫斯自己倒是主動說過，「一個女的用粉餅盒劃出來的，你想得到嗎？」（想不到；湯姆是想不到。）瑞夫斯扔給湯姆一記苦笑，一閃即逝；湯姆記得瑞夫斯笑也只有那麼幾次，這便是其中之一。「我從馬背上摔下來——被馬鐙拖著跑了好幾碼。」這是瑞夫斯說給另一人聽

＊譯注：客廳遊戲（parlour game）：十九世紀後半葉於英、美興起的客廳小型團體遊戲，以動腦的遊戲居多。

的，湯姆正也在場。湯姆自己是猜，可能不知在哪裡打架被不太利的刀子劃的。

這時候瑞夫斯是在問湯姆有沒有人選，或有沒有可以介紹的人，幫他做一件簡單的小事，解決掉一個人；也可能要兩個吧；說不定順便再偷一點東西，一樣是簡單又保險的小事。瑞夫斯特地從漢堡跑到維勒佩斯來跟他商量，會過夜，隔天早上再到巴黎去找另一人談這同一件事，就要回他漢堡的家。大概是兩邊若都沒談攏，得回家另外再想想辦法吧。瑞夫斯做的以收贓為主，但那一陣子也略插手一點漢堡地下賭場，他這時候就是在處理自保的事。自保什麼？有義大利老千想要染指他的地盤。漢堡有一個義大利人是黑手黨的打手，派來探地盤的吧，瑞夫斯想；還有另一個，另一支黑幫的。瑞夫斯的盤算是把這兩個中的一個或兩個一起拔掉，看能不能嚇阻黑手黨不要來搶地盤，順便提醒漢堡警方多注意黑手黨的威脅來了，這樣，剩下的事就扔給警方囉——就是把黑手黨趕出漢堡的事。「這些漢堡兄弟可都是堂堂正正做事的人呢，」瑞夫斯有一次說得很興奮，「做的事或許犯法吧，開了兩家地下賭場什麼的，但他們那夜總會可不違法，不搞暴利那一套，才不像拉斯維加斯那邊，全被黑手黨把持在手裡，就在美國警察鼻子底下明目張膽的幹！」

湯姆拿起撥火棒把火苗撥在一堆，再拿一塊劈得很整齊的小塊木柴放進火堆。近傍晚六點，沒多久就是小酌的時間。現在就喝又怎樣？「你要不要——」

雷普利家的女管家安奈特太太這時從廚房走進來，「不好意思，兩位先生，請問要不要現在就喝一杯？湯姆先生，這位先生到現在連茶也沒喝哪。」

「好啊，謝謝妳，安奈特太太，我才在想呢。麻煩妳也把赫綠思夫人請下來，好吧？」湯姆要赫綠思來幫忙緩和一下氣氛。他先前跟赫綠思說過，就在他下午三點出門要到奧利機場去接瑞夫斯前，說瑞夫斯要來商量一點事情。所以赫綠思一整個下午都待在花園或樓上，留他們去談正事。

「那你要不要——」瑞夫斯抓住最後一絲機會和希望急急說道，「考慮一下自己出馬？你跟那裡又沒有關係，你知道，我們要的不就是這一點？安全。而且，怎麼說那一筆錢，九萬六，都不是小數目。」

湯姆搖頭，「但我跟你有關係——總還是有。」可惡！他也沒幫這個瑞夫斯・米諾做過多少事，不過就是找門路幫他把偷來的那些小東西銷贓出去，或是瑞夫斯趁人不注意在牙膏管裡塞了微縮膠卷之類的小東西，再由他去幫瑞夫斯從牙膏管裡把東西挖出來罷了。「依你看，你想出來的這神祕殺手的活兒，我可以全身而退的機會有多大？我也是有名聲要保的，你知道吧？」湯姆說得自己差一點就要笑了，但是，心頭卻又陡地砰砰亂跳，感覺好鮮明；湯姆挺直背脊，心裡清楚這時候他住的是怎樣的華宅，過的是怎樣的安穩日子。德瓦特那一件事過後才六個月，那一次可是差一點就大禍臨頭，只不過最後終究安然脫身——頂多沾了細細一絲嫌疑罷了。那時節是如履薄冰沒錯，但好歹冰沒破。湯姆還陪過英國警探韋布斯特和兩名鑑識人員到薩爾斯堡的樹林子裡走了一遭；那個他說是大畫家德瓦特的屍體，就是在林子裡被他燒掉的。警方那時問過他為什麼要把德瓦特的頭骨打碎。湯姆這時想起來還是不由得打了一下寒顫，他打碎頭骨為的是要把上顎的牙打下來藏好。下顎很容易就弄下來了，被湯姆拿到遠處埋好。但是，上顎的牙——有幾顆竟然被一名鑑識人員挖到。不過，倫敦沒一個牙醫有德瓦特的牙科病歷。（據信）德瓦特之前六年都住在墨西哥。「看起來半像毀屍滅跡，半像要他就此塵歸塵。」湯姆那時說過這一句。但那時被毀屍滅跡的其實是貝納德。沒錯，湯姆回想起來還是不寒而慄，既因為那一刻實在危險，也因為他做的事實在恐怖——拿一塊大石頭朝燒焦的頭骨砸下去！但起碼貝納德不是他殺的。貝納德・塔夫茲是自殺的。

湯姆說，「你人面那麼廣，準會找到人來接你這一樁差事的。」

「話是沒錯，但這樣就會牽得到我這邊來了——比你這邊要容易牽。啊，我認識的人，大家多少也都知道嘛，」瑞夫斯的口氣透著沮喪，「但你就認識很多體面的人，湯姆，真正身家清白，挑不出毛病的人。」

湯姆笑了出來，「你說這樣的人是要怎樣去請得動？有的時候我真覺得你腦袋有問題，瑞夫斯。」

「不是！你知道我的意思！我是說願意拿錢辦事、幫人消災的人，會單純看在錢的份上的人。不是行家也沒有關係，我們會幫他先打點好。弄得目標像是——眾目睽睽之下被殺。就算被抓到，訊問起來那人也像是——絕對幹不出這種事來。」

安奈特太太推著飲料推車來了，銀質冰桶晶亮耀眼，推車一路略有一點吱嘎，湯姆想要幫它上油想了好幾個禮拜了。繼續這樣逗瑞夫斯下去也沒關係，反正，這安奈特太太，謝天謝地，聽不懂英語。只是，這話題湯姆好生厭煩，安奈特太太跑來打斷正好，他很開心。安奈特太太六十多歲了，諾曼第人，長相秀麗，身強力壯，僕人的瑰寶。「麗影」沒有她，湯姆還真不知如何是好。

赫綠思從花園進來，瑞夫斯馬上站起來。赫綠思穿了一件喇叭牛仔褲，粉紅、豔紅的直條紋，還有LEVI的字樣沿著條紋一路直下；一頭金色長髮鬆鬆垂落。湯姆看到搖曳的火光映現在她的髮上，忍不住暗自嘆道，「比起我們在講的事，何其純潔！」只不過，映在她髮上的金光，還是教湯姆想到了錢。唔，他未必多需要錢，即使德瓦特畫作的生意就快沒了，也沒關係——賣畫的收入他可以抽成，只是德瓦特的畫也沒有存貨了。不過，德瓦特美術用品的抽成倒不會斷，因為生意會照做。再者，他還有葛林里那邊的股票收入，不多，增加得也慢，是湯姆當初用偽造遺囑繼承來的。更何況赫綠思爸爸給她的津貼大方得很，這就不用多說了。所以呢，沒必要那麼貪心。湯姆哪喜歡殺人！非絕對必要他才不殺人。

「聊得愉快嗎，你們？」赫綠思用英語問道，優雅靠坐在黃色的沙發裡。

「愉快，謝謝妳。」瑞夫斯回答。

接下來就都用法語了，因為赫綠思講起英語有一點彆扭。瑞夫斯能講的法語也不多，但勉強還能湊和，三人講的全都言不及義：花園，不怎麼冷的冬天看來真的走了，因為這時候已經是三月初，水仙花都開了。湯姆從飲料推車的小酒瓶挑了一瓶香檳，替赫綠思斟了一杯。

「漢堡那邊曾（怎）樣呢？」赫綠思又再講起英文，瑞夫斯勉強擠出一句法文的習慣用語作答，湯姆看到赫絲思眼中閃現淘氣的笑。

漢堡也沒多冷，瑞夫斯還說他家裡也有花園，他的小屋就在阿斯特岸邊，阿斯特是一大片湖，也就是說他像是住在水灣邊上，這裡許多人家都是依著花園又傍水，想要弄條小船都可以。

湯姆知道赫綠思不喜歡也不信任瑞夫斯．米諾這人，赫綠思希望湯姆離瑞夫斯這樣的人愈遠愈好。湯姆想到也很得意，因為這一晚他倒可以誠實正告赫綠思，瑞夫斯提的事被他拒絕了！赫綠思老是擔心她爸爸不知會講什麼。她爸爸賈克．皮里松是大藥廠的富豪老闆，戴高樂派，法式派頭的精萃集大成於他一身。他從一開始就沒喜歡過湯姆。「你再這樣下去我爸會受不了的！」赫綠思不時就要提醒一下湯姆，但是，湯姆知道她關心的其實是他的安危，保住爸爸給的錢倒在其次；赫綠思說她爸爸常威脅說要斷了她的經濟來源。她每禮拜都要回一次香堤邑的父母家，共進午餐，一般是挑禮拜五。若她父親真的切斷女兒的津貼，湯姆知道，他們夫妻倆在麗影倒真的會住不下去。

晚餐的主菜是牛肉塊，前菜是朝鮮薊搭配安奈特太太的私房醬汁。赫綠思換了一件淡藍色的簡單連身裙。湯姆覺得她應該已經嗅出瑞夫斯此行沒有達到目的。三人退回臥室前，湯姆先問了一下瑞夫斯需要的是不是都齊備了，早上又要幾點送茶或咖啡到他臥室。咖啡，八點，瑞夫斯給出答覆。瑞夫斯睡的是宅子中央偏左的那一間客房，所以，瑞夫斯用的浴室就會是赫綠思平常用的那一間。不過，安奈特太太倒是已經先把赫綠思的牙刷挪到湯姆用的浴室去，浴室就在湯姆臥室隔壁。

「真高興他明天就走了。他幹嘛那麼緊張？」赫綠思刷牙時問湯姆。

「他那人本來就愛緊張。」湯姆關掉蓮蓬頭，走出淋浴間，一條黃色的大毛巾馬上裹住腰間。「所以人才那麼瘦吧。」兩夫妻這時候講的倒是英語，因為，赫綠思和湯姆講英語不會害羞。

「你怎麼認識他的？」

湯姆也想不起來。什麼時候呢？說不定有五或六年了。羅馬嗎？瑞夫斯本來是誰的朋友？湯姆好累，不想多想，這事情也無關緊要。他有五或六個朋友都是這樣子，要他說清楚到底是在哪裡認識這些人的，很吃力。

「他找你做什麼？」

湯姆伸手環抱赫綠思的腰，壓得赫綠思身上寬鬆的睡衣緊貼在身上。湯姆吻一下赫綠思涼涼的臉頰，「欸，他那事沒人做得到。我一口就推掉了，妳應該也看得出來他很失望嘛。」

那一晚有貓頭鷹，孤單一隻，在麗影後面公有林地的松樹上咕噥低吟。湯姆左手壓在赫綠思的脖子下面，還在想事情。赫綠思已經睡著，鼻息輕輕的，慢慢的。湯姆嘆一口氣，回頭再想他的事情。但腦子裡的思緒雜亂無章。多喝了一杯咖啡，所以睡不著。他想起一個月前他在楓丹白露參加過一場宴會，幫誰——哪一位太太？——辦的非正式生日宴會。湯姆真要想的其實是她先生的姓，英國人的姓，過幾秒應該就想得起來了。那人，男主人，三十出頭，兩人有個年紀很小的兒子。房子是很簡單的三層樓房，在楓丹白露的住宅區街邊，屋後有一塊小花園。男主人是裝裱師，就是因為這樣，他才會被皮耶・高席耶拉了去。高席耶在大街開美術用品店，湯姆都是在他店裡買顏料和畫筆。高席耶那時說，「來嘛，跟我一起去，黎普利先生，連你太太一起帶來！他要多一點人去參加。他心情不太好……。反正，他是做裱框的，你說不定可以給他帶一點生意去。」

湯姆在黑暗中眨了眨眼睛，頭往後略挪一下，免得眼睫毛碰到赫綠思的肩膀。他想起一個高高的金髮英國男子，心底馬上浮起些許不快、嫌惡，因為在廚房裡——陰暗的廚房鋪的是破舊的油布氈，天花板的十九世紀淺浮雕花紋有煙燻的污漬——這男子跟湯姆說了不太中聽的話。這男的——崔布里吉？崔克貝里？——口氣輕蔑了點，居然說，「喔，對，我聽過你。」湯姆那時是先跟他說，「我叫湯姆・雷普利，我住維勒佩斯那邊。」湯姆才要再問他在楓丹白露住了多久？心想娶了法國老婆的英國人可能也很想認識娶了法國老婆的美國人，兩家還住得不遠。但沒想到吃了一記排頭。崔凡尼？是不是就叫崔凡尼？金色的直髮，有一點荷蘭人的味道。只是，英國人常常很像荷蘭人，荷蘭人又很像英國人。

不過，湯姆這時心裡想的是高席耶那一天晚上後來說的話，「他心情不太好。他不是故意要這麼衝的。他得了一種血液病——白血病吧，我想。滿嚴重的。你看他們那房子應該也看得出來，他們過得不是頂寬裕。」高席耶有一隻眼睛是玻璃做的義眼，看起來是怪怪的黃綠色，應該是要搭配他另一隻真眼吧，但沒配好。結果，高席耶這一隻義眼會讓人聯想到死貓的眼睛，所以，一般人都會避開他這一隻眼睛不去看，但偏又不由自主像催眠一樣被他那一隻義眼給吸引過去，以至於高席耶沉甸甸的一席話，加上那玻璃義眼，合起來在湯姆心頭烙下鮮明的「死神」印象，湯姆始終忘不了。

喔，對，我聽過你。這是表示崔凡尼——管他到底叫什麼——覺得貝納德・塔夫茲的死是他的責任？還有更早的，狄奇・葛林里也是？還是這一個英國人因為生病的緣故，結果看誰都不順眼？老是苦著一張臉，像整天都在鬧胃痛？這時候湯姆想起崔凡尼太太的樣子了，長得不算漂亮，但滿有味道的，栗色頭髮，和氣，外向，賣力在小小的客廳和廚房帶動派對的氣氛；他們也只有那麼幾張椅子，但沒一個人落座。

湯姆這時想到：這人有沒有可能接瑞夫斯講的這一票呢？湯姆心生一計，準備捉弄一下這個崔凡尼。這用在誰身上都可以，只要先幫對方把路鋪好就行；但這一位可是連路都已經有了不用再鋪。崔凡尼一定很擔憂自己健康的問題。湯姆這一計，在他自己想，頂多就是惡作劇一下嘛，是有一點可惡，但反正這人先前對他不也很兇？這樣惡作劇一下，頂多一天就結束，到崔凡尼去詢問他的醫生便會煙消雲散了。

湯姆對自己想得出來這樣的點子好樂，輕手輕腳往外挪，免得萬一壓不住竊笑震了一下，弄醒赫綠思就不好了。假如崔凡尼這人很好擺佈，真的聽瑞夫斯的話，像小兵、像夢遊一樣，一個命令一個動作去把事情辦好？那值得去做嗎？值得！因為湯姆怎樣也不會有損失。崔凡尼也是。搞不好崔凡尼還有好處呢——依瑞夫斯的說法，是會有好處，但這就留給瑞夫斯去傷腦筋吧；因為瑞夫斯要幹的這一票，湯姆怎麼看都覺得不清不楚，跟以前瑞夫斯搞的那些微縮膠卷一樣——

微縮膠卷的事，想來可能跟國際間諜活動有關。那些國家的政府知道他們旗下的間諜在搞那些瘋瘋癲癲的花招嗎？知道有稀奇古怪、像半個瘋子的人帶著槍和微縮膠卷從布加勒斯特跑到莫斯科再跑到華盛頓？這些人搞國際衝突的那一股勁兒，不跟集郵或蒐羅迷你電動火車的祕密一樣瘋魔！

2

所以，就這樣，約莫過了十天，三月二十二日，住在楓丹白露聖梅希街的強納森・崔凡尼，收到一封怪信，他的好朋友艾倫・麥克尼爾寫的。艾倫是英國一家電子公司派駐巴黎的代表，這封信是在他轉赴紐約出任新職之前寫下來的，而且，怪的是前一天他才剛去過楓丹白露崔凡尼他們家。強納森本來就想——其實該說是沒想到——應該會收到艾倫寫的謝函，謝謝他和席夢為他辦的歡送會。艾倫確實也寫了幾句感謝的話，但強納森不解的是這一段：

強，剛聽到你有血液方面的疾病，我好震驚，現在更祈禱全都不是真的。我聽說你自己早就知道，但不跟任何朋友提起。是很偉大沒錯，但朋友是要幹什麼用的？你不要擔心我們會躲著你，或以為我們會覺得你心情太差而不想見你。你的朋友——我當然就是其中一位——始終都會陪在你身邊。我要說的話這時候實在寫不出來。但是，等我們下次再見面，再過兩個月我想辦法弄到假時，我應該就會好一點，所以，請你原諒這時候講的話不太得體。

艾倫是在說什麼？難道他的醫生培里耶向他那些朋友透露了什麼？把他不想讓他們知道的事

說給他們聽？讓他們知道他活不久了？培里耶醫生根本沒來參加艾倫的歡送會，所以，是培里耶醫生跟不知是誰說了什麼？

培里耶醫生跟席夢談過了？席夢知道但也裝作不知？

強納森心裡輪番推敲幾種可能。早上八點半，他站在花園裡，穿著毛衣卻還是覺得冷，手指頭沾得都是泥巴。他最好今天就去找培里耶醫生談一下。席夢那邊就免了。準會裝樣子給他看。啊？親愛的，你在說什麼？強納森沒把握席夢若是裝樣子給他看，他看得出來破綻嗎？

還有，培里耶醫生那邊——他可以相信他的話嗎？培里耶醫生那人全身上下那一股樂天的勁兒啊，你若得的是小病，那還好——看了他那樣子馬上就好了大半，甚至不藥而癒。只是，強納森知道他得的才不是小病。他得的是骨髓性白血病，也就是骨髓裡的黃色物質異常增生。過去五年他每年至少要輸血四次。每次他一覺得渾身乏力，就表示他應該去找培里耶醫生了，要不就要到楓丹白露醫院去作輸血。培里耶醫生說過（巴黎一位專家也說過），總有一天，他會發現他這情況來得又急又猛，到時候，輸血的神效就撐不住了。強納森自已讀過不少相關文獻，不用人說他也知道。骨髓性白血病一直都是不治之症，患者平均於病發後六至十二年過世，甚至會縮短到六至八年。強納森發病已經第六年了。

強納森把叉子放回磚造小屋，轉身走回後門的階梯；小屋以前曾是戶外廁所，後來改為小倉庫存放工具。強納森前腳才踩上第一階就打住，深吸一口清晨的新鮮空氣，脹滿肺部，心裡暗想，「我還有幾個禮拜可以享有這樣的清晨？」卻又馬上想起，前一年他也想過這同一問題。打起精神來！他在心底喝斥一聲，六年來不是一直有人認為他活不過三十五歲的嗎？強納森一口氣爬上後門的這八階，步伐堅定，腦子裡的念頭已經轉向，想的是已經八點五十二分了，他應該九點或九點過幾分就進店裡才對。

席夢送喬治到幼稚園去了，屋裡空無旁人。強納森到洗滌槽洗手，還拿席夢的蔬果刷刷手，席夢看了准會唸他，但他向來注意不弄髒刷子。另一個洗滌槽在頂樓的浴室裡。他們家裡沒裝電話，他進了店裡第一件事就是要打電話找培里耶醫生。

強納森走到教區路便左轉到薩布隆路，薩布隆路和教區路交叉。他一進店裡就撥電話給培里耶醫生，號碼他背得滾瓜爛熟。

接電話的護士說醫生今天掛號已滿，這在強納森是意料中事。

「我有要緊的事。不用很久，只是要問一個問題——但要當面問才可以。」

「你又沒力氣了？崔凡尼先生？」

「對，又沒力氣了。」強納森急急回答。

他就這樣約到了正午十二點。這個看診時間好像有一點不祥？

強納森是裝裱師，做的就是切襯卡、玻璃，做裱框，幫拿不定主意的顧客在店裡的現貨中挑選合意的。偶爾難得有那麼一次在拍賣會或舊貨商那邊買畫框，看到框和畫搭配得還滿中看，他也會把畫打理一下，放進櫥窗裡一起賣。但這生意賺不了多少錢，聊以餬口罷了。七年前店裡還有另一個合夥人，一樣是英國人，曼徹斯特人，兩人一起在楓丹白露開了一家骨董店，以整修舊貨轉賣為主。只是，利潤撐不起兩個人，羅伊便先抽腳閃人，在巴黎附近不知哪裡的修車廠當黑手去了。在那之後沒多久，倫敦一名醫生已經先跟強納森說過的話，巴黎一名醫生又說了一遍：「你很容易貧血，最好要常作檢查，也最好別做粗重的工作。」所以，強納森就從搬立櫃、沙發轉做輕鬆一點的活兒，改對付起畫框和玻璃。強納森在娶席夢之前，就跟席夢明白說過他可能活不過六年，因為就在他認識席夢那時，已有兩名醫生同都證實他不時出現的虛弱症狀，是因為得了骨髓性白血病。

這時，強納森開始一天的工作，心情平靜，非常平靜，卻想到他一死席夢應該就會改嫁。席夢一個禮拜有五天下午在羅斯福大道的一家鞋店上班，從兩點半到六點半，鞋店和他們家的距離走路就到，這還是去年喬治已經可以讀幼稚園才開始的事。席夢每禮拜賺的這兩百法郎，對他們十分重要，但強納森一想到布里薩就惱火。布里薩是席夢的老闆，有一點色迷迷的，愛捏員工的屁股，所以到了後面放存貨的地方，絕對不會放過毛手毛腳的機會。席夢可是有夫之婦，布里薩也不是不知道，強納森想他應該不敢太過分。但是，像他這種人，有機會下手就絕對不會白白放過。至於席夢也不愛賣弄風騷——其實她還怪害羞的，感覺像是覺得自己對男人哪會有吸引力？這一點反而教強納森傾心，強納森才覺得席夢渾身上下性感無比呢——雖然她那性感的風情，一般凡夫俗子未必能解。強納森想到布里薩那個到處勾搭獵豔的豬，想必也發覺了席夢與眾不同的性感魅力，就更氣。倒不是席夢常說布里薩怎樣，席夢只說過一次布里薩會把歪腦筋動到他店裡的女性員工身上。布里薩店裡除了席夢，只有另兩名員工是女的。那一天早上，強納森拿一幅裱好的水彩畫給客戶看時，有那麼一刻腦中忽然掠過席夢在他死後一陣子，終究投向那個噁心的布里薩懷抱！畢竟布里薩是單身漢，經濟狀況也比強納森要強很多。離譜！強納森暗罵自己一句，席夢最討厭布里薩那一型的人！

「啊，好漂亮！太棒了！」一身豔紅大衣的年輕女子伸直手把水彩畫拉遠一點，發出讚歎。

強納森嚴肅的長臉慢慢露出笑來，彷彿心底躲了一個小太陽，這時掙脫了烏雲在他體內發出燦爛的光。她真的很開心！強納森和她不算認識——其實這幅畫是一名年長的婦人送到強納森這裡來的，說不定是這女子的母親。要價應該比他原先估的要多二十法郎，因為畫框不是那老婦人原先選的（強納森的存貨不夠），但這些強納森隻字未提，也以原先就講好的八十法郎成交。

之後，強納森拿掃帚掃了掃木頭地板，也用雞毛撢子拂拭小小櫥窗裡的三、四幅畫。他的店看起來絕對很簡陋，那天早上強納森暗想，沒有什麼色彩，一個個大大小小的畫框靠在沒上漆的牆上，木框的樣品掛在天花板上往下垂，櫃台上擺了一本訂貨本、幾把尺和幾枝鉛筆。店面最裡面擺了一張長木桌，強納森要用軸鋸箱、鋸子、玻璃刀時，便都在這裡。桌上另還有強納森小心包好的一疊疊襯卡，一大卷牛皮紙，一卷卷線團、鐵絲，好幾罐膠水，幾盒大大小小的鐵釘，也都擺在這同一張大桌上。桌邊牆面上方釘了幾排架子，掛著刀啊鐵錘之類的工具。強納森大體還滿喜歡這裡十九世紀的氣味，沒有商業的花稍。他就要他的店是手藝人靠手藝撐起來的模樣，他自己也覺得他應該算是做到了這一點吧。他不會在價格上面灌水，準時交貨，萬一會遲一點，也會寄明信片或打電話通知客戶。強納森發現客戶對這一點都還滿欣賞。

上午十一點三十五分，裱好兩幅小畫，標好客戶的名字，強納森在店裡的洗滌槽用冷水洗一下手、臉，梳一梳頭髮，挺直身子準備應戰，迎向最壞的打擊。培里耶醫生的診所離大街不遠，強納森把掛在門上的營業告示指到下午兩點半開門，鎖上前門，就出發了。

強納森得在培里耶醫生的候診室裡等一下，陪他的是一盆病懨懨又灰撲撲的玫瑰月桂。這一盆從沒開過花，但又不死也不長，始終是一成不變的老樣子。強納森覺得這一盆玫瑰月桂活像他的寫照，雖然心裡逼自己要去想別的事，眼光卻忍不住一再朝盆栽飄過去。橢圓桌上擺了幾本《巴黎配》*，全都不是當期的雜誌，翻得起毛，強納森看這幾本雜誌卻覺得比玫瑰月桂還要悶。培里耶醫生也在楓丹白露醫院這樣的大醫院裡當醫生的——強納森在心裡提醒自己；否則，在這樣一家看起來悽悽慘慘的小診所當醫生的人，你還把性命交在他手裡，由他判生死，未免太離譜。

護士來了，朝他比個手勢。

「唉喲，最有意思的病人來了，我最有意思的病人可好啊？」培里耶醫生先搓一搓雙手，才朝強納森伸出一隻手去。

強納森和醫生握手。「我覺得還不錯，謝謝你，醫生。但那是怎麼回事呢？——我是說兩個月前作的幾項測驗。據我所知結果不太好，是不是？」

培里耶醫生一臉茫然，強納森仔細打量他的臉色。培里耶跟著笑了起來，修得不太整齊的小鬍子下面露出泛黃的牙。

「你說不太好是指什麼？你也看過結果啦。」

「呃，你也知道我不是解讀這些結果的專家——你說嘛。」

「但我已經解釋過給你聽了——現在是怎麼了？你又動不動就累了？」

「也沒有。」強納森知道醫生急著要去吃午餐，趕忙再說，「老實說，是我有一個朋友不知怎麼聽說——聽說我的情況很危險，說不定沒多久好活了。你想也知道，我當然會想作是你將這消息透露出去的。」

培里耶醫生先是搖頭，然後笑了一下，像小鳥一樣來回輕晃幾下，細瘦的兩條手臂再往外一攤，輕輕搭在玻璃書櫃上面，「我親愛的先生啊——首先，若真有這樣的事，那絕對不是從我這邊洩漏出去的，這樣的事我誰也不會說，有違醫德。第二，你的病也沒到這地步，至少從你最新的檢查結果來看不會這樣。——你要不要今天再做一次？下午晚一點你可以到醫院一趟，我可以——」

「也沒必要，我只是想知道——是真的這樣子嗎？會不會是你不想跟我講明白？」強納森講到這裡自己也輕笑了一聲，「免得我不好過。」

「真會胡思亂想！你以為我是這樣的醫生啊？」

沒錯，強納森在心裡暗自應了一聲，雙眼直視培里耶醫生。那就祈求上帝多保佑你了，偶爾

＊譯注：《巴黎配》（*Paris Match*）：法國暢銷時尚周刊，以報導法國、國際名流生活動態暨時尚潮流為主，創刊於一九四九年。

要吧。但強納森就是覺得他有權知道實情，因為他是有辦法面對現實的人。強納森咬住下唇。他也可以再到巴黎那一家檢驗中心去，硬是要再見一次那個專家穆修。要不然等一下和席夢一起吃午餐，看能不能套出她的話來。

培里耶醫生伸手拍了拍他一隻手臂，「你那朋友——我就不問是誰了——不是弄錯了就是不太夠朋友，我想。所以呢，現在，你只要又覺得容易累就要跟我說，這才重要……」

二十分鐘過後，強納森已經回到自己家門，沿著台階往上爬，手上還拎著蘋果派和一長條麵包。他用身上的鑰匙自己開門進屋，沿著走廊往廚房走去，聞到了煎馬鈴薯的味道；家裡有菜香聞得人垂涎三尺，都會是午餐時間，不是晚餐。席夢做的馬鈴薯都切成細長條，不像英國薯條粗粗短短。他怎麼忽然想到英國薯條去了？

席夢站在爐邊，連身裙外套著一件圍裙，手上一柄長鍋鏟不住翻攪。「欸，強，你今天比較晚。」

強納森伸出一隻手攬住席夢腰間，親一下她的臉頰，然後舉起手上的紙盒朝喬治面前送過去。喬治正坐在桌上，低垂一頭金髮，在把吃完的玉米片紙盒上的汽車剪下來。

「啊！蛋糕！什麼蛋糕？」喬治問道。

「蘋果。」強納森把盒子往桌上擱。

午餐三人各有一小塊牛排，可口的煎馬鈴薯，蔬菜沙拉。

「布里薩要開始作盤點了，」席夢說，「夏天的貨下禮拜要進來，所以，他要在禮拜五和禮拜六辦特賣。今天晚上我可能要晚一點才能下班。」

席夢已經把蘋果派放在灶上的石棉板上加熱，強納森等在一旁略有不耐，巴望著喬治快一點到起居室去，他一大堆玩具都在那裡，或者到花園去玩也行。好不容易喬治真的走了，強納森便說：

「我今天收到艾倫寫來的一封怪信。」

「啊？什麼怪信？」

「臨去紐約之前寫的，好像是聽說──」要不要把艾倫的信拿給她看呢？她英文的閱讀能力不錯。強納森決定把話講完。「他不知從哪裡聽說我的情況不太好，快要不行了──諸如此類的吧。妳知道這是怎麼回事嗎？」強納森打量席夢的神色。

席夢那一臉驚訝不像裝的。「啊？不會吧？強，我怎麼會──也只有你會跟我講嘛，對不對？」

「我剛才去找培里耶醫生，所以才會回來晚了。培里耶說他不認為我的病情有什麼變化，但妳也知道培里耶那人！」強納森笑了一下，眼睛始終緊盯著席夢的神情，放鬆不下來。「那，信在這裡，」強納森說時從屁股口袋抽出信來，把信裡那一話譯給席夢聽。

「我的天哪！──他這是從哪裡聽來的？」

「是啊，問題就在這裡。妳看我要不要寫信給他問一下狀況？」強納森又再微微一笑，這一次是比較真心的笑了。看來席夢是真的不知道這一件事。

強納森端著他喝的第二杯咖啡走進正正方方的小起居室，喬治趴在起居室的地板上玩他剪下來的紙玩具。強納森坐進寫字桌邊，他每次坐進這桌邊就覺得自己像巨人。這其實是小巧精緻的法式文具櫃，席夢家人送的。強納森用寫字檯時，都很小心不要壓得太用力。他拿了一封航空郵箋寫信給人在「紐約客大飯店」的艾倫・麥克尼爾。開場白的口氣很輕鬆，第二段就提到了：

你在信裡寫道，你對聽到（我）的事很震驚，不知道到底是什麼事？我人很好啊，而且，今天早上也去跟我的醫生談過，看看從他那邊是不是可以搞清楚一下情況。而他說他不知道有關我病情惡化的事是怎麼回事。所以，艾倫好友，我現在真正想要知道的是，你是從哪聽到這樣的事的？你若有空能否盡早回覆？聽起來好像有大誤會呢。這樣的事我當然不會放在心上，但也希望你能體諒我很想搞清楚你是從哪裡聽來的。

強納森在回店裡去的路上，把信投入黃色郵筒。可能要一個禮拜才會有艾倫的回音。

那一天下午，強納森拿切割刀沿著鐵尺邊緣劃下去時，手和以往一樣穩，但在心裡念著他寫的那一封信應該已經上路往奧利的國際機場去了吧？要不傍晚也應該會到，再不最晚明天早上會到？強納森又想到他的年紀，三十四了，若他真的只剩兩個月好活，那他這一輩子成就的事還真是少得可憐。他是生了個兒子，不能說沒意義，但實在算不上值得稱道的大事。他一走，還沒辦法幫席夢留下多少生活的保障。若真要算一算他帶給席夢什麼的話，還是席夢跟了他反而過得比婚前要差。席夢她爸爸只是賣煤的商人，但席夢她家多年下來還是累積了小康之家的資本，像是車子、有模有樣的家具等等，都讓一家子人過得舒舒服服。六、七月能到南部租別墅度假，去年還出錢租下一個月，讓強納森和席夢可以帶喬治去玩一陣子。強納森過得也沒他哥哥菲利普好，菲利普大他兩歲，雖然體格比較差，性格從小到大一直很悶，是埋頭苦幹那一型。但現在菲利普在布里斯托大學當人類學教授。強納森不覺得他這哥哥特別聰明，但是個實在的人，有實在的工作，有老婆和兩個孩子就是了。強納森的媽媽已經守寡，和舅舅、舅媽一起住在牛津郡，幫忙打理他們偌大的花園兼採購、準備三餐，過得很開心。強納森覺得自己像是家裡最沒出息的一個，健康出問題，事業也不順利。他最早是想當演員的，十八歲時讀過兩年演藝學校。他覺得他那長相當演員應該不錯，雖說鼻子太大、嘴巴太寬，不算英俊到哪裡去，但還算好看，撐得起浪漫的角色，而且又夠壯，也可以兼一點壯漢型的角色。作的什麼白日夢！在倫敦和曼徹斯特的劇場晃了三年，頂多要到了兩個跑龍套的角色——那時當然要打一打零工才有辦法過活，有一次做的還是在獸醫那裡當助手。「你台上那麼大的一個人，卻對自己一點信心也沒有，」這是一名導演對他說的。後來，有一次他在一家骨董商那裡打零工，想到他說不定會喜歡骨董這一行。他從老闆安德魯・莫特身上能學的全都學了，接著就跨出了那一大步，和死黨羅伊・強生跨海到法國來；從舊貨店到骨董店，羅伊雖然所知不多，興趣倒是不小。強納森還記得他那時的夢想，在新的國度，法國，有榮耀，有奇遇，有自由，功成名就。只是啊，哪有功成名就？哪有一個接一個文雅高貴的情婦？哪有成群結隊的波希米亞朋友？哪有某一階層的法國社會？——強納森以為有但可能根本沒有。全都沒有，只有強納森的人生道路依然走得顛顛倒倒，比起先前在演藝界找出路，真的沒好到哪裡去，混一口飯吃的門路還是那樣。

真要說他還做對了什麼事，強納森想，應該就是娶了席夢吧。確定得了骨髓性白血病的事，就在他認識席夢・佛薩迪耶的同一個月。那時他覺得自己莫名其妙就是好累，卻以為說不定跟他墜入愛河有關。只是，再怎麼多休息也沒辦法去掉疲乏無力的感覺，有一次還在內穆爾的街上昏倒，他便去看醫生——就是楓丹白露的培里耶醫生，培里耶懷疑是血液方面的疾病，就將他再轉介到巴黎的穆修醫生那裡。穆修醫生是這方面的專家，幫他作了兩天檢驗，證實他得了骨髓性白血病，說他只剩六到八年的壽命，運氣好的話可以拉長到十二年。他的脾臟還會腫大——其實，強納森那時自己也先注意到這一點了。也因此，強納森向席夢求婚，就變成了兩相為難的宣告，既宣告他的愛此生不渝，也宣告他死期不遠。這樣的宣告，一般的年輕女子聽了大概馬上退避三舍，要不也至少說要有一點時間好好想一想。席夢卻當場說好，她也愛強納森。席夢說，「愛才重要，時間長短沒關係。」不帶一絲計算——強納森原本覺得法國人，或說是所有的拉丁族裔吧，可都是頗精於計算的呢。席夢還說她已經跟家人講過了，那時他們兩人認識也才不過兩個禮拜。強納森驀地覺得自己的世界忽然變得好安穩啊！他以前從沒有過。愛，不止是浪漫的情愫而是真真實實的感覺，這他無力控制的愛，竟然像有法力一般救了他。愛，好像把他從死神的手中搶救下來。但強納森後來想到，他有這感覺，其實是因為愛把死亡的恐懼抽離了。只是，六年後，死神就會降臨——巴黎的穆修醫生作過這樣的預測。或許吧，強納森自己也不知道該信什麼才對。

強納森想他一定要再到巴黎一趟，去找穆修醫生。三年前，強納森在巴黎一家醫院由穆修醫生幫他作過一次全身大換血。這種換血療法，目的——或說是希望——在於輸血過後，血液不會再出現異常增生的白血球和黃色物質。只是，約莫過了八個月，黃色物質又回來了。

不過，強納森要和穆修醫生約診，還是要先等到艾倫・麥克尼爾的回信再說。艾倫一定馬上就會回信，這強納森有把握。艾倫那人很可靠的。

強納森準備要打烊了，臨走前再四下看一遍他這一爿像狄更斯筆下的寒傖小店，眼神無限淒涼。未必有多髒，只是牆壁需要粉刷。強納森想他是不是應該下工夫把地方打理得體面一點？收費也開始灌水，如何？很多裝裱師不都是這樣的嗎？例如只要是黃銅漆面的貨，標價馬上就可以往上拉一大截。強納森縮了一下，他不是這樣的人。

那一天是禮拜三。禮拜五，強納森正彎腰在對付一個螺絲釘；這螺絲釘還真頑固，扎在這櫟木框說不定一百五十年有了，怎樣就是不肯向他的鉗子投降。才在埋頭苦幹，強納森忽然扔下手中的鉗子，趕忙找地方坐。找到了靠牆放的一個木盒子。但才坐下卻又馬上站起來，到洗滌槽邊沖一把臉，還把腰彎得很低。約莫過了五分鐘，暈眩的感覺才消失。再到了午餐時，他已經忘了這件事。他這情況每兩、三個月要來上一次，強納森也很慶幸這情況沒趁他走在街上時來突擊。

禮拜二，他去信給艾倫後六天，收到一封從「紐約客大飯店」寄來的信。

親愛的強：

我是說真的，很高興你去找醫生問過，得到的回覆也不錯。跟我說你病得很重的人，頭有一點禿，留著小鬍子，有一隻眼睛是玻璃做的義眼，四十出頭吧。他看起來真的很擔心，但你也不要怪他，他說不定也是從別人那裡聽來的。

我很喜歡紐約這裡，真希望席夢和你也可以來這裡，我還可以報公帳……

三月二十五日，禮拜六

艾倫說的這人是皮耶・高席耶，在大街開了一家美術用品店。和強納森不算是朋友吧，認識而已。高席耶常把他店裡的顧客介紹到強納森的店裡來將畫裱框。他們歡送艾倫的那一晚，高席耶也來了，強納森記得很清楚，所以，他一定可以跟艾倫講上話。高席耶透露這一件事，無疑絕對不懷好意。只是強納森有一點意外，沒想到連高席耶也知道他得白血病的事——雖然強納森知道他生病的事終有一天會傳揚開來。強納森想，這時候該做的事就是要找高席耶，問一下他到底是從哪裡聽來的。

早上八點五十分了，強納森為了等郵件還沒出門，前一天早上也是這樣。他有一股衝動，很想馬上衝去找高席耶，但他覺得這樣只會襯得他未免焦慮得不太對勁，他還是稍安勿躁的好，先進店裡去像平常一樣作生意。

由於一連來了三、四個顧客，強納森忙到十點二十五分才可以喘一口氣。強納森把掛在大門玻璃上的營業指針拉到早上十一點，告訴來客早上十一點會再營業。

強納森走進高席耶的美術用品店，高席耶正在和兩名女性顧客作生意。強納森裝作瀏覽架上的畫筆，等高席耶有空，才說：「高席耶先生，生意好吧？」強納森朝高席耶伸出一隻手。

高席耶用兩手握住強納森伸出來的手，笑道，「你呢？兄弟，你還好吧？」

「過得去，謝謝你……我說啊，我不想佔去你太多時間——但我有事情要請教一下。」

「沒問題，什麼事？」

強納森比了一下手勢，高席耶便挪幾步，離店門遠一點；店門隨時會開，店面又小，沒多少地方可以站。「我聽一個朋友說——一個叫艾倫的朋友，你記得吧？那個英國人，幾個禮拜前在我家辦的派對上。」、

「記得！你那英國朋友。阿（艾）倫。」高席耶記得，眼神也很專注。

強納森想要避開高席耶那一隻義眼，專心看他好的那一隻眼睛就好。「呃，好像是你跟艾倫說你聽說我病得很重，說不定活不了多久了。」

高席耶親切的臉上神色一沉，點頭說道，「對，先生，我是聽說了。希望這都不是真的。我記得阿倫沒錯，因為你把他介紹給我時，說他是你最要好的朋友，所以，我才會以為他應該先知道了。我可能什麼都不要說才對。對不起，我可能太不用大腦了。我還以為你在——像英國紳士一樣——在人前強顏歡笑。」

「我的病根本就不嚴重，高席耶先生，因為以我這邊知道的，根本就不是這樣！我才剛跟我

的醫生談過，只是——」

「啊！太好了！啊，那好，這就不一樣囉！真高興聽到這樣的消息，崔凡尼先生！哈！哈！」皮耶・高席耶爆出一陣笑聲，好像有鬼魅一下子被鎮住了，不僅是強納森，連他自己也都死裡逃生了。

「但我想知道你是從哪裡聽來的？誰跟你說我生病的？」

「啊——是啊！」高席耶一根手指頭搭在唇上，開始想。「誰啊？男的。對——就是他！」

高席耶想出來了，但臨時打住。

強納森在等他把那人供出來。

「但我記得他說過他也不太確定。他說他也是聽人說的。一種沒藥醫的血液疾病，他是這樣說。」

強納森又著急起來，渾身開始發熱，這前一個禮拜他這樣已經好幾次了。強納森舔一下嘴唇，「那是誰呢？他又是怎麼聽來的？他難道沒說嗎？」

高席耶又再頓住，「既然不是真的——那就當作沒這一回事，好不好？」

「你很熟的人嗎？」

「不熟！一點都不熟，我跟你保證。」

「顧客？」

「對，對，是顧客沒錯，很好的人，紳士。只是，他自己也說他不是很確定。——真的，先生，雖然我知道你一定很氣有這樣的話，但這件事還請你千萬不要放在心上。」

「這就又牽出了另一個很有意思的問題了，你說的這一位紳士怎麼會聽說我病得很重？」強納森沒放鬆，再往下說，但也已經帶著笑。

「對，沒錯，唔，但這說法沒說對，這才重要嘛，你說對不對？」

強納森看出高席耶擺出了他的法國禮數，不願意得罪顧客，還有——可想而知——不喜歡講到死這樣的事。「對，你說得對，這才重要。」強納森和高席耶再握一下手，兩人這時同都滿臉堆笑；強納森和高席耶道了再見。

那一天吃午餐時，席夢問強納森收到了艾倫的信嗎？強納森說有。

「是高席耶跟艾倫提這一件事的。」

「高席耶？那個開美術用品店的？」

「對。」強納森在喝咖啡，也點了一根菸。喬治已經到外頭的花園去玩了。「我今天早上去找高席耶，問他是從哪裡聽來的。他說是一個顧客跟他說的，男的。——真好笑欸，對不對？高席耶不肯跟我說是誰；但也沒辦法怪他。反正就是誤會一場，高席耶現在也知道了。」

「只是這樣的消息很嚇人的欸。」席夢回答。

強納森微微一笑，知道席夢也不是真的害怕，因為她已經知道培里耶醫生說給強納森聽的是滿好的結果。「英國人有一句話，別把鼴鼠丘搞成大山——無須庸人自擾、小題大作。」

下一禮拜，強納森在街上遇到培里耶醫生，醫生正急著趕在中午十二點整以前衝進興業銀行，免得被關在門外。但他看到強納森，還是停下腳來問強納森好不好。

「還不錯，謝謝你，」強納森回答，心裡念著要趕到一家店裡去買通馬桶用的橡膠吸盤，那家店在二百碼外，也是正午十二點要關門。

「崔凡尼先生——」培里耶醫生一隻手搭在銀行大門的門把上，停下腳步和強納森打招呼，再稍微退後，挪得離強納森近一點。「幾天前我們講過的那一件事——沒有一個醫生說得準的，你知道我的意思吧？我是說像你這情況。我不想讓你以為我在跟你保證你是百分之百健康，好幾年都會沒事。你自己也知道——」

「啊，我絕對不會那樣子去想！」強納森打斷醫生的話。

「那你懂我的意思了。」培里耶醫生笑著回答，就趕忙回頭衝進銀行。

強納森小跑步趕著要去買他要的橡膠吸盤。是家裡廚房的洗滌槽堵住了，不是馬桶——強納森忽然想起，家裡的那一根橡膠吸盤席夢幾個月前借給了一個鄰居，還有——強納森在想培里耶醫生剛才講的話。難道他知道什麼事？會不會是他覺得上一次的檢查結果有狀況，但不太確定，所以沒辦法跟他說個清楚？

強納森前腳才走到藥房門口，就撞見一名黑髮女子，女子滿臉堆笑正在鎖門，拿下外面的門把。

女子跟強納森說，「不好意思，十二點過五分了。」

3

三月的最後一個禮拜，湯姆都在畫赫綠思躺在黃絲緞沙發上的全身像。赫綠思向來不太願意擺姿勢當模特兒。不過，沙發倒是可以靜靜待著不動，所以，湯姆也就聊勝於無，把沙發畫進畫裡。他另也畫了七、八幅赫綠思的素描，有左手撐頭，有右手搭在一本厚厚的美術書上。湯姆留下畫得最好的兩張，其他就全都丟了。

瑞夫斯・米諾也寫過一封信來，問湯姆想出什麼主意可以幫忙的沒有？——瑞夫斯的意思是湯姆想出人選沒有？瑞夫斯的信在湯姆和高席耶聊過那一次之後兩天寄到；湯姆作畫用的顏料一般都是向高席耶買的。湯姆回信給瑞夫斯，寫道，「還在想，但你若有別的打算，那就不妨放手去做。」「還在想」這幾個字只是客套話，甚至假話，跟愛蜜莉・波斯特*說的社交辭令潤滑劑一樣。而且，瑞夫斯自己對於麗影還從來沒有添加油水的功勞呢。其實，湯姆偶爾幫瑞夫斯當中間人或幫忙銷贓拿到的報酬，連付他們的乾洗帳單都不夠。不過，維持友好的關係又不會有壞處。瑞夫斯到底幫湯姆買過一份假護照，還及時送到巴黎給他，讓他來得及保住德瓦特的生意。說不

* 譯注：愛蜜莉・波斯特（Emily Post, 1872-1960），出身上流社會的女作家，寫雜文、評論，也寫小說，但以一九二二年的大暢銷書《禮儀大全》（*Etiquette in Society, in Business, in Politics, and at Home*）最為知名，她的名字就此和禮儀劃上等號。

定哪一天湯姆還用得著瑞夫斯。

至於強納森・崔凡尼那邊的事，就單純是湯姆閒著沒事要捉弄他罷了，跟瑞夫斯那邊的賭場生意沒有關係。湯姆正好最討厭賭，也瞧不起以賭為生的人，即使只是拿賭賺外快他也看不下去。這跟拉皮條差不多。而湯姆要捉弄崔凡尼，也只是一時興起而已，加上崔凡尼譏諷過他一次——另也因為湯姆還想看看他這樣子亂槍打鳥會不會歪打正著，讓強納森・崔凡尼這傢伙有一陣子不太好過？湯姆覺得崔凡尼這人本性貪婪卻又自命清高。到時候，瑞夫斯再祭出他的餌來，當然就再借用崔凡尼反正也活不久這樣的事，來個一劍穿心。湯姆不太相信崔凡尼會把餌吃下，但搞得他有一陣子心神不寧倒是跑不掉。只可惜湯姆抓不準謠言多久會傳到強納森・崔凡尼的耳朵裡去。高席耶那人夠八卦，但也只是「可能」而已；而且，就算高席耶跟兩、三個人說了，也應該沒人有那膽子直接去跟崔凡尼把話說破。

所以，湯姆雖然和平常一樣專心作畫，忙花園裡的春耕，讀他的法文、德文書（這時候讀到了席勒和莫里哀）*，外加要當監工，有三個泥水匠要在麗影後面的大草地右側蓋一棟溫室——卻還是暗自在算日子，暗自想像三月中旬那一天傍晚他順口跟高席耶說他聽說崔凡尼不久人世之後會出現什麼狀況。高席耶不太可能直接找上崔凡尼提這一件事，除非兩人的交情比湯姆想的要好很多。高席耶比較可能去找別人說這一件事。湯姆算準的是（他覺得準會是這樣沒錯）：有人不久於人世，這樣的事任誰聽了都會有興趣。

湯姆每兩個禮拜左右要到楓丹白露一趟，楓丹白露離維勒佩斯約十二哩。購物、麂皮外套送洗、買收音機電池、幫安奈特太太買一些作菜要用的稀罕食材，楓丹白露都比莫黑方便。強納森・崔凡尼店裡有電話，湯姆在電話簿裡查到了，但顯然他在聖梅希街的家裡並沒有電話。湯姆也在查崔凡尼家的門牌號碼，但他覺得只要他看到那房子，應該認得出來。到了三月底，湯姆變得很想看看崔凡尼這時候怎樣了——當然是以遠觀為宜——因此，他挑了一個禮拜五早上，到楓丹白露走一趟。那一天是趕集日，湯姆準備買兩個圓的紅土陶盆種花。待他把東西放進雷諾旅行車後車廂，便沿著薩布隆街走過去，崔凡尼的店就開在薩布隆街上。時間近正午了。

崔凡尼的店看起來要好好粉刷一下才行，有一點死氣沉沉的，湯姆心想，活像老人家開的。湯姆還沒光顧過崔凡尼這一家店，因為莫黑那裡就有一家很好的裝裱店，離湯姆家也比較近。這家店在大門上方的木頭上有褪色的紅色漆，寫著「Encadrement」（裱褙），小小的店夾在一排店面裡面——自助洗衣店，修鞋店，小旅行社——店門開在偏左那邊，右邊則是一扇正方形的窗，擺了各式各類的畫框，還有兩、三幅畫，畫上掛了手寫的價格標籤。湯姆沒事人般慢慢晃過街心，眼神朝店內一飄，就看到崔凡尼高大如北歐人的身型站在櫃台後面，和湯姆隔著有二十呎遠。崔凡尼正在拿一截畫框樣本給一名男子看，還拿手敲一敲，嘴裡唸唸有詞。這時，崔凡尼的眼神朝櫥窗這邊飄過來，看到了湯姆，盯了一眼，但嘴上還在跟顧客說話，臉上的表情也沒有一點變化。

＊譯注：席勒（Friedrich Schiller, 1759-1805），德國狂飆時代劇作家、詩人、歷史學家，與歌德交好。莫里哀（Moliere, 1622-1673），法國劇作家，西洋文學的喜劇泰斗。

湯姆繼續閒逛下去。崔凡尼沒認出他來——湯姆自己感覺如此。湯姆再往右拐，走進法蘭西街，這是楓丹白露僅次於大街的第二條要道。湯姆沿著法蘭西街往前走，一直走到聖梅希街，然後右轉——還是崔凡尼家在左邊？不對，是右邊沒錯。

是沒錯，就在那裡，一定是這一棟，窄窄的、像被兩旁擠得透不過氣的灰色房子，前門台階有細長的黑色扶手。台階兩旁所剩無幾的地方都填上了水泥，不見一株花來調劑前門光禿禿的風景。不過，屋後倒是有花園；湯姆這下子想起來了。幾扇窗雖然都很乾淨，光可鑑人，卻也看得出來掛的是鬆垮垮的窗簾。對，二月那一天晚上高席耶邀他來作客的地方，就是這裡。屋子左側有一條窄窄的走道，一定是往後面的花園裡去。一個綠色的塑膠垃圾桶放在花園的鐵柵欄門前，門上有掛鎖鎖住。湯姆想這崔凡尼一般應該是從廚房的後門進花園裡去，湯姆記得崔凡尼家的廚房有後門。

湯姆正站在街的對邊，走得很慢，但又小心不讓人覺得他像徘徊不去，神色可疑，因為他抓不準強納森的妻子或其他什麼人會不會正好就在窗邊朝外看。

他還有東西要買的沒有？鋅白，沒錯，他這一管顏料快用完了。既然要買這東西，那就要到賣美術用品的高席耶那裡跑一趟。湯姆馬上加快腳步，還在心裡讚歎自己真棒！因為他是真的需要去買鋅白，所以，他到高席耶那裡是有正事要辦，卻又可以順便滿足一下刺探的好奇心。

高席耶的店裡只見老闆一人。

「你好，高席耶先生！」湯姆跟他打招呼。

「你好，黎普利先生！」高席耶應了一聲，滿臉帶笑，「今天好吧？」

「很好，謝謝你，你呢？——我才發現應該再買一點鋅白了呢。」

「鋅——白。」高席耶從靠在牆邊的櫃子拉出一個扁扁的抽屜，「那，這裡。我記得你用的是『林布蘭』？」

湯姆是用「林布蘭」這牌子沒錯。「德瓦特」牌的鋅白和其他顏色，店裡也有賣，管子上面的標籤有德瓦特往下斜拉、筆觸豪邁的黑筆簽名，但湯姆在家裡畫畫，偏偏就是不喜歡每次一伸手拿顏料還是什麼，「德瓦特」幾個字就迸現在眼前。

湯姆掏錢付帳，高席耶把要找給湯姆的零錢連同裝著鋅白的小袋子遞給湯姆，還說：「啊，黎普利先生，你記得崔凡尼先生嗎？聖梅希街上的那個裝裱師？」

「記得啊，」湯姆才正在動腦筋看是要怎樣帶出崔凡尼的話題呢。

「那，你聽說的那事，就是他不久人世的事，不是真的啦。」高席耶笑道。

「不是啊？喔，那好啊！我很高興不是真的。」

「對啊，崔凡尼先生還去找他的醫生問呢。我看他有一點不高興吧。誰不會哪？哈！哈！——你那天說是有人跟你說的，對不對？黎普利先生？」

「對，派對上聽另一人說的——二月那一次。崔凡尼太太的生日派對。所以我才會以為是真的，而且大家都知道，你懂我的意思嗎？」

高席耶若有所思。

「你跟崔凡尼提這一件事？」

「沒有——沒有。我只是有一天晚上跟他一個最好的朋友提了提，崔凡尼家開的另一場派對，這個月的事。而那朋友看來是跟崔凡尼先生說了。唉，話傳得真快！」

「他最好的朋友？」湯姆問時一臉無辜。

「英國人。阿倫什麼的。派對第二天就要去美國了。只是——你記得是誰跟你說的嗎？黎普利先生？」

湯姆慢慢搖一下頭，「想不起來叫什麼，連長得什麼樣也不記得。那一天晚上人那麼多！」

「因為——」高席耶傾身向前，湊近在湯姆眼前壓低聲音，好像還有別人也在店裡。「崔凡尼先生跑來問我，你知道嗎？來問我是誰說的，我當然沒跟他說是你說的。這樣的事很可以引起誤會的。我可不想害你惹上麻煩。哈！」高席耶晶亮的那一隻義眼沒跟著笑，反而從他的頭定定朝外凝視，好像那一隻眼睛後面還另有一個高席耶的腦子，像電腦一樣的腦子，一眼就能看穿世間萬事，像是被人設定好了程式。

「我還真要謝謝你，拿人家健康狀況的不實傳言說三道四，真的不太好，對吧？」湯姆這時候咧開嘴擺一下笑臉，也準備要走的樣子，但又忽然加了一句，「不過，不管怎麼說，崔凡尼先生倒真的是有血液方面的病，你說對吧？」

「這倒是沒錯。我想是白血病一類，但他一直都是這樣子過。他有一次跟我說他有這病也好多年了。」

湯姆點頭，「無論如何，很高興知道他沒什麼危險。稍後見囉！高席耶先生，多謝！」

湯姆朝他停車的地方走去。崔凡尼確實是嚇了一跳，雖然可能沒幾小時他就去向他的醫生求證了，但起碼應該也在他自信的盔甲上面敲出一條小小的裂縫吧。不是真的有幾個人——說不定連崔凡尼自己也在內——都以為他沒幾個禮拜好活了？因為像崔凡尼得的那種病，這情況不是沒有可能。只可惜崔凡尼現在又元氣大振了；但話說回來，那一道小小的裂縫說不定就足以讓瑞夫斯好好使力。那麼，現在湯姆玩的這把戲就要堂堂邁入第二階段了。崔凡尼可能一口就拒絕瑞夫斯，這樣的話就沒得玩了。但是，話說回來，瑞夫斯去找他，絕對就當他這人大限已到，到時候崔凡尼若是動搖的話，那可就有好戲可看了。那一天，赫絲思的朋友諾愛爾從巴黎來看他們，還要留下來過夜，湯姆和赫絲思、諾愛爾一起用過午餐後，便撇下兩位女士，去用打字機打一封信給瑞夫斯。

親愛的瑞夫斯：

你若還沒找到合適的人選，那我這邊倒是有了主意。這人叫強納森·崔凡尼，三十出頭，英國人，裝裱師，娶了法國老婆，有一個年紀還小的兒子。（湯姆在這裡把崔凡尼的住家、裝裱店的地址和店裡的電話都寫給了瑞夫斯。）看他那樣子應該還滿缺錢的，不過，他可能不是你要的那一型，他人看來很正派，身家清白，但在你這邊重要的是：我發現他只剩幾個月或幾個禮拜好活了。他得了白血病，才剛聽到噩耗。遇到了這樣的事，他應該會願意接一點危險的事來多弄一點錢。

我自己並不認識崔凡尼，我不想和他見面，你也千萬別跟他提起有我這個人。所以，我的提議如下：你若真想試探他的意思，那你就到楓丹白露，找一家優美迷人的旅館：黑鷹旅館，在那裡住個兩天，打電話到崔凡尼的店裡約他見面，把事情談開。不需要我提醒你別用你的真名吧？

湯姆寫到這裡，忽然對他玩的這把戲信心大增，想到瑞夫斯拿他那猶豫不決、焦急難安的模樣——差一點就可以說是正直不阿——卸掉別人的心防，向正氣凜然猶如聖人的崔凡尼透露這樣一件事情，湯姆就忍不住竊笑。那瑞夫斯約崔凡尼見面時，他有沒有膽子也在黑鷹旅館的餐廳或酒吧裡坐在另一張桌子邊呢？不行，那樣就玩過頭了。想到這裡就提醒湯姆另一件事，趕忙在信上加上：

你若真到楓丹白露來，千萬別打電話或留字條給我，不管什麼情況都不可以。這一封信看過之後請即刻銷毀，拜託。

你永遠的朋友

湯姆

一九——年，三月二十八日

4

三月三十一日，禮拜五下午，強納森店裡的電話鈴響了。他才剛在一幅大畫後面黏上牛皮紙，得先找到合適的重物——一塊刻有「倫敦」字樣的老沙岩塊，一罐黏膠，一根木槌——才有辦法拿起話筒接聽。

「喂？」

「您好，先生，請問是崔凡尼先生嗎？……我想您應該講英文吧？我叫史蒂芬・魏斯特。我現在在楓丹白露這邊，準備要待個兩天左右，我在想，不知道您抽不抽得出來幾分鐘的時間和我談一下事情——我覺得這事您應該會有興趣才對。」

這人是美國口音。「我不買畫，」強納森回答，「我是做裝裱的。」

「我要找你談的事跟你的工作沒有一點關係，但在電話上不方便說。——我住在黑鷹旅館。」

「喔？」

「不知道你今天晚上打烊後，可以撥空到這裡來一下嗎？約七點好嗎？還是六點半？我們可以喝一點酒或咖啡。」

「可是——我想先知道你找我是什麼事，可以嗎？」這時店裡走進來一名婦人——提梭太太？還是狄索？——她來拿畫，強納森對著她笑笑，表達歉意。

「等見面時就會跟你說清楚，」電話那一頭是輕柔、急切的聲音。「十分鐘就好，你今天晚上七點有沒有空？」

強納森鬆了口，「六點半可以。」

「那我在大廳等你。我穿的是灰色的蘇格蘭呢格子西裝，但我會交代門房，不難找我。」

強納森一般是在下午六點半左右打烊。六點十五分，他已經站在只有冷水的洗滌槽邊洗手。那一天天氣暖和，強納森穿的是一件很舊的套頭高領毛衣加米色的舊燈芯絨外套，這樣子進黑鷹旅館不夠優雅，若再套上他那一件不算頂好的風衣，準會更糟。那人一定是有東西要賣他。還會有別的嗎？

那一家旅館從強納森的店走路五分鐘就到。旅館前面有一塊不大的前院，用很高的鐵柵欄圍起來，還要走幾步台階才進得了正門。強納森一進門就注意到有一名男子朝他走來，男子身材瘦長、神情緊張，剪的是平頭，朝他走來的樣子略顯猶疑，強納森便先開口：

「魏斯特先生嗎？」

「我是。」瑞夫斯硬從嘴角擠出笑，朝強納森伸手。「我們是要在這裡的酒吧小酌一下，還是你想到別的地方？」

這旅館的酒吧很怡人，也安靜。強納森聳一聳肩，「看你的意思。」他發現魏斯特的臉頰有一道很難看的疤。

兩人走向旅館酒吧寬敞的入口，裡面只有一男一女坐在一張小桌旁邊。魏斯特一個轉身，好像看酒吧這麼安靜一時有點著慌，他說：

「我們到別的地方好了。」

兩人走出旅館，朝右轉。強納森知道前面就有一家酒吧，大概叫「運動咖啡廳」之類的吧，這時候準是人聲鼎沸、熱鬧非常，一堆男生擠在彈珠檯邊，工人擠在吧檯前面。魏斯特走到門檻倏地站住，好像沒想到會進了戰場，而且大戰方酣。

「你要不要——」魏斯特轉身跟強納森說，「到我旅館的房間一談，有沒有關係？那邊安靜，我們可以叫東西上去。」

兩人便再回頭進了旅館，爬上一截樓梯，走進一間漂亮的房間，西班牙風味的裝潢——有黑色鑄鐵花飾的家具，覆盆子紅的床單，淡綠色地毯。這房間有人住的唯一跡象，便是架上的一只行李箱。魏斯特沒用鑰匙就進了房門。

「你想喝點什麼？」魏斯特朝電話走去。「蘇格蘭威士忌？」

「好啊。」

這男子用蹩腳的法語叫了東西上來，還要求連瓶送上，冰塊多一點，麻煩了。

接著一陣子沒了聲音。這人怎麼渾身不自在？強納森暗自奇怪。強納森站在窗邊朝外俯瞰。看來魏斯特沒等酒送上來是不會開口說話。強納森聽到門上輕輕一叩。

身穿白外套的侍者進門來了，捧著托盤，臉上堆著和氣的笑。史蒂芬・魏斯特倒酒很大方。

「有沒有興趣賺上一筆？」

強納森臉上帶笑，坐在一張舒服的扶手椅內，手上一大杯加冰威士忌，「誰不想？」

「我有一件危險的事要處理一下——嗯，應該說是重要的事——而我願意花大錢來搞定這件事。」

強納森腦中馬上蹦出「毒品」這兩個字：這人可能是要找人幫他送什麼東西，或藏什麼東西。「你是幹哪一行的？」強納森客氣問道。

「我做的可多了。但現在這一行可以說是——賭博業。——你玩這嗎？」

「不玩。」強納森又再微微一笑。

「我自己也不玩。但這不是重點。」這男子從床沿站起來，慢慢在房裡踱起方步。「我住在漢堡。」

「喔？」

「賭博在漢堡市內是不合法的，但在私人夜總會裡就很常見。不管怎樣，這也不是重點，合法不合法無關緊要。我只是需要有人去幫我解決掉一個人，也可能兩個吧，再看看順便偷一點什麼——就是幫我把這樣的事情辦好。好啦，我已經把話都攤開來講明白了。」這男子盯著強納森看，探詢的眼神十分正經。

殺人！這人說的是殺人！強納森大吃一驚，但又馬上帶笑輕輕搖頭。「真不知道你是從哪裡聽說我的？」

史蒂芬．魏斯特沒笑。「這不重要，」還是手上一杯酒在房裡踱方步，灰色的眼睛瞟了強納森一眼就挪開。「不知道九萬六千美元這樣的金額，你覺得怎樣？等於是四萬英鎊，再等於四十八萬法郎——新法郎。只要槍殺一個人錢就到手——也可能要兩個吧，這要看情況怎樣。我這邊會把事情先安排好，包準你沒有危險，也不會失手。」

強納森又再搖頭，「我不知道你是從哪裡聽說我會是——呃，職業殺手。你一定把我和別人弄混了。」

「沒弄錯，絕對沒弄錯。」

強納森的笑被那人緊盯的眼神逼得漸漸褪去。「一定有什麼地方弄錯了……你可以跟我說你是怎麼會打電話找我的嗎？」

「呃，你——」魏斯特的神情像是在痛苦掙扎，這是先前沒有過的。「你只剩幾個禮拜好活了，你自己也很清楚。你有少妻、幼子——對不對？你難道不想身後多留一點東西給他們？」

強納森覺得血流一下子全從臉上流光了。這個魏斯特怎麼知道那麼多？隨即恍然大悟，原來全都環環相扣！不管是誰跟高席耶說他不久於人世，那人都認識眼前這個叫魏斯特的，而且，那人也應該和他不知有什麼關係。強納森決定不指名高席耶。高席耶人很老實，眼前這魏斯特卻是個壞坯子。強納森手上那一杯威士忌忽然變得不怎麼好喝了。「是有很離譜的傳言——最近才——」

這時候輪到魏斯特搖頭了。「不是離譜的傳言。也許是你的醫生不想跟你說破。」

「所以，你知道的比我的醫生還要多？我那醫生不會騙我。我是有血液方面的疾病沒錯，但——我現在的情況還沒壞到哪裡去——」強納森頓了一下，「反正重點是我怕我幫不上忙，魏斯特先生。」

魏斯特這時抿了抿嘴，臉頰上那一道長長的疤變得更噁心，像活生生的蟲。

強納森別過眼睛。難道培里耶醫生真的在騙他？強納森想他隔天一早應該就要打電話到巴黎那一家檢驗中心，再問一點問題才好。要不乾脆到巴黎跑一趟，要他們那邊再說清楚。

「崔凡尼先生，很抱歉，但我不得不說，看來有人沒跟你把話說清楚。至少你自己也已經聽到你說的那傳言，所以，我應該不算是把壞消息傳到你這裡來的那一個人。這一件事你當然有選擇的自由，但依目前這狀況，這一筆數目還不小，我覺得應該會很不錯才對。這樣，你就可以放下工作，好好享受你的——呃，像是帶家人搭遊輪環球旅行一下，而且，一樣可以給太太留下一筆……」

強納森覺得有一點頭昏，便站起來，深吸一口氣。頭昏跟著消失，但他寧願再站著不坐下去。魏斯特還在講，但強納森沒怎麼在聽。

「……我的想法。漢堡那邊有幾個人願意出這一筆九萬六。我們要除掉的人是義大利黑手黨的。」

強納森也只恢復一半。「謝了，但我不是殺手。這一件事麻煩你就此打住。」

但魏斯特還是繼續往下講，「只是我們就是要找和我們、和漢堡那邊沒一點關係的人來幫我們處理這一件事。第一個目標只是個圍事的打手，一定要在漢堡解決掉。原因是，我們要警方覺得那是兩大黑手黨在漢堡火併。其實，我們還希望警方插手時會順道幫我們這邊一下。」魏斯特還是在房裡四下踱步，而且，眼睛盯著地板的時候居多。「第一目標一定要在公共場合槍殺，就在地下捷運系統的人潮中。也就是你們說的地鐵。動手後，槍要馬上丟掉，然後——殺手就混入人群跑得無影無蹤。義大利槍，沒有留下指紋。沒有留下線索。」魏斯特說到這裡，兩手往下一收，像交響樂團指揮在將曲子收尾。

強納森回到椅子坐下，他還是需要坐幾秒鐘才好。「對不起，我沒辦法，」一等他又有了力氣，他就要出房門去。

「我明天一整天都會待在這裡，可能還會待到禮拜天下午近傍晚吧。我希望你可以考慮一下。——再一杯威士忌嗎？說不定喝了會好一點。」

「不用了，謝謝。」強納森硬撐著站起來，「我該走了。」

魏斯特點一點頭，臉上帶著失望。

「謝謝你的酒。」

「不客氣。」魏斯特幫強納森開門送他出去。

強納森走了出去。他原以為魏斯特會塞一張名片在他手裡，幸好沒有。

法蘭西街的街燈已經亮起，晚上七點二十二分了。席夢有沒有交代他要買什麼回去？麵包吧，大概是這一樣。強納森走進一家麵包店買了一根棍子麵包。做這些平常在做的雜事，教他安心不少。

晚餐有蔬菜湯，兩片吃剩的豬頭肉凍，番茄洋蔥沙拉。席夢在講她那鞋店附近有一家店在作壁紙大減價。花個一百法郎他們就可以把臥室全換上新的壁紙，她已經看好了一款淡紫和碧綠的漂亮圖案，淡雅怡人的新藝術風格。

「臥室只開了一扇窗，實在很暗，你也知道，強。」

「好像不錯，」強納森回答，「大減價更好。」

「是大減價。才不像有的店搞那種笑死人的拍賣，只減個百分之五——我們那小器的老闆就是。」席夢拿麵包屑沾沙拉醬汁再扔進嘴裡。「你在擔心什麼事嗎？今天有什麼事嗎？」

強納森馬上擠出笑來。他才沒在擔心什麼事！他很高興席夢沒注意到他回家比較晚，還先喝過一大杯酒了。「沒事，親愛的，哪有什麼事！忙了一個禮拜吧，大概就是這樣。快要過了。」

「你又累了？」

聽起來像醫生在問話，例行公事。「沒有……我今天晚上八點到九點之間要打一通電話給客戶。」時間已經是八點三十七。「我看還是現在就打比較好，親愛的，咖啡晚一點再喝好了。」

「我也要去，好不好？」喬治問強納森，一把扔下手上的叉子朝椅背靠，準備要溜下椅子。

「今晚不行，我的小祖宗。我很趕，而且你只是想去玩彈珠檯，我還會不知道你嗎？」

「好萊塢泡泡糖*！」喬治大喊，拿法語發音唸英文：「好萊敷抱抱同！」

強納森在門廊從掛鉤拿下他的外套，不禁縮了一下。「好萊塢泡泡糖」對法國這國家的小孩子就是有莫名的吸引力，綠、白二色的包裝紙丟得水溝到處都是，有的時候連強納森的花園也有。「遵命，老爺。」強納森扔下這一句就出門了。

培里耶醫生家裡的電話號碼在電話簿裡找得到，強納森只希望他今晚在家。有一家賣菸的小店有電話，比強納森自己的店要近一點。驀然一陣恐慌襲來，緊緊扣住強納森，強納森趕忙小跑步往那亮著燈的傾斜紅色圓柱跑過去，那一家賣菸的小店就在那裡，要走兩條街。他一定要醫生把話講清楚。強納森朝吧檯後面的年輕男子點頭打一下招呼，這男子和他也只算點頭之交。強納森對他先指了指電話，接著再指向放電話簿的架子。「楓丹白露！」強納森用喊的。店裡很吵，還有點唱機在大鳴大放。強納森找到了電話號碼，撥號。

來接電話的是培里耶醫生，一聽就認出是強納森。

「我想再作一次檢驗，今晚就做更好。就現在——對，你若可以幫我採檢體的話。」

「今晚？」

「我可以馬上過去找你，五分鐘就好。」

「你是不是——又覺得累了？」

「呃——我是想檢體都是在明天送到巴黎去——」強納森知道培里耶醫生習慣在禮拜六早上

＊譯注：好萊塢泡泡糖（Hollywood Chewing Gum），法國的泡泡糖品牌，由一名美國大兵於一九五二年在法國創立，以「美式生活」的格調攻下泡泡糖市佔率第一的寶座。

把病人的檢體送到巴黎去。「你若今天晚上或是明天一大早可以幫我採檢體的話——」

「我明天早上不進診所，我有事情要出門。看你這麼擔心，崔凡尼先生，你現在就來我家好了。」

強納森匆忙付錢，臨出門也沒忘記再買兩包「好萊塢泡泡糖」，塞進外套口袋。培里耶住在馬其諾大道那邊，走路要將近十分鐘。強納森先是小跑步，後來才改成快走。他從沒去過培里耶醫生家。

培里耶住的地方是又大、又陰森的大樓，管理員是個年紀很大、動作很慢、骨瘦如柴的老婦，待在小小的玻璃小間裡看電視，小房間滿是塑膠盆栽。強納森站在電梯前面等電梯從上下降到東倒西歪的柵欄裡來。這時，老門房悄悄走進走廊，好奇問他：

「你太太要生了啊？先生？」

「不是，不是，」強納森堆出笑臉回答，想起培里耶其實是全科醫生。

強納森走進電梯往上。

「你又怎麼了？」培里耶醫生站在餐廳裡面招手要強納森過去，「到這房間來。」

培里耶醫生家的燈很暗，電視機不知在哪裡。兩人走進去的房間佈置得像小辦公室，一層層架子上面都是醫學書籍，辦公桌上擺著醫生的黑色公事包。

「我的天，你這樣子看起來就像快要昏倒了，你剛才用跑的，對吧？看就知道，兩頰發紅。你可別跟我說你又聽到傳言說你一腳已經進了墳墓！」

強納森力持鎮靜，「我只是想要確定一下。我不是很舒服，我跟你說實話。我知道上一次檢查到現在也只有兩個月——只是，下一次檢查是訂在四月，那現在就做也沒什麼不好——」講到這裡強納森停住，聳一下肩膀，「反正抽骨髓也很簡單，而且，明天一早就會送出去——」強納森知道他的法語在這時候講得更蹩腳了，知道 moelle 這個字，也就是骨髓，在跟他造反，尤其是想到他的骨髓是不正常的黃色，更氣。強納森覺得培里耶醫生這當口對他這病人只是百般遷就而已。

「對，我馬上就可以抽取檢體，但結果可能和上次一樣。沒有醫療人員有辦法給病人百分之百的保證，崔凡尼先生……」醫生嘴裡還在說，強納森已經脫掉毛衣，依培里耶醫生的手勢坐進一張很舊的皮沙發。醫生把麻醉針頭插進去。「但我了解你為什麼會這麼著急，」培里耶醫生過幾秒後再說了這一句，手上還在輕壓、輕拍一條管子，管子已經插進強納森的胸骨。

強納森不喜歡聽那擠壓的聲音，但覺得刺痛不嚴重，還可以忍受。這一次，他說不定可以搞清楚一些事。強納森走前忍不住又再跟培里耶醫生說，「我一定要弄清楚狀況才行，培里耶醫生，你看檢驗中心那邊會不會沒把檢驗出來的結論全給我們？我沒有意思要去懷疑他們的數字不對——」

「我說年輕人啊，你要的結論或預測根本就不存在！」

強納森走路回家。他想過要跟席夢說他去找培里耶的事，跟她說他又擔心起來了，但沒辦法：席夢吃的苦已經夠多了。而他真的講了，席夢又能說什麼呢？不過平白害席夢也跟他一樣開始擔心。

喬治已經在樓上躺在床上，席夢在讀故事書給他聽。又是阿斯泰利克斯*。喬治靠坐在幾個枕頭上面，席夢坐在床邊的一張矮凳，就著床頭燈唸故事書。看起來多像「活人畫」✢啊，家庭即景，年代大概是一八八〇年吧，強納森暗歎，唯獨席夢那一條寬鬆的長褲壞事。喬治的頭髮映著燈光，金黃燦爛如玉米穗。

「抱抱同呢？」喬治笑開了嘴問他爸爸。

強納森也笑了，拿出一包泡泡糖。另一包就等下一次再拿出來吧。

「你去了好久。」席夢說。

「拐到咖啡廳喝了一罐啤酒。」強納森回答。

第二天下午，四點半到五點的時候，強納森依培里耶醫生的吩咐，打電話到尼耶利的埃貝爾—瓦倫檢驗中心。強納森報上自己的名字，拼出來，說他是楓丹白露培里耶醫生的病人。接著等對方把他的電話轉到負責的單位去，留他看著電話每過一分鐘就嘟一聲，在計費。強納森手上的紙和筆都準備好了。能不能麻煩他再拼一次名字？再後來就是一名女子開始把報告讀給強納森聽，強納森飛快將檢驗的數據記下來。白血球指數十九萬。比以前高嗎？

「我們也會寄一份書面報告給你的醫生，他在禮拜二應該就會收到。」

「這一次的結果比上一次要差，對不對？」

「我手上現在沒有您上一次的報告，先生。」

「你們那裡現在有醫生嗎？我可以找一個醫生問嗎？麻煩妳。」

「我就是醫生，先生。」

「喔，那這一份報告——不管妳手上有沒有先前那一份報告，數字不是太好，對不對？」

女醫生給了教科書的標準答案，「確實有潛在的危險，包括抵抗力降低……」

強納森是在他的店裡打電話的，門上掛的告示牌翻到「打烊」，門簾也拉下來了，只是從外面還是看得到他在裡面。待他這時候要去拿掉牌子，才發現他剛才根本就沒鎖門。既然這一天下午也沒人約好要來拿畫，強納森想他真的關門打烊也無妨。時間已是下午四點五十五了。

強納森走到培里耶醫生的診所，打算要等，就算要等到一個小時以上也無妨。禮拜六診所裡很忙，因為大部分人禮拜六不上班，才有空看醫生。排在強納森前面的有三個人，但是護士主動來找他講話，問他可以久等嗎？他說不太好，護士就硬將他往前塞，再向下一位病人道歉。難道培里耶醫生跟護士提過他的事？強納森不懂。

培里耶醫生細看強納森潦草寫下的筆記，黑色的眉毛一揚，說，「但這不完整啊。」

「我知道，但是終歸還是可以作一些推論，對不對？情況有一點下滑——是不是？」

「你看你，好像很希望情況下滑的樣子！」培里耶醫生還是他一貫的樂天開朗，但強納森這

＊ 譯注：阿斯泰利克斯（Asterix），一九五九年問世的法國漫畫主人翁，是個古羅馬時代的高盧鬥士。

✣ 譯注：活人畫（tableau vivant）：由活人著戲服於舞台上扮演畫作裡的靜態景象，盛行於十九世紀。

時已經不太放心了。「老實說，沒錯，是有一點下滑，但也只有一點點，你說是不是？」

「換算成百分比——差了百分之十，你說呢？」

「崔凡尼先生——你又不是汽車！我總要等到禮拜二完整的報告送到後才有辦法說嘛。」

強納森再走路回家，走得很慢，還特別繞到薩布隆街，看看有沒有人要進他的店裡。半個人影也沒有。只有自助洗衣店倒是生意興隆，一堆人抱著大包小包的衣物在門口不巧就會撞在一起。已經快六點了，席夢鞋店那邊要到七點以後才下班，會比平時晚，因為她的老闆布里薩要趕在禮拜天和禮拜一休息前多收幾張法郎。魏斯特也還在黑鷹旅館。他難道單單就是為了等他嗎？單單為了等他回心轉意，說一聲「好」？那樣想會很好笑嗎？也就是說，萬一培里耶醫生和史蒂芬・魏斯特兩人是串通好了，萬一兩個人在埃貝爾—瓦倫那邊動了手腳，要他們故意弄一份不太好的檢驗結果給他看？萬一高席耶也有份？由他來扮黑臉送壞消息？像噩夢一樣，什麼最最稀奇古怪的事全都湊在一起，專門就要來對付——對付他這個作夢的人！但是強納森知道他可沒在作夢。他知道培里耶醫生不可能收史蒂芬・魏斯特的錢幫他辦事。埃貝爾—瓦倫那邊也是。他的病情惡化一樣也不是夢；死神又再朝他走得更近一些，或是更快一些，超過他原先想的。不過，但凡人生在世，每多過一天，不全都是如此的嗎？強納森提醒自己別忘了這一點。強納森把死亡、老去想作是往下走的，也就是人生的下坡路。大部分人都有機會慢慢走這一段下坡路，大概從五十五歲起吧，反正只要人生的步伐慢了下來就算，一路這樣往下走到七十歲，也就是走到人生氣數窮盡的時候。強納森知道他邁向死亡的路不會一樣，他的會像是從懸崖摔下去。每一次他想要為自己作「準備」時，心底就忍不住搖擺閃躲。他的心態，他的精神，都還在三十四歲的年紀，都還盼望可以再活下去。

崔凡尼家窄窄的那一棟房子，在暮色裡泛著藍灰色，不見一絲燈光。這房子略顯陰森，強納森和席夢五年前買下來時，卻覺得這才好玩。強納森那時說它是「福爾摩斯之家」；那是他和席夢在吵這一棟好、還是楓丹白露另一棟好時說的。「我還是比較喜歡福爾摩斯之家，」強納森記得他那時說過。房子有一八九〇年的風味，勾起煤油燈和晶亮欄杆的古意——雖然他們搬進去時，屋裡沒一塊木頭擦得晶亮。只是，這房子怎麼看都覺得應該可以整修出十九世紀、二十世紀之交的魅力。房間都很小，但格局別致，小花園不過是一塊長方形的地，滿是亂長的薔薇花叢。但好歹也是薔薇花叢，再修葺、修葺就好了。後門台階上去是扇形花邊的玻璃門廊，裡面小小的玻璃玄關，強納森總覺得有維亞爾和波納爾*筆下的興味。但這時候強納森再看過去，就發覺兩人住進來五年了，卻根本沒打消這房子半分的陰森。換新壁紙是可以讓臥室亮起來，沒錯，但也只是一間房間而已。他們這房子的錢還沒付清，還有三年的貸款。買的若是公寓，像他們結婚頭一年在楓丹白露住的那一戶，會便宜一點，但席夢一直習慣房子要有花園——她在內穆爾從小到大從來不缺花園——強納森自己身為英國人，當然也喜歡家裡有一塊花園。不過，這棟房子是吃

* 譯注：維亞爾（Edouard Vuillard, 1868-1940），法國畫家、版畫家，具裝飾風的「納比派」（Nabis）代表人物。波納爾（Pierre Bonnard, 1867-1947），也是「納比派」的法國畫家。

掉了他們一大部分的收入，但強納森從來沒後悔過。

所以，強納森沿著前門台階住上走時，心裡想的不是剩下的貸款，而是他可能會死在這一棟房子裡。他十之八九是不可能和席夢換到另一棟怡人一點的房子去住了。他想，這棟「福爾摩斯之家」早在他出生前好幾十年就已經矗立在這裡了，而他死後，這棟屋子還會繼續矗立好幾十年不會消失。他覺得看中這一棟房子算是命中注定。終有一天，他會被人腳先頭後橫著扛出這一棟屋子，就算還沒死也只是一息尚存而已，而且，這麼一出，就再也沒有進的機會了。

強納森一進門就嚇了一跳，沒想到席夢人在廚房裡，坐在桌邊和喬治在玩牌戲。席夢抬起眼來衝著強納森笑，強納森看著她，知道她想起來了：強納森這一天下午要打電話到巴黎的檢驗中心問狀況。但席夢沒辦法當著喬治的面提這事。

「那個老不修今天提早打烊，」席夢跟強納森說，「沒生意。」

「那好啊！」強納森揚聲回答，口氣輕快，「你們這個小賭場是在搞什麼？」

「我贏欸！」喬治這一句說的是法語。

席夢站起來，跟在強納森後面走進走廊，看他把雨衣掛好，眼神寫著問句。

「沒有什麼好擔心的，」強納森作出回答，但是席夢作手勢要強納森順著走廊再往裡走進起居室。「是略有一點點惡化，但我完全沒有惡化的感覺，所以囉，管他的！真煩！我們喝一杯仙山露*吧。」

「你擔心的其實是傳言？對不對？強？」

「對，是這樣沒錯。」

「知道是誰在亂傳就好了，」席夢瞇起了眼睛，很不高興，「傳這樣的話真可惡！高席耶一直沒跟你說是誰在傳啊？」

「沒有，高席耶說可能是哪裡有誤會，結果把話說得太誇張了。」強納森先前就已經跟席夢講過這話。但他心裡有數，根本就沒什麼誤會不誤會，這其實是精心設計的局。

＊譯注：「仙山露」（Cinzano）：義大利苦艾酒，也譯「沁扎諾苦艾酒」。

5

強納森站在一樓臥室窗邊朝花園看，席夢正在花園裡晾衣物。幾個枕頭套，喬治的睡衣，十幾雙喬治和強納森的襪子，兩件白色的睡袍，胸罩，強納森的米黃工作褲——應有盡有，唯獨床單，床單席夢向來要送洗衣店，因為她很注重床單一定要燙得平平整整。席夢穿了一件斜紋軟呢的寬鬆長褲，上面套的是貼身的紅色薄毛衣。背脊看起來強壯、柔軟，她這時候正彎腰從橢圓形的大洗衣籃裡拎起一條條抹布。涼爽、晴朗的日子，微風已經拂來夏天的氣息。

強納森才剛勉強把他們要到內穆爾和席夢父母，也就是佛薩迪耶他們家吃午餐的事，硬是推掉了。強納森和席夢習慣每隔一週的禮拜天就回席夢父母那裡吃一頓午餐。席夢的哥哥傑哈德若沒來接他們，強納森和席夢就帶喬治搭公車到內穆爾去。到了佛薩迪耶家，一夥人連同傑哈德夫婦加上他們的兩個孩子，一起吃一頓豐盛的大餐；傑哈德夫婦也住在內穆爾。席夢的父母很疼小外孫喬治，每次一定備有禮物。下午約三點，席夢的爸爸尚諾耶就會開電視來看。這樣的午餐聚會，強納森常覺得煩，但還是會陪席夢回去，因為這是該做的事，因為他尊重法國家庭維繫親情的傳統。

「你還好嗎？」強納森央求這一次就免了，席夢問過他這一句。

「我還好，親愛的，我只是今天心情不對，也想趁早把地打理好可以種番茄。妳自己帶喬治過去好不好？」

所以，中午席夢就帶著喬治去搭公車了。席夢還先把吃剩的紅酒燉牛肉盛在爐上的紅色小砂鍋裡，強納森餓時只要加熱一下就有得吃。

強納森是想獨處一下。他一直在想那個神祕客史蒂芬・魏斯特，想這魏斯特跟他提的事。他倒也不是想打電話到黑鷹旅館找魏斯特，強納森知道魏斯特還住在那裡，離他家不到三百碼。他並不想和魏斯特聯絡，只是想到魏斯特這一件事情，他卻莫名就覺得刺激又困擾，像是青天霹靂，他原本水波不興的生活忽然迸現一道繽紛的色彩。強納森很想將這色彩看個仔細，就說是欣賞一番吧。強納森還有一種感覺（先前也常被證實很準），席夢讀得出來他的心思，或至少知道他心裡有事。這禮拜天如果他又是若有所思的樣子，他可不想讓席夢抓到，免得會被追問是什麼事。所以，強納森在花園裡幹活的時候很賣力，卻又大作白日夢。他在想四萬英鎊這樣的數目不止貸款可以付清，兩件分期付款買的東西也可以結清，家裡該重新粉刷的地方馬上就可以粉刷，再買一台電視機，撥一筆錢放著供喬治上大學，幫席夢和他自己買幾件新衣——啊！心頭就此風平浪靜，了無掛慮！他又想到會有一個、說不定兩個黑手黨份子——虎背熊腰的黑髮惡霸在轟然巨響後身亡，手臂軟軟垂下，身軀倒地。只不過——強納森把鏟子用力朝花園的泥地插下去——要他扣下扳機，甚至要他拿槍對準另一人的背，他就沒辦法去想了。但他覺得更有興趣的、更費解的、更危險的是：魏斯特從哪裡知道他這個人？楓丹白露這裡一定有人在搞鬼整他，而且，還扯到漢堡那麼遠的地方去。魏斯特應該不會把他誤作別人，因為魏斯特連他生病、有太太和年幼兒子的事也摸得一清二楚。絕對有人，強納森在心裡推斷，絕對有他當作是朋友的人，或至少他以為來往相善的認識的人，對他其實一點也不友善。

強納森心想這魏斯特可能今天下午五點就要離開楓丹白露了。到了下午三點，強納森已經吃過午餐，也把起居室正中央圓桌抽屜裡面雜七雜八的舊報紙和收據整理好。這時候——強納森發現自己根本不覺得累，很高興——就再拿起掃帚和畚箕去對付煙囪的外牆和柴油爐周圍的地板。

下午五點才過，強納森正拿著刷子在刷廚房洗滌槽的煤灰，席夢帶著喬治回來了。席夢她哥哥傑哈德和嫂子伊鳳一家子也一起來，幾人在廚房小酌。喬治從外公、外婆那裡收到一個圓圓的復活節糖果盒，裡面是一個包上金箔的彩蛋，一隻巧克力兔子，五顏六色的水果軟糖，全都蓋在黃色的玻璃紙下面還沒開，因為席夢不准他打開，他在內穆爾那邊吃的糖已經夠多了。喬治和佛薩迪耶家的孩子在花園裡玩。

「鬆過土的地方不要踩！」強納森朝外面的孩子喊。他已經把花園的土都翻鬆過一遍，但留著小石子沒動，讓喬治去撿。喬治可能會帶著他那兩個玩伴一起幫他撿石頭，把他的那一輛紅色小拖車塞滿。喬治每裝滿一次，強納森就會給他五十生丁*——也不用真的裝滿，蓋住底就可以了。

外面開始飄雨。幾分鐘前，強納森才剛把晾在外面的衣物拿進來。

「花園整理得好棒！」席夢說，「你看，傑哈德！」席夢朝她哥哥招手，要他到小小的後門廊邊。

強納森心想，這時候魏斯特可能已經搭火車從楓丹白露到巴黎去了，也可能搭計程車從楓丹白露到奧利，反正他有錢。說不定已經在飛機上往漢堡飛了呢。席夢就在身邊，加上傑哈德、伊鳳的聲音，像是把魏斯特這人從黑鷹旅館給抹掉了，怎麼說也像是把魏斯特變成強納森胡思亂想出來的幻影。強納森對自己始終沒打電話給魏斯特，也頗得意，好像單單不打電話就等於戰勝了什麼誘惑。

傑哈德・佛薩迪耶是做電氣的，整潔、嚴肅的人，比席夢要大一點，髮色也比席夢要淡一點，褐色的小鬍子修剪得很仔細。他的嗜好是研究海軍史，也愛做十八、十九世紀的軍艦模型，還會在模型加裝小電燈泡，放在他家的起居室，一按開關就會全部都亮或亮一半。古代軍艦加裝現代電燈泡，不倫不類，傑哈德自己也會拿來取笑，但是屋裡的燈全關掉後，軍艦的燈一開，真的很美，這八或十艘軍艦就像航行在起居室漆黑的大海上面。

「席夢說你有心事——在擔心你的病，強，」傑哈德語帶憂心，「很替你難過。」

「也沒怎樣，只是又再去作檢查就是了，」強納森回答，「檢查出來的結果跟以前差不多。」強納森已經習慣用這些老套來擋，像遇到有人向你問好，你就答「好啊，謝謝」一樣。不過，強納森這樣回答，傑哈德聽了好像比較安心，所以，看來席夢沒跟她哥哥多說什麼。

＊譯注：生丁（Centime）：法郎百分之一。

伊鳳和席夢在講油布氈的事。廚房的地板在爐子和洗滌槽前的地方已經磨得差不多了，他們買下這房子時就不是新的。

「你真的還好嗎？親愛的？」佛薩迪耶一家子剛走，席夢就問強納森。

「比還好還要好。我連暖氣鍋爐都有辦法對付呢，還有煤灰。」強納森笑著回答。

「發神經啊你！——那起碼要幫你好好弄一頓晚餐。我媽包了三份我們午餐時吃剩的肉捲，一定要我帶回來，很好吃喲！」

近晚上十一點，兩人正準備就寢，強納森忽然覺得一陣癱軟，好像他的兩條腿、他全身都陷在黏黏的東西裡面——像是走在深及臀部的爛泥巴。只是累了嗎？但看起來心理上的累要大於身體上的累。還好燈已經關了，他就可以全身放鬆，他的手臂環抱席夢，席夢一樣兩隻手臂環抱著他，兩人睡覺一直都是這姿勢。他想到史蒂芬・魏斯特——他真的叫這名字嗎？——說不定就在飛機上朝東去，瘦長的身子半躺在飛機的座椅上。強納森心裡浮現魏斯特那一張有一道粉紅色長疤的臉，茫然，緊張，但魏斯特應該不會再念著強納森・崔凡尼這個人了，他應該已經把腦筋動到別人身上去了。強納森想這魏斯特應該還有兩、三名備用人選才對。

一早，寒冷多霧。八點才剛過，席夢就帶喬治去上幼稚園，強納森站在廚房拿第二杯牛奶咖啡暖他的手。這屋子的暖氣不夠力，好不容易才又熬過一年寒冬，但在春天這屋子早上還是一樣冷颼颼。他們買下這房子時，就已經有火爐了，熱力是夠樓下的五個暖器用，但樓上另五個就不夠用了——樓上那五個是他們自己加裝的，加裝時原本以為可以。強納森記得有人提醒過他們會有這樣的結果，只是要換大一點的暖氣鍋爐，可要花掉他們三千新法郎，他們擠不出錢來。

前門的投信口滑下來三封信。一封是電費。強納森把另一封四方形的白色信封翻到背面，看到印了黑鷹旅館四個字。強納森打開信封，掉出一張名片，飄落地板。強納森撿起名片，就看到「史蒂芬・魏斯特敬上」，手寫的，下面印的是：

瑞夫斯・米諾
艾格尼斯街 159 號
溫特胡德（阿斯特湖）
漢堡 56
629-6757

信封裡也有信。

親愛的崔凡尼先生：

很遺憾今天早上、下午一直到現在都沒能接到你的回音。但是，萬一你改變主意，特此附上我的名片和漢堡地址請你不吝聯絡。你若願意重新考慮我的提議，隨時可以撥對方付費電話給我。到漢堡來親自會晤也可。待我一收到你的回音，便會將來回旅費電匯與你。

再者，若是趁機在漢堡這邊找血液科專家看看，聽一聽另外的意見，不也不錯嗎？說不定也可以讓你安心一點。

我預計在禮拜天晚上返回漢堡。

史蒂芬・魏斯特敬上

一九——年，四月一日

強納森看完信後，意外、好笑、生氣，心底五味雜陳。安心一點？這真的有一點好笑，魏斯特不是很確定強納森不久於人世的嗎？所以，若是漢堡的專家說，「啊，對，你只剩一、兩個月的壽命，」強納森真的會安心一點嗎？強納森把信和名片塞進長褲屁股的口袋。免費來回漢堡一趟。魏斯特還真是極盡利誘之能事。有意思，他這信是禮拜六下午寄的，這樣禮拜一一早強納森就會收到，雖然他禮拜天還是隨時有可能會接到強納森的電話。鎮上的郵筒禮拜天是不收信的。

早上八點五十二分，強納森在想他這一天該做哪些事。他要從梅朗一家公司多訂一些襯卡紙。至少有兩個顧客必須寫明信片去提醒一下，因為他們畫已經裱好一個禮拜多了。強納森禮拜一一般都會進店裡去打點一些雜務，但不開門營業，因為開門營業會違反法國一週不得營業超過六天的法令。

強納森在九點十五分進了他的店，拉下門上的綠色簾子，就再鎖上店門，「打烊」的牌子留在門上。強納森在店裡東摸摸、西摸摸，腦子裡轉的還是漢堡的事。聽一聽德國專家的看法，說不定也不錯。強納森兩年前到倫敦找過一名專家看過，檢查出來的結果同法國這邊的一樣，強納森也就認了診斷就是這樣。只是，德國那邊會不會更徹底、更進步呢？若說他接受魏斯特的提議，跑一趟德國又怎樣呢？（強納森正在一張明信片上抄地址。）但這樣他就欠魏斯特人情了。而魏斯特要強納森幫他殺人這一件事，強納森發覺被他像好玩一般偶爾就翻出來盤算、盤算——也不能說是要幫魏斯特吧，應該說是為了那一筆錢。黑手黨徒，這些人不全都是十惡不赦之輩？啊？當然啊，強納森也沒忘記，他若真讓魏斯特出錢跑一趟漢堡，日後也一定會把錢再還給魏斯特。他只是這時還沒辦法把錢湊出來罷了，錢不夠嘛。他若真想幫自己的病情找個確切的定論，德國（或瑞士）那邊應該會有機會。德國和瑞士的醫生不都說是世界頂尖的嗎？強納森想到這裡，也順手把梅朗那一家紙業公司的名片放在電話旁邊，免得隔天忘記打電話，這一家公司一樣是禮拜一不營業。誰知道呢？天曉得，魏斯特的主意搞不好根本就行不通。強納森腦中剎時閃過：他被德國警方的交叉火網轟得碎屍萬段——他才剛開槍斃了那個義大利佬就被德國警方逮個正著！不過，就算他沒能逃過一劫，席夢和喬治不還是會有那四萬英鎊？強納森的思緒回到了現實。他才不要去當殺手，休想！只是漢堡那地方，到漢堡去怎麼想都覺得像去玩一趟而已，像休假，即使聽到的還是噩耗，那又怎樣？總之，聽到的會是實話。就算這時候需要魏斯特代墊來回的旅費，但他大概三個月就可以還清了，省一點，不要買衣服，連上咖啡廳喝啤酒也省下來。不過，強納森可不敢跟席夢提，雖然她想必不會反對，因為強納森這是要去找別的醫生再看一看，想必還是很出色的醫生。所以，要省就只能靠強納森自己節衣縮食。

十一點左右，強納森撥了一通電話到漢堡給魏斯特，直撥，不是對方付費。三、四分鐘過後，他的電話響了，強納森接起來，聲音很清晰，比一般打到巴黎的通話品質都還要好很多。

「……對，我是魏斯特。」傳來魏斯特輕柔又緊張的聲音。

「我今天早上收到你的信了，」強納森說，「到漢堡一趟的事——」

「對啊，沒什麼不好嘛。」魏斯特的口氣平常。

「我是說去看那邊的專家——」

「我馬上把錢匯過去給你。你到楓丹白露郵局去領就可以，兩小時錢就應該會到。」

「那——你真客氣。我到了後——」

「你今天就來，可以嗎？晚上到？我這裡有客房你可以住。」

「今天啊？我不知道。」今天就去又怎樣？

「你拿到機票就打電話跟我說，告訴我你什麼時候會到。我一整天都在。」

強納森掛掉電話，心跳有一點快。

強納森回家吃午餐，進門就直接到樓上看他有沒有行李箱可用。有，就擺在衣櫃頂上。他們上一次出門度假後就一直擺在那裡，那一次是去亞爾勒。

強納森跟席夢說，「親愛的，臨時有重要的事，我決定要去漢堡看一個專家。」

「喔，真的？——培里耶建議的？」

「呃——老實說，沒有。是我自己要的。聽一聽德國醫生怎麼說也不錯。我知道要再花錢。」

「喔，強！什麼花錢不花錢嘛！——你今天收到報告了？但檢驗中心的報告要明天才會到，對不對？」

「對。反正他們說的都是那一套，親愛的。我要聽不同的意見。」

「你什麼時候要去？」

「快一點吧，就這禮拜。」

臨到下午五點，強納森打電話到楓丹白露的郵局，錢已經匯到。強納森拿他的身份證領到六百法郎，再直接從郵局走到羅斯福廣場的興業銀行——只隔了兩條街而已——在興業銀行買了往漢堡的來回機票，當天晚上九點二十五從奧利機場起飛的飛機。他發現這一來他可就很趕了，但他也寧願趕一點，因為這樣就沒時間讓他多想、多猶豫。強納森回店裡去，打電話到漢堡，這一次就是對方付費。

還是魏斯特接的電話。「喔，那好，十一點五十五分到。你搭機場的接駁巴士到市內的終點站，好嗎？我就在那裡等你。」

強納森接著再打一通電話給一名顧客，這顧客有重要的畫要來拿。強納森跟他說他禮拜二、禮拜三都不開門，因為「家裡有事」——司空見慣的藉口。接下來兩天，他也要在店門留下告示，大概也是這樣的說法。沒什麼大不了的，強納森想，鎮上的店也常常一關就是幾天不作生意，理由五花八門。強納森有一次看到的告示牌寫的是「宿醉未去，小休一天」。

強納森關上店門，回家打包行李。他想他頂多也只是待個兩天吧，除非漢堡的醫院或其他什麼原因逼得他要多留幾天再作檢查。他查過到巴黎的火車時刻表，七點左右就有一班，時間正好。他要先到巴黎，再轉到榮民大樓搭公車到奧利的機場。席夢帶喬治回到家時，強納森的行李都已經收拾好放在樓下了。

「今天晚上就去？」席夢問。

「愈快愈好，親愛的，我很想要早早解決。禮拜三就回來，說不定還可以提早到明天晚上。」

「可是——我要怎樣和你聯絡？你訂好旅館了嗎？」

「沒有。我會打電報給妳，親愛的，妳別擔心。」

「醫生那邊你都安排好了？這醫生叫什麼？」

「我不知道醫生是誰，我只聽過那一家醫院。」強納森想把護照塞進外套裡層的暗袋，卻掉到地上。

「我從沒見過你這樣子。」席夢說。

強納森衝著席夢堆出笑，「起碼——沒要昏倒嘛，妳看！」

席夢要送他到楓丹白露—亞文車站，再自己坐巴士回來，但強納森求她不要。

「我一到就發電報給妳。」強納森說。

「漢堡在哪裡？」喬治問第二次了。

「Allemagne*！——德國！」強納森回答。

強納森在法蘭西街攔到一輛計程車，運氣不錯。他抵達楓丹白露—亞文車站時，火車也正好進站，他差一點就沒辦法買好票衝上車。後來再搭計程車從里昂火車站到榮民大樓。強納森領到的六百法郎還剩一些，所以暫時不必煩惱錢的事情。

強納森上了飛機，雖然有雜誌搭在膝頭，但一路半睡半醒，還覺得像是有一個新的自己被往前飛的機身從舊的那一個自己身上拖出來，獨留舊的那一個在聖梅希街暗暗灰灰的破房子裡。席夢身邊像是有另一個強納森在陪她洗盤子，一邊閒聊家庭瑣事如廚房地板換新的油布氈要花多少錢之類。

飛機降落機場。空氣凜冽刺骨，寒氣比法國重得多。先是一條長長的高速公路，沿邊是成排點亮的燈。然後是市區簇擁的街道，一棟棟雄偉的高樓襯著夜空影影綽綽、傲然矗立。街燈連顏色、形狀都有別於法國。

魏斯特的笑臉迎面而來，走到強納森面前伸出右手。「歡迎，崔凡尼先生！旅途愉快吧？……我的車就停在外面。要你自己坐車到終站，請多見諒。我那司機——也不是我專屬的，只是有的時候請他幫忙開車——直到前幾分鐘才走得開。」

兩人一起走向人行道邊緣，魏斯特那一口美國腔英語還在嘮叨。除了臉上那一道疤，他還真看不出來會是暴力份子。強納森覺得他應該是冷靜到過分那一型；從精神病學的角度來看，這可不是好兆頭——還是他的壞是笑裡藏刀那一型？魏斯特走到一輛油光雪亮的黑賓士車旁站住。一

＊譯注：Allemagne——法語之日爾曼。

名上了年紀的男子，光著頭，上來幫強納森提他的中型行李箱，還為魏斯特和強納森開車門。

「這位是卡爾。」魏斯特說。

「晚安。」強納森向他打招呼。

卡爾微微一笑，用德語咕噥講了幾個字。

上車後坐了相當長的一段路。魏斯特把市政廳指給強納森看，「全歐洲最古老的，大戰時躲過轟炸，」還有一棟很大的基督教堂還是天主教堂，強納森沒聽清楚魏斯特說的。強納森和魏斯特一起坐在賓士車的後座。車子開進市區一處比較有鄉村風味的地帶，再走過一座橋，就開上了一條相當暗的路。

「到囉，」魏斯特說，「我家到了。」

車子沿著坡面上的一條車道往上開，最後停在一棟大房子前面，有幾扇窗透著光，大門也點著燈，維持得很清潔。

「老房子，四層樓，其中一層是我的，」魏斯特跟強納森解釋，「漢堡很多房子都是這樣，改裝過的。我那裡還有很漂亮的風景，阿斯特湖的風景。是內阿斯特湖，大的那一塊。明天你就看得到了。」

兩人上樓，搭的是現代的電梯，卡爾在一旁幫強納森提行李。卡爾按門鈴，來應門的是一名中年婦女，黑色連身裙加白色圍裙，臉上都是笑。

「這一位是蓋碧，」魏斯特跟強納森作介紹，「我請的鐘點女傭。她在同一棟大樓的另一戶人家當差，睡在他們那邊。但我跟她說我今天晚上可能要有人幫忙做菜。蓋碧，這是法國來的崔凡尼先生。」

婦人向強納森親切打過招呼，就幫他拿外套。婦人有一張圓嘟嘟、肉呼呼的臉，看起來就像有菩薩心腸。

「你要梳洗一下的話在這裡，」魏斯特朝一間浴室比一下，浴室裡的燈已經大開。「我去幫你倒一杯蘇格蘭威士忌。你餓嗎？」

等強納森從浴室出來，四方形大起居室裡的燈——四盞立燈——已經全亮；魏斯特坐在一張綠沙發上抽雪茄，他面前的咖啡桌也擺了兩杯威士忌。蓋碧這時迅速走進來，捧著托盤，盤上有三明治和圓塊狀的淡黃色乳酪。

「啊，謝謝妳，蓋碧，」魏斯特再跟強納森說，「這時間對蓋碧已經太晚了，但我一跟她說有客人要來，她就一定要留下來幫你準備三明治。」魏斯特嘴上說得雖然愉快，臉上卻始終不見笑容。其實啊，蓋碧忙著擺盤子、銀餐具時，魏斯特臉上那兩道一字眉還緊緊揪在一起，煩惱得緊。一待蓋碧離去，魏斯特便說，「你都還可以吧？現在最重要的事——是去看專家。我心裡有上好的人選。海因利希•溫澤爾醫生，埃彭多夫醫院的血液疾病學家，埃彭多夫是我們這裡最好的醫院，世界知名。我已經幫你約好明天兩點看診——若你可以的話。」

「沒問題，謝謝你。」強納森回答。

「這樣你也有時間補一補眠。你太太應該不會生氣吧？我想？我是說你忽然就這麼急著要到這裡來……畢竟嚴重的病還是多問幾個醫生的意見才好……」

強納森沒在專心聽他講。他有一點頭昏，另也在分心看屋裡的裝潢，想來應該就叫作「德國風」吧，到底他還是第一次到德國來。家具擺飾都滿傳統的，但比復古又要再現代一點。不過，強納森正對面倒是有一張漂亮的畢德邁爾*書桌就靠在牆邊。有矮書架沿著四面的牆邊走，窗口掛的是長長的綠色帷幔，四個角落的落地燈將怡人的光華塗遍滿室。一個紫色的木頭盒子放在玻璃咖啡桌上，盒子攤開，露出裡面一格格放著形形色色的雪茄和菸。白色的壁爐有黃銅的配件裝飾，但沒升火。壁爐上方掛了一幅畫也很有意思，感覺像德瓦特的手筆。但那個瑞夫斯・米諾在哪裡呢？強納森猜魏斯特應該就是瑞夫斯・米諾。那魏斯特是要主動說破，還是假定強納森自己就參得透？強納森忽然想到他和席夢應該把家裡漆成白色。臥室也最好勸席夢不要換成新藝術風格的壁紙。若要房間亮一點，白色才是合理——

「……你應該也考慮過我跟你提的另一件事吧？」魏斯特用他輕柔的腔調問強納森，「我在楓丹白露跟你提的那一件事？」

「那件事就怕我沒辦法改變主意了，」強納森回答，「所以，這樣一來，我等於是——理所當然——欠你六百法郎。」強納森擠出笑來，已經感覺得到威士忌的效力了，強納森急急拿起玻璃杯再喝一口。「我可以在三個月內還清。目前對我最重要的事便是再找專家看一看——這才是首要之務。」

「當然、當然，」魏斯特說，「你也不要說什麼還錢的事，別鬧了！」

強納森不想跟他辯，卻隱隱有羞慚浮上心頭。不過，最強烈的感覺還是「怪」，好像在作夢，或這個人不是他自己。強納森想，應該跟身邊全是外國東西有關係吧。

「我們要除掉的這一個義大利人，」魏斯特說時雙手交疊搭在腦後，抬頭仰望天花板，「有固定的工作。——哈！笑死人！他只是挑固定的時間去，裝作像有固定的工作。他是在繩索街✣那一帶的夜總會裡混，裝作對賭的道行很高！還冒充是釀酒專家，我說他準是有同夥在那個——管他那酒廠叫什麼鬼。他每天下午都要到酒廠去，晚上就找一家私人夜總會泡在裡面，找檯子玩幾把，看能讓他撞見誰。早上一般都在睡覺，因為通宵都沒睡嘛。所以，情況是這樣的，」魏斯特站起來再說，「他每天下午都要搭地下捷運回家，他那個家是租來的一戶公寓。他簽的是六個月的租約，也在酒廠那邊弄了一份六個月的工作約，搞得像合法一樣！——你吃三明治嘛！」魏斯特把盤子送到強納森面前，好像才剛發現咖啡桌上有三明治似的。

強納森拿了一塊牛舌三明治。還有捲心菜沙拉和醃黃瓜。

「重點是他每天下午約六點十五分會在史坦街下車，自己一個人，和一般的生意人下班回家沒兩樣。我們就是要趁這時候逮到他。」魏斯特張開皮包骨的一雙手掌，掌心朝下，「一瞄準了他後背正中央就開槍，為了保險，連開兩槍也可以，然後扔下槍——就像你們英國人說的，『反

＊ 譯注：畢德邁爾（Biedermeier）：用於家具指浪漫時期之後於十九世紀中葉流行於歐洲的設計風格，偏向常民、平凡的典雅品味。

✣ 譯注：繩索街（Reeperbahn）：全德國最出名的紅燈區，由於色情業於德國是合法產業，因此繩索街並非猥瑣、髒亂的下流區，反而富麗堂皇無異於平常街道。

正鮑伯是你叔叔』*，一切再簡單不過，這樣說對吧？」

「反正鮑伯是你叔叔」聽起來是很熟沒錯，很久以前就有的講法。「真這麼簡單，幹嘛又要我幫你們幹？」強納森硬擠出禮貌的笑。「我再怎麼說都是生手，準會被我搞砸。」

魏斯特好像沒聽到。「捷運裡的人應該會圍過來看，準有一部分會。天知道會有多少？三十？四十？少說也有這麼多吧，還要警察衝得夠快。那車站很大，和鐵路相通的一個大站。警察可能就在站裡對人搜身。所以，萬一他們搜到你身上？」魏斯特聳一下肩膀，「你不是已經把槍丟了嗎？而且，先前手上還套了一層薄絲襪，開槍後沒幾秒絲襪也被你扔了。所以，你身上絕對不會有火藥殘留，槍上也不會有指紋。你和死者拉不上一點關係。唉，還根本不會去查這些。只要看一眼你的身份證，加上你和溫澤爾醫生有約，你就沒事了。我要說的是——我們要說的是——我們就是特地要找和我們、和夜總會拉不上一點關係的人……」

強納森靜靜聽魏斯特講，沒吭聲，心裡在想，槍擊的那一天，他應該是要住在旅館裡，不太可能還在魏斯特家裡作客——萬一警察盤問他住在哪裡的話。那卡爾和女傭怎麼辦？他們兩個知道這樣的事嗎？這兩個可靠嗎？怎麼這麼荒唐啊！強納森想到這裡很想笑，但沒笑。

「你應該累了，」魏斯特告訴他，「要不要看你的房間？蓋碧已經把你的行李送進去了。」

十五分鐘過後，強納森已經洗過熱水澡，換上睡衣。他住的客房有兩扇窗開在大樓正面，強納森眺望窗外的湖面，靠近他這邊的湖岸沿邊有點點燈光，有的紅，有的綠，是靠岸停泊的小船。漆黑，平靜，空曠。一道探照燈往上照的光，掃過天空，像在作保護。他睡的床有一人半的寬度，床單鋪得很整齊。床頭桌上有一個玻璃杯，看起來裝的是水，還有一包「吉普賽女郎」香菸，是他抽的牌子，菸灰缸和火柴也都有。強納森拿起玻璃杯喝上一口，發現還真的是水。

＊譯注：反正鮑伯是你叔叔（Bob's your uncle）：出自三任英國首相兼外交大臣的羅伯・索斯伯里侯爵（Robert Cecil, 1830-1903）家族的事，因為他們一家子貴族都愛用裙帶關係謀職，而有「塞西爾家的賓館」（the Hotel Cecil）的諢稱。由於侄子阿瑟・鮑爾福（Arthur Balfour, 1848-1930）出任愛爾蘭首席大臣是由他的首相叔叔派任的，因此就有了這說法。鮑伯是羅伯的暱稱。

6

強納森坐在床沿喝咖啡，蓋碧才剛送進來的。正是他愛喝的作法，很濃，只加一點高脂稀奶油。強納森七點就醒了，但又回去睡到十點半魏斯特來敲門才再醒來。

「不用道歉，你多睡一會兒我才高興呢，」魏斯特說，「蓋碧準備好要幫你送咖啡了——還是你想喝茶？」

魏斯特還說他在一家旅館幫強納森訂了房間——旅館的名稱用英文就叫「維多利亞」，反正就是這樣，他們中午前要過去。強納森謝了謝他。旅館的事兩人就沒再提起。唉，開始囉，強納森暗忖，跟他前一晚想的一模一樣。他若真要幫魏斯特辦事的話，就不能再待在他家裡作客。不過，想到不出兩小時就不用再待在魏斯特的屋簷下，強納森還是很高興。

中午一個叫魯道夫什麼的人來了，魏斯特的朋友或認識的人吧。魯道夫年紀很輕，很瘦，一頭黑色的直髮，神色侷促但舉止有禮。魏斯特說他是醫學院的學生；看樣子好像不會說英語，那模樣讓強納森想起卡夫卡的照片。三人坐進車裡，加上負責開車的卡爾，就出發到強納森要搬進去的旅館。不管什麼比起法國都好新啊，強納森暗歎，接著才想起來，漢堡在大戰時可是都被炸平了。車子在一條街邊停下，看起來像商業街。維多利亞旅館到了。

「他們都會講英語，」魏斯特說，「我們在這裡等你。」

強納森一人進去。旅館的小弟在門邊接過他的行李。強納森登記入住，仔細對照他的英國護照免得寫錯號碼。他照魏斯特的吩咐，要小弟幫他把行李送到他的房間。強納森看了看，覺得這旅館應該只是中等一級。

一行人再開車到餐廳吃午餐，但卡爾沒跟著進去。他們在餐點送來前先開了一瓶紅酒，魯道夫也顯得比較開心。魯道夫說的都是德語，魏斯特也幫魯道夫翻了幾句客套話給強納森聽。強納森則是在想下午兩點的事，到時候他就要到醫院去了。

「瑞夫斯——」魯道夫用這名字叫魏斯特。

強納森這才想到這名字魯道夫先前應該已經叫過幾次，但這一次他聽得很清楚。魏斯特——瑞夫斯・米諾——恍若無事，強納森也是。

「貧血？」這一個詞魯道夫是用英語直接問強納森的。

「還更糟。」強納森微微一笑。

「schlimmer，」瑞夫斯・米諾把強納森的這幾個字翻成德語，再用德語跟魯道夫說了不知什麼，強納森聽瑞夫斯的那一口德語，覺得跟他自己的法語一樣蹩腳，但可能一樣還算夠用。

菜色極好，份量又多。瑞夫斯把他的雪茄帶來了，只是還沒能抽完雪茄，就該朝醫院前去。

醫院是佔地很廣的建築群，林蔭錯落，走道沿邊叢花盛開。還是卡爾開車送他們過來。強納森要去的那一棟邊樓看起來很像未來建築——房間跟旅館一樣開在走廊兩側，只是房裡擺的都是金屬椅或金屬床，用的燈也是日光燈而不像旅館有五顏六色的情調。味道聞起來倒不像消毒藥水，而是沒辦法形容的怪氣味，有一點像強納森五年前躺在X光機底下聞過的味道；五年前照那X光對他的白血病一點用也沒有。進了這樣的地方，外行人也只能聽任無所不知、無所不能的專家擺佈，強納森想到這裡，驀地就覺得一陣暈眩，像要昏倒。強納森這時正和魯道夫沿著看不見底的走廊往前走，地板做了隔音，魯道夫陪在一旁是要在強納森需要翻譯時幫一點忙。瑞夫斯和卡爾留在車上，但強納森不知道他們是不是會一直待在車上等他？也不知道檢查要耗掉多久的時間。

溫澤爾醫生身材壯碩，滿頭灰髮，留了厚厚的八字鬍，略懂一點英語，但不會把句子講得多長。「多久？」六年前。他要強納森量體重，問他最近這一陣子有體重減輕的情況嗎？脫掉上衣，讓醫生摸他的胰臟。醫生從頭到尾嘴裡不停用德語跟一旁的護士說話，由護士記下來。再量血壓，翻開眼皮看一看，採集尿液和血液檢體，最後再採集骨髓檢體，用的是戳子一樣的東西，比培里耶醫生用的速度要快，也舒服一點。然後，醫生跟強納森說他明天早上就可以知道結果。檢查全程不過四十五分鐘。

強納森和魯道夫走出大樓，瑞夫斯的車子停在幾碼外的停車場裡，夾在幾輛車當中。

「怎樣呢？……什麼時候知道結果？」瑞夫斯問強納森，「你想回我那裡去還是旅館？」

「我想回旅館好了，謝謝你，」強納森一屁股坐進車子後座的角落，鬆了好大一口氣。

魯道夫像是在向瑞夫斯稱讚溫澤爾醫生。一行人到了強納森住的旅館。

「我們晚餐時來接你，」瑞夫斯的口氣很開心，「七點。」

強納森在櫃台拿了鑰匙，走進他的房間，脫下外套就臉朝下一頭栽進床舖。過了兩、三分鐘吧，他從床上硬撐起來，走到寫字桌邊。抽屜裡有信紙。強納森坐下，提筆寫道：

親愛的席夢：

我才剛做完檢查，明天早上就會知道結果。這醫院的效率很好，醫生長得還真像皇帝約瑟夫一世*，據說是世界頂尖的血液疾病專家！無論明天聽到的結果如何，我應該能比較坦然去接受了。運氣若是好的話，說不定妳還沒接到信我就已經回到家了，除非溫澤爾醫生還要做別的檢查。

要去發電報了，只是想跟妳說我一切都好。我很想妳，時時刻刻都念著妳和我們的小石頭！

稍待就能再見，全心愛妳，強

一九——年，四月四日

強納森把他最好的一套西裝掛起來，暗藍色的，其他就留在行李箱裡沒動，然後下樓去寄

* 譯注：約瑟夫一世（Franz Josef, 1830-1916），奧地利哈布斯堡王朝最後一任皇帝。

信。前一晚在機場，他兌現了一張十英鎊的旅行支票，用的是三、四年前的老支票簿。強納森發了一封很短的電報給席夢，說他一切都好，也寄了一封信回去給她。之後，他走出旅館，特別記下街名和附近的特徵——以一幅特別大的啤酒廣告看板最為鮮明——便出發散步一下。

人行道熙來攘往都是逛街和趕路的人，有牽著臘腸犬的，有小販在轉口叫賣水果、報紙。強納森特別看了看一處店面的櫥窗，裡面滿是華美的毛衣。他也看到一件漂亮的藍色真絲晨褸，掛在一張奶油色的羊皮前面，看了看價錢開始換算成法郎，決定算了；也沒多想要買。他穿過一條熱鬧的大道，既有電車也有公車，走過後是一條運河，有一座行人步橋，但決定不走過去。可能就喝一杯咖啡吧，強納森朝一家看起來舒適怡人的小咖啡廳走過去，櫥窗裡有糕點，裡面有櫃台，有小桌，但卻沒辦法真的舉步進去。這下子強納森知道他在害怕，害怕隔天檢驗報告出來的結果。忽然一股被掏空的感覺罩住他整個人。這感覺他很熟，好像整個人變成衛生紙一樣又薄又軟，額頭發涼，好像生命正在一點一滴蒸發。

強納森心裡另也知道——或說是猜到的吧——隔天早上他拿到的很可能是假報告。強納森覺得魯道夫陪在他身邊是另有居心。什麼醫學院學生！魯道夫一丁點兒忙也沒幫到！因為根本就不需要有他在場。溫澤爾醫生的護士英語講得很好。所以，會不會根本就是由魯道夫操刀，在這晚上自行捏造一份報告？再想辦法掉包？強納森甚至覺得好像看到魯道夫這天下午偷偷摸走醫院裡用的文具。他這是瘋了還是怎樣？強納森在心裡警告自己別走火入魔。

強納森回頭朝旅館的方向走，挑最近的路。回維多利亞旅館，向櫃台要了鑰匙，回到自己的房裡。強納森脫掉腳上的鞋，走進浴室，沾濕毛巾，再躺在床上用濕毛巾蓋住額頭和眼睛。他並不是想睡，只是覺得不太對勁。瑞夫斯・米諾不太對勁。二話不說就先拿六百法郎給不認識的陌生人，又向對方提出莫名其妙的計畫——還保證會有四萬英鎊的進帳。怎麼可能真有這樣的事！瑞夫斯・米諾才不會兌現承諾。瑞夫斯・米諾像是活在幻想的世界裡。說不定他根本就是騙子，卻又有一點瘋，妄想自己有權有勢！

電話鈴響吵醒強納森。男性的聲音，說的是英語：「先生，下面有先生在等您。」

強納森看一下錶，發現已經七點過一、兩分鐘了。「麻煩你跟他說我再兩分鐘就下去。」

強納森匆忙洗一把臉，套上高領套頭毛衣，加上外套，連大衣也掛在手臂上。

卡爾一個人開車來接他。「您今天下午好吧？先生？」卡爾用英語問候強納森。

強納森和卡爾簡單寒暄幾句，發現卡爾會用的英語字彙還不少。卡爾還幫瑞夫斯・米諾接送過多少個陌生人？強納森不禁好奇。那，卡爾又覺得瑞夫斯是做什麼的呢？說不定卡爾才不在乎。只是，這瑞夫斯到底是幹什麼的？

卡爾一樣把車停在坡面的車道邊，這一次強納森是一個人搭電梯到二樓去。

瑞夫斯・米諾穿了一身灰色法蘭絨長褲和毛衣，在門邊迎接強納森。「請進！——你今天下午有去放鬆一下嗎？」

兩人喝蘇格蘭威士忌。餐桌已經擺好了兩個人的餐具，強納森暗想今天晚上就只是他和瑞夫斯兩人進餐了。

「我想讓你看看我說的那人照片，」瑞夫斯跟強納森說，瘦長的身軀一個用力從沙發上站起來，走向他那張畢德邁爾書桌，從抽屜裡拿東西出來。他手上有兩張照片，一張正面，一張是夾在幾個人中間的側面，一群人簇擁站在一張桌邊朝下看。

桌子是輪盤賭桌，強納森端詳那一張正面照，很清楚，跟護照相片一樣。這人看樣子約四十歲，一張肉團團的四方臉，很多義大利都有的那一種。已經滿深的法令紋從鼻翼兩側伸到厚嘴唇邊。深色的眼睛戒備森嚴，甚至有吃驚的感覺，但淺淺的笑又有一股滿不在乎的神氣：「喔，我又怎樣了？啊？」薩瓦多・畢安卡，瑞夫斯說這是他的名字。

「這一張照片，」瑞夫斯指著那張團體照說，「約一個禮拜前在漢堡拍的。他那人根本就不下場賭，光看而已。要他像這樣盯著輪盤看，很稀罕……畢安卡自己可能就做掉六個人，要不然當不上打手。但在黑手黨不算重要，不缺他一個。只是拿他起個頭，你看……」瑞夫斯嘴裡還在講，強納森把他的酒喝完，瑞夫斯又再幫他倒一杯。「畢安卡一定要戴黑帽子——我是說到了戶外——洪堡帽*。一般都穿斜紋軟呢大衣……」

瑞夫斯有一台唱機，強納森倒想聽一點音樂，但又不好意思開口，雖然他覺得他若開口，瑞夫斯一定一個箭步衝到唱機旁去放他要聽的音樂。但強納森後來還是出聲打斷瑞夫斯，「看起來普普通通的人——洪堡帽拉得很低，大衣領子翻起來——這是要怎樣單憑看過這兩張照片，就可以在一群人裡認出他來？」

「我會安排一個朋友從市政廳那一站和他搭同一班捷運，他就在市政廳那一站上車，搭到梅斯堡，梅斯堡是市政廳的下一站，也是到史坦街前唯一會停的一站。你看！」

瑞夫斯再站起來，拿出一張漢堡的街道圖給強納森看，地圖摺得像手風琴，瑞夫斯把地下捷運路線走的藍點指給強納森看。

「你就和佛立茲一起在市政廳這裡上捷運——晚餐過後佛立茲會來一趟。」

不好意思，您恐怕要失望了！強納森好想把這一句話說出來。他心底感到有愧疚揪了他一下，覺得不該讓瑞夫斯誤會，還一路走到這地步。但，真是他害他走到這一步嗎？不會吧。是瑞夫斯自己亂賭他這一把的。瑞夫斯搞不好早就習慣這樣的事，他應該不是瑞夫斯試探的第一人。強納森好想開口問瑞夫斯，他是他找的第一個人選嗎？但瑞夫斯還在往下叨叨唸唸。

「當然有可能不開第二槍不行，我也不想害你以為……」

強納森覺得還好他不是沒想到會有不好的狀況。這件事瑞夫斯講來講去都是好的那一面，「反正鮑伯是你叔叔」一票輕鬆做完，就有大把、大把的鈔票入袋，回法國或哪裡去過好日子，搭遊輪環遊世界，給喬治最好的東西（瑞夫斯問過強納森兒子叫什麼），給席夢比較安穩的生活。那我是要怎樣跟她說這一大筆錢是怎麼回事？強納森暗歎。

「這是鱔魚湯，」瑞夫斯拿起湯匙，「漢堡名菜，蓋碧最愛做這一道菜。」

鱔魚湯十分可口，還有很棒的冰鎮法國摩澤爾白酒。

＊譯注：洪堡帽（homburg）：起源自德國的厚毛呢小禮帽，特徵是帽頂中央一道凹痕，帽沿略往上翹。

「漢堡有很有名的動物園，你也知道，賽特林根那裡的哈根貝克動物園。從這裡開車過去很舒服。明天早上說不定可以過去。但也要看——」瑞夫斯忽然像是有一點苦惱，「會不會臨時給我出什麼事。有一件事我還抓不準，今天晚上或明天早上就知道了。」

聽到這裡，好像去動物園很重要似的。強納森說，「明天早上我要去醫院拿我的檢查報告，約好十一點到。」強納森這邊好像忽然也有絕望當頭壓下，渾似隔天早上十一點就是他的大限。

「對，那當然。唔，那動物園下午去也可以。他們那裡的動物都是養在自然——自然的棲地裡……」

糖醋豬排。紅球甘藍。

門鈴響了。瑞夫斯沒站起來，沒多久，蓋碧走進來，通報佛立茲先生到了。

佛立茲手裡拎著帽子，身上那一件大衣有一點舊。年約五十。

「這一位是保羅，」瑞夫斯向佛立茲說，他指的是強納森。「英國人。這是佛立茲。」

「晚安。」強納森打一聲招呼。

佛立茲朝強納森客氣揮了一下手。這一個佛立茲樣子有一點兇，強納森暗想，但笑起來倒很和氣。

「坐吧，佛立茲，」瑞夫斯說，「葡萄酒？還是威士忌？」瑞夫斯這說的是德語。「保羅是我們自己人。」他對佛立茲加了這一句英語。瑞夫斯用長長的高腳杯幫佛立茲斟了一杯白酒。

佛立茲點一下頭。

強納森覺得好笑。那麼大的杯子，好像華格納歌劇裡用的。瑞夫斯這時候在椅子改成側坐。

「佛立茲是開計程車的，」瑞夫斯說，「晚上常常要送畢安卡先生回家，對吧？佛立茲？」

佛立茲咕噥了幾個字，臉上帶笑。

「沒多少次，兩次而已，」瑞夫斯說，「當然，我們又不——」瑞夫斯頓住，好像不知該用哪一種語言來講這一句，接著才朝強納森這邊說，「畢安卡看到佛立茲也可能認不出他來。就算認出來也不打緊，因為佛立茲會在梅斯堡下車。重要的是明天你和佛立茲要在市政廳那一站的外面碰面，佛立茲會把我們這一位畢安卡指給你看。」

佛立茲又再點頭，看來是都聽得懂。

約當就是明天這時候。強納森靜靜聽他說下去。

「接下來你們兩個一起在市政廳站上車，時間約是六點十五分。但最好六點以前就要到，因為畢安卡不知怎麼有時會提早上車，不過，一般都還滿固定在六點十五分的。卡爾會開車送你過去，保羅，所以，你沒什麼要操心的。你們兩個不可以靠得太近，我是說你和佛立茲，但佛立茲可能要上你和畢安卡上的同一節車廂，這樣他才有辦法把畢安卡明確指給你看。不管怎樣，佛立茲都要在梅斯堡那一站下車，也就是下一站他就下車。」這時瑞夫斯又用德語跟佛立茲說話，伸出一隻手。

佛立茲從大衣裡的口袋拿出一把小型的黑色手槍，遞給瑞夫斯。瑞夫斯朝門口看了一眼，像是生怕蓋碧會忽然走進來。那一把槍沒比他的手掌大。瑞夫斯摸了摸槍，才拉開槍膛，瞇眼瞄裡面的彈膛。

「已經上膛，有保險栓。那，你還懂一點槍吧？保羅？」

一知半解。瑞夫斯便馬上教了教，佛立茲也在一旁幫忙。保險栓，要緊的是這個。一定要知道怎麼弄下來。這是義大利槍。

佛立茲該走了，說了一聲再見，朝強納森點一點頭，「明天見！六點！」

瑞夫斯送他走到前門，從門廊回來時手上多拿了一件紅褐色的斜紋軟呢大衣，不是新的。「這一件很寬，」他說，「你穿穿看。」

強納森不想穿，但他還是站起來，把大衣穿在身上。袖子太長。強納森把兩隻手伸進口袋，就發現——瑞夫斯這時也在跟他說——右手的口袋已經剪開，手槍是要藏在外套的口袋裡，再從大衣口袋的破洞伸進手去拿到槍，朝那人開槍，最好是一槍就解決了，然後把槍丟掉。

「會有很多人，」瑞夫斯說，「一、兩百人跑不掉，你往後退一步，跟大家一樣，聽到砰一聲自然會往後縮一下。」瑞夫斯還作示範，身體略一後仰，腳也往後退。

兩人就著咖啡喝德國杜松子酒。瑞夫斯問他家裡的情況，席夢，喬治。喬治會講英語嗎？還是只講法語？

「也學著講一點英語，」強納森說，「我這邊比較不利，因為跟他在一起的時間不多。」

7

第二天早上九點剛過，瑞夫斯就打電話到強納森住的旅館找他，告訴強納森卡爾十點四十分會去接他到醫院，魯道夫也會同行。強納森早就想到了。

「祝你好運，」瑞夫斯說，「晚一點見。」

強納森等在樓下的門廳讀倫敦的《泰晤士報》，魯道夫走了進來，比預訂的時間早幾分鐘，臉上還帶著笑，很害羞、像小老鼠的笑。這下子更像卡夫卡了。

「早啊，崔凡尼先生！」魯道夫向強納森打招呼。

兩人坐進大車的後座。

「希望報告的結果不錯！」魯道夫的口氣很愉快。

「我也要跟醫生談一談。」強納森的口氣一樣很愉快。

強納森相信魯道夫聽得懂，魯道夫的表情卻有一點不知如何是好，「那就再想一想辦法——」

雖然魯道夫說他可以去幫強納森拿報告，順便看看醫生在不在，但強納森還是跟魯道夫一起走進醫院。卡爾的翻譯幫了不少忙，所以，強納森很清楚魯道夫的意思。其實，卡爾給人的感覺滿中立的，強納森暗想，卡爾可能也真的是局外人。但那氣氛，強納森就是覺得很怪，好像大家全在演戲，還演得很假，連他自己也是。魯道夫在門廳一張桌邊找了一個護士，向她要崔凡尼先生的檢查報告。

護士馬上在一個盒子裡翻啊翻，盒子裡塞了大大小小的密封紙袋。護士翻出一份公文大小的信封袋，上面有強納森的名字。

「請問溫澤爾醫生在嗎？我可以和他談一下嗎？」強納森問那護士。

「溫澤爾醫生嗎？」護士翻開一大本簿子，裡面貼著一格格透明膠片。護士查了一下，就按鍵，拿起話筒，用德語講了一分鐘，放下電話，改用英語跟強納森說，「溫澤爾醫生的護士說他這一整天都很忙，你要不要約明天的時間見他，明天早上十點半？」

「好，可以。」強納森回答。

「那好，我就幫你約好。但他的護士說你看報告就會了解很多——很多狀況。」

強納森和魯道夫走回車上。強納森覺得魯道夫那樣子像是很失望——還是他自己在亂想？不管怎樣，強納森手上已經拿到一份厚厚的信封袋，裡面裝了真的報告。

回到車上，強納森跟魯道夫說了一句，「不好意思，」便開始拆信封袋。總共三頁打字的資料，強納森先瀏覽一下，發現很多詞彙和他熟悉的法文、英文一樣。不過，最後一頁出現兩大段話，手寫的德文，很長。裡面有同樣很長的「黃色物質」德文醫學術語。強納森看到白血球二十一萬，脈搏猛地顛了一下，比前一份法國的報告還高！比先前任何一次都高！強納森沒停在最後一頁和德文纏鬥。他把報告摺起來，魯道夫用德語客氣跟他說了不知什麼，還伸出一隻手，強納森便把報告遞到他手上，心裡實在很氣但又能怎樣？而且，這時候又有什麼關係？

魯道夫吩咐卡爾開車。

強納森轉頭看向窗外，沒有意思要魯道夫幫他解釋報告寫了什麼。強納森寧願自己抱著字典慢慢磨，要不然問瑞夫斯都好。強納森開始覺得耳鳴起來了，便往後靠，作深呼吸。魯道夫瞄他一眼，馬上就把窗戶搖下來。

卡爾偏著頭說，「兩位先生，米諾先生要請你們兩位吃午餐，之後看是不是要到動物園玩一趟。」

魯道夫笑了一聲，用德語回答。

強納森很想要司機送他回旅館就好。但回旅館幹嘛？捧著半懂不懂的報告乾著急？魯道夫要先下車，卡爾便在一條運河旁邊放他下車，魯道夫和強納森握手道別，手勁沉穩。卡爾就再送強納森回瑞夫斯．米諾住處。陽光灑在阿斯特湖面，熠熠生輝。一艘艘小船繫在小碼頭邊，隨著水波輕晃，氣氛歡樂。有兩、三艘船悠遊湖面，簡潔、清亮，像簇新的玩具。

蓋碧來為強納森開門，瑞夫斯正在講電話，很快就掛掉。

「嗨，強納森！怎樣啊？」

「不怎麼好。」強納森瞇起眼睛回答，白色房間裡的陽光很刺眼。

「報告拿到了嗎？我可以看嗎？你全看得懂嗎？」

「不全看得懂。」強納森把信封袋遞給瑞夫斯。

「你也見過醫生囉？」

「他在忙。」

「坐，強納森，我看你要喝一杯才好。」瑞夫斯走到書架那邊去拿酒。

強納森坐進沙發，仰頭靠向椅背，覺得整個人像被掏空了，很洩氣，但還好這時候沒有頭昏。

「比你法國那邊做出來的結果還要差？」瑞夫斯回來時手上多了一杯蘇格蘭威士忌加水。

「大概就是這樣吧。」強納森回答。

瑞夫斯翻到最後一頁，看上面手寫的一大長段德文。「你要注意小傷口。有意思。」有什麼新鮮！強納森暗自哼了一聲。他是很容易流血。強納森再等瑞夫斯往下說，其實應該說是等瑞夫斯再往下幫他翻譯。

「魯道夫已經翻給你聽過了吧？」

「沒有，但我也沒要他幫我翻。」

「『……無法判定是否惡化，因為沒有看到先前的——診斷……衡諸時間長久，確實堪稱危險——等等，等等。』你若要我逐字幫你翻，我就翻給你聽，」瑞夫斯說，「有一、兩個字我要查一下字典，有些是複合字，但我大概都抓得到意思。」

「那就跟我說大概的意思就好。」

「我覺得他們真應該用英文寫你的報告才對，」瑞夫斯再說，又再瀏覽一遍，「『……頗多細胞粒化暨——黃色——物質。既然先前已經做過X光治療，不再建議此時進行，因為白血病細胞已經有了抵抗力……』」

瑞夫斯又再往下譯，強納森發現裡面沒有估計他還剩多少時間，也沒暗示他死期已近。

「你今天沒看到溫澤爾醫生，對不對？那要不要我再幫你約明天的時間？」瑞夫斯的口氣好像還真的很關心。

「謝謝你，我自己已經約好明天早上的時間了，十點半。」

「那好。你說過他的護士會講英語，對不對？那就不需要再讓魯道夫陪你了。——你要不要躺一下休息幾分鐘？」瑞夫斯把塞在沙發角落的靠枕拖來。

強納森朝後躺，一隻腳擱在地板上，另一隻腳垂在沙發邊，覺得渾身乏力，很想睡覺，好像一閉上眼睛就可以睡上好幾個小時。瑞夫斯慢慢走到灑滿陽光的窗邊，嘴裡開始講動物園的事，講到一種稀有動物——叫什麼名稱強納森左耳進馬上右耳出——才剛從南美送過去。一對。瑞夫斯說一定要帶強納森去看。強納森心裡想的卻是喬治在院子裡拖他的小拖車，車裡裝著小石子。我的小石頭啊，強納森知道他沒辦法活著看到喬治長多大，更別提要看他身形拔高、嗓音變粗。強納森忽然從沙發上坐起來，咬牙奮力要把力氣再叫回來。

蓋碧捧著一個大托盤走進來。

「我要蓋碧午餐準備冷食，這樣你就可以想吃就吃。」瑞夫斯說。主食是鮭魚凍加美乃滋。強納森吃不下，但黑麵包配奶油和葡萄酒的滋味倒是相當可口。瑞夫斯又再講起了那一個薩瓦多・畢安卡，講義大利黑手黨和色情業，講黑手黨習慣在賭場雇妓女作招徠，而且跟這些妓女抽成還高達九成。「不就是勒索嘛，」瑞夫斯說，「他們的目的只有錢——恐嚇則是手段。看看拉斯維加斯就好了，那就是個例子；漢堡這裡的兄弟才不搞妓女這一套！」瑞夫斯說得義正辭嚴，「是有女孩子，不多，像是在吧檯幫忙一類的。也可能會賣吧，但不會在場子裡，不會真的在場子裡。」強納森沒怎麼在聽，至於瑞夫斯講的事就更沒去想。他拿叉子在盤子上戳戳弄弄，覺得血流又回到雙頰，也在心裡暗自作正反辯論。當殺手的事未必不能做做看，倒不是他沒幾天或沒幾個禮拜就要死了，而是因為這一筆錢對他很有用，因為他想要為席夢、為喬治弄到這一筆錢。四萬英鎊，九萬六千美元，要不然——強納森自己忖度——半數也行，也就是萬一只幹一次，或是他才幹第一次就被抓了。

「那你願意吧？我說？對不對？」瑞夫斯終於問到強納森這一句了，同時拿漿過的白色餐巾擦嘴。瑞夫斯問的是今天晚上就要做的殺人的事。

「我若有個什麼不測，」強納森回答瑞夫斯，「你可以保證我太太一定拿到錢嗎？」

「啊？——」瑞夫斯乾笑一聲，頰上的長疤跟著扭了一下，「能有什麼不測？——當然，我當然保證你太太一定會拿到錢。」

「但若真的出事——像只解決掉一個人——」

瑞夫斯抿住嘴，好像不想回答的樣子。「就只有一半。——但老實說，很可能真的要兩次才行。第二次後就全額付清。——嗐！真是太好了！」瑞夫斯笑了，強納森第一次看到他臉上出現真正的開懷笑容。「等到了今天晚上，你就知道事情有多好辦。事後我們要好好慶祝一下——你若想要慶祝的話。」瑞夫斯雙掌一闔，高舉過頭，強納森以為這是慶祝的手勢，結果是瑞夫斯在叫蓋碧進來。

蓋碧來了，把盤子收走。

二萬英鎊，強納森心想，這就不算多了，但絕對比一個死人加喪葬費要強得多。

蓋碧再奉上咖啡。接著去動物園。瑞夫斯要他看的動物，是兩頭長得像熊的小型動物，奶油糖的顏色。前面擠了一小群人，強納森始終沒辦法好好看一看這兩頭小東西。他其實也沒興趣。另外幾頭獅子隨意四下走動，強納森倒是看得很清楚。瑞夫斯擔心強納森會不會太累，已經下午近四點。

回到瑞夫斯家，瑞夫斯一定要強納森吃一顆白色小藥丸，他說是「溫和的鎮定劑」。

「但我不需要鎮定劑。」強納森回答。他覺得自己相當鎮定，其實，感覺還很不錯。

「那最好。但拜託你就信我一次。」

強納森便吞下藥丸。瑞夫斯還要強納森到客房去躺幾分鐘。強納森沒睡著，到了五點，瑞夫斯進來跟強納森說卡爾要來接他回旅館去。那一件大衣留在強納森住的旅館裡。瑞夫斯拿了一杯加糖的紅茶給強納森，味道還好，強納森想這茶應該除了加糖沒多加料。瑞夫斯把槍交給強納森，又再教一次怎樣拉開保險栓。強納森把槍塞進長褲口袋。

「今晚見囉！」瑞夫斯的口氣很開心。

卡爾載強納森回他住的旅館，說他會在門口等強納森。強納森想他應該有五到十分鐘的時間可以處理一下事情。他先刷牙——用的是肥皂，因為他把牙膏留在家裡給席夢和喬治用，到這時候也還沒去買——再點一根「吉普賽女郎」，倚在窗邊朝外看，看著看著才發覺自己根本沒在看什麼，腦子裡也沒在想事情，便轉身到衣櫥拿出那一件太大的大衣。大衣有一點舊了，但也沒舊到哪裡去。這原來是誰的大衣？這樣也好，強納森想，因為這樣他就可以假裝是在演戲，穿的是別人的衣服，槍裡裝的是空包彈。但強納森也知道他到底是在幹什麼，他心裡當然有數。即將要挨他一記子彈的那一個黑手黨（但願打得中），他絕對不會手下留情。強納森發覺自己一樣不可憐自己，死就死了嘛。畢安卡和他自己的命，這時同都沒有了價值，雖然理由不同。唯一還值得一提的小事，是強納森殺了畢安卡還有錢拿。強納森把槍連同尼龍絲襪一起放進外套口袋，發現他用手指頭就可以在口袋裡把絲襪套在同一隻手上。強納森急忙再用套著絲襪的手指頭把槍上的指紋抹掉——真有、假有不管。他開槍時還要略把前襟往旁邊拉一下，免得一槍出去在大衣上面打出一個洞。他沒帽子戴。怪了，這瑞夫斯竟然沒想到要準備帽子。現在再發愁已經太遲。

強納森走出房門，牢牢把門關上。

卡爾站在人行道等他，車子停在他身邊。卡爾幫強納森打開車門，強納森不禁想這卡爾到底知道多少？全都知道嗎？強納森坐在後座往前湊近，跟卡爾說他要到市政廳的地下捷運站，卡爾側過臉說：「你要到市政廳那一站和佛立茲會合，對吧？先生？」

「對。」強納森回答，鬆了一口氣。強納森坐回後座一角，拿手指頭輕輕摩娑那一把小小的槍。他把保險栓拉下又扣上，提醒自己往前推才是打開。

「米諾先生說停在這裡比較好，先生。入口就在對街。」卡爾人沒下車，只打開車門，因為街上擠得都是人、車。「米諾先生要我七點半到你住的旅館去接你，先生。」卡爾說。

「謝謝你。」強納森聽到車門砰一聲關上，突然覺得茫然。他四下看了一圈，要找佛立茲。強納森站在一處很寬的十字路口上，這是大約翰街和市政廳街交叉的十字路口。看起來跟倫敦差不多，像倫敦的皮卡迪利，這裡的地下捷運入口一樣至少四處，因為在此交會的街口太多。強納森四下搜尋矮個子、戴帽子的佛立茲。忽然跑來一群男子，像足球隊的樣子，都穿著輕便大衣，一股腦兒衝下捷運站的台階，佛立茲的人影這就現了形，他站在捷運入口台階旁的鐵柱邊，神色平靜。強納森一看到他，心頭陡地一震，活像和心上人私會一般小鹿亂撞。佛立茲朝台階比一下手勢，就自行先走下去。

強納森眼角的餘光始終沒離開佛立茲頭上的小帽，但這時兩人中間隔了至少十五人有。佛立茲朝人潮邊挪。看來畢安卡還沒到，兩人得先等他。強納森身邊德語鼎沸，還爆發笑聲，有人大喊，「再見，麥克斯！」

佛立茲靠牆站著，離強納森約十二呎遠，強納森慢慢朝他挪過去，但也小心保持一段距離。強納森還沒靠到牆邊，佛立茲就朝他略一點頭，離開牆邊以斜角朝收票閘門走過去。強納森走去買一張票。佛立茲跟著人群往前挪。一張張票在閘門打孔。強納森知道佛立茲已經看到畢安卡，但強納森還沒看到。

列車已經停靠到站，佛立茲忽然朝一截車廂急走過去，強納森趕忙跟上。進了車廂，人沒有特別多，佛立茲站定，抓住一根金屬立柱，再從口袋掏出一份報紙。佛立茲面朝正前方略一點頭，不過始終沒朝強納森這邊看一眼。

強納森這時就看到那一個義大利人了，和他的距離比佛立茲還要近——深色頭髮、四方臉的男子，穿了一件帥氣的灰色大衣，搭配褐色皮釦，頭戴灰色洪堡帽，直視前方，眼神透著怒氣，若有所思。強納森朝佛立茲看過去，佛立茲裝作在讀報紙，待兩人四目交接，佛立茲便輕輕點頭加上微微一笑，向強納森證實他沒看錯。

列車到了下一站，梅斯堡，佛立茲馬上下車。強納森再看那義大利佬一眼，短短一瞥，但再怎麼偷瞄好像都不可能把這義大利人定定朝前凝視的嚴肅眼神稍微往旁邊拉一下。萬一畢安卡下一站不下車，而是一站過一站，一站過一站，一直捱到最後幾乎沒有旁人要下車了，那怎麼辦？

但畢安卡在列車減速時朝車門挪了過去。史坦街。強納森這時趕快加一把勁，緊跟在畢安卡後面，但又小心別撞到旁人。車站有一道階梯往上走。為數約八十到上百的出站人流魚貫朝階梯口匯攏，一階階往上爬。畢安卡那一襲灰色大衣這時就在強納森面前，兩人離階梯還有兩碼的距離要走。強納森看得到這人後腦勺的黑髮夾著花白，頸背有一道鋸齒狀的凹痕，像是長癰留下的疤。

那一把槍已經抓在強納森的右手，抽出外套的口袋。強納森拉下槍的保險栓，略把大衣往外掀一點，瞄準眼前這人大衣後背的中正央。

槍管發出一聲刺耳的「喀、砰——！」

強納森馬上丟掉手上的槍，腳步也停下來，順勢蜷縮身體，朝後、朝左偏，身邊的人群同時揚起一陣喧嘩：「喔？啊！啊——！」可能只有寥寥幾人沒出聲驚叫，強納森便是其一。

畢安卡身軀癱軟倒向地面。

畢卡安四周劃出一塊扭曲的圓。

「……槍……」

「……槍殺……」

水泥地上有一把槍，有人伸手要撿，至少三人趕忙阻止，不讓他碰。但還有很多人沒興趣或沒時間去管，照樣沿著階梯往上爬。強納森在圍在畢安卡身邊的那一圈人群裡悄悄朝左邊挪動，走到階梯邊，聽到有男子大喊：「警察！」強納森快步走開，但也小心不要快過其他幾個一樣快走到上面人行道的人。

強納森一來到街上，就逕自往前走，直直往前走，不管他走的是什麼方向。速度不快、不慢，雖然不知道這方向是往哪裡去的，卻一副有地方要去的樣子。走著走著看到右邊出現了很大的鐵路車站。瑞夫斯提過這車站。沒聽到有人跟在後面，不像有人在追他。強納森用右手手指把絲襪弄下來，但不想扔在這裡，離地下捷運站太近了。

「計程車！」強納森看見一輛空車朝鐵路車站開去。計程車停下來，強納森坐進車內，向司機報出他住的旅館街名。

強納森往後靠，狀甚輕鬆，眼睛卻忍不住要往左右車窗瞄，生怕會有警察朝計程車比手勢，命令司機馬上停車。滑稽透頂！他絕對沒事！

但他一踏進維多利亞旅館，同樣的感覺就又回來了——像是警方那邊不知怎麼已經查到他落腳的地方，就等在門廳裡要找他。但也沒有。強納森平靜走進他住的房間，關上房門。強納森把手伸進口袋，外套的口袋，要拿那一條絲襪。不見了，不知道掉到哪裡去了。

晚上七點二十分，強納森脫下最外面的大衣，隨手朝一張軟墊椅上扔，便去找他的菸；他忘了帶在身上。吉普賽女郎香菸，愜意又快慰。強納森把菸擱在浴室的洗臉盆邊，洗一洗手、臉，脫掉上衣，用毛巾沾熱水抹一遍上身。

他把毛衣套回身上，電話鈴響。

「卡爾先生在樓下等您，先生。」

強納森下樓，那一件大衣掛在手臂上，準備要還給瑞夫斯，就此和這舊大衣永別。

「晚安啊！先生！」卡爾一臉燦爛，好像已經聽到風聲，覺得結果不錯。

坐進車裡，強納森再點起另一根菸。這是禮拜三晚上了，他跟席夢說過他這一天晚上可能就回家了，但她應該要再一天才會收到信。強納森想到他還有兩本書禮拜六就要到期，是他向楓丹白露教堂圖書館借的。

強納森又回到瑞夫斯舒適的公寓。他把大衣還給瑞夫斯，沒交給等在一邊的蓋碧，一時覺得很尷尬。

「你還好吧？強納森？」瑞夫斯問道，緊張又擔心，「事情怎樣？」

蓋碧告退，留強納森和瑞夫斯在起居室。

「還算順利吧，」強納森回答，「我看是。」

瑞夫斯微微一笑——那麼淺的笑，照樣映得他一臉燦爛。「太好了！那就好。我還沒聽到消息，你知道嗎？——幫你倒香檳，好嗎？強納森？還是蘇格蘭威士忌？坐吧！」

「威士忌好了。」

瑞夫斯彎腰去拿酒瓶，嘴裡用他輕柔的聲調再問，「多少？——你開了幾槍？強納森？」

「一槍。」萬一他沒死呢？強納森這時忽然想到。一槍未必死得了，對不對？強納森從瑞夫斯手上接過威士忌。

瑞夫斯用高腳杯喝香檳，他對強納森舉一下香檳，喝了一口。「沒有麻煩吧？——佛立茲事情做得不錯吧？」

強納森點頭示意，眼睛飄向起居室的門口，蓋碧萬一回頭就會從那裡進來。「我們就祈禱他已經一命嗚呼了吧。我才剛想到他也可能沒死——說不定沒死。」

「喔，就算他沒死也沒關係。你看到他倒下來了？對不對？」

「對。」強納森長嘆一聲，這才發現他有好幾分鐘都沒怎麼呼吸。

「消息應該傳到米蘭了，」瑞夫斯說得很開心，「義大利的槍子兒！倒也不是義大利黑手黨一定就用義大利槍，但小小這麼畫龍點睛一下，不錯，我想。他是狄史泰法諾家的人。漢堡這裡還有吉諾蒂家的兩個打手在，我們就是要他們兩邊開始火併。」

這瑞夫斯以前就說過了，強納森坐進沙發，瑞夫斯繼續踱方步，心滿意足。

「你若可以的話，我們今晚這裡就要裝作沒人，」瑞夫斯說，「不管誰打電話來，蓋碧都要說我不在家。」

「卡爾或蓋碧——他們知道多少？」

「蓋碧——啥也不知。卡爾嘛，知不知道都無妨。卡爾才不想管這樣的事。他不是只幫我做事，他拿的錢才多呢。所以，啥也不知對他最好，你懂我的意思吧？」

強納森懂。但瑞夫斯的解說，可沒辦法讓強納森好過一點。「還有——我想明天就回法國。」強納森這一句話有兩層意思，一是瑞夫斯應該今天晚上就結清他該付的錢，或安排好付錢的事，若是還有別的事，也請今天晚上一併談好。只是，真還有別的事的話，強納森就要拒絕，管它錢的事要怎麼辦，但強納森覺得既然他已經開了那一槍，他就有權拿那四萬英鎊的一半。

「你要的話，當然可以，」瑞夫斯回答，「但別忘了你明天早上還有約。」

只是，強納森已經不想再去找溫澤爾醫生了。強納森舔一下嘴唇。檢查出來的結果並不好，他的情況已經惡化，還有，留著那麼厚厚一撮八字鬍的溫澤爾醫生看起來應該像是代表「權威」，所以，強納森覺得他真去找溫澤爾醫生問檢查結果，有一點冒險。他知道他這時候思考的理路不是很順，但是，不管如何他就是作這打算。「我看也沒理由再去找他了——因為我又沒打算在漢堡待多久。我明天一早就會去取消約診。帳單就請他寄到楓丹白露我那裡去好了。」

「你哪能把法郎往法國外面送？」瑞夫斯笑道，「你收到帳單就轉到我這裡來，這一件事你別操心。」

強納森沒跟他爭，不過，他可不想要寄給溫澤爾醫生的支票有瑞夫斯的簽名。但強納森在心裡提醒自己，只管重點就好，而這時候的重點，就是瑞夫斯該付他的報酬。只是，強納森竟然一屁股坐進沙發，還滿開心的問瑞夫斯，「你這裡是做什麼的？——我是說工作。」

「工作啊——」瑞夫斯遲疑了一下，但對這問題又好像不以為意。「有好幾種。像我就會幫紐約的畫商找畫。那邊的那些書——」瑞夫斯指向書架最低一層的一整排書，「都是美術書籍，德國美術居多，誰有哪一樣作品，姓名、住址全都在上面。紐約那邊對德國畫家作品的需求不小。當然，我也在這裡挖掘新秀，介紹給美國的畫廊和買家。德州那邊是大買家。你沒想到吧？」

強納森是沒想到。瑞夫斯・米諾——說的若都是真的——品評畫作想必像「蓋格計數器」*一樣冷冰冰。瑞夫斯難道還真的懂藝術品評？強納森這時才想起來，掛在壁爐上方的那一幅畫，粉紅色的背景有一張床，床上躺了一個垂死的老人——男的還是女的？——還真的是德瓦特的作品！一定非常值錢，強納森想，準就是瑞夫斯買下來的。

「才剛到手的，」瑞夫斯說，他發現強納森盯著那幅畫看。「禮物——應該說是朋友送的謝

＊譯注：蓋格計數器（Geiger counter），測量輻射值的量器。

禮。」看他那樣子，好像本來還要再說下去，卻臨時想到就此打住比較好。

晚餐時，強納森很想再提一次錢的事情，但說不出口，瑞夫斯倒是開始講起別的事來。阿斯特湖溜冰，風馳電掣的滑冰船，偶爾還會相撞。這樣約莫一小時後，兩人坐在沙發上喝咖啡，瑞夫斯才說：「我今天晚上最多只能付你五千法郎，是很好笑啦，零頭而已。」瑞夫斯走到書桌旁邊打開抽屜，「但起碼是法郎。」瑞夫斯走回來時手上拿了一疊法郎，「你要的話，我今天晚上也可以再給你另外五千，但就是德國馬克了。」

強納森不想拿德國馬克，免得回法國還要拿去換。他看了看那一疊法郎，都是百元鈔，十張夾成一疊，法國銀行習慣的作法。瑞夫斯把五疊鈔票放在咖啡桌上，但強納森沒伸手去拿。

「你看我現在也只能給你這麼多，剩下的要等其他人。另外還有四、五個人和我一起湊數，」瑞夫斯跟強納森解釋，「但要我湊足馬克，那就沒有問題。」

強納森另有想法，但也只是模模糊糊有個大概而已，到底，他自己這時頂多是買賣的一方而已——他想的是，瑞夫斯到這時候才要跟其他人拿錢，應該不太好要，因為都已經完事了。他那些朋友不應該事先就把錢準備好才對嗎？先交給誰收著，要不也至少多拿一點？「我不要馬克，謝謝你。」強納森說。

「是，想也是。我了解。還有一件事，你這錢放在瑞士銀行的祕密帳戶裡會不會好一點？你應該不會想要把這樣的錢存在你法國的帳戶裡，對吧？要不然，你是要學法國人把錢藏在襪子裡？啊？」

「是不可能啦。——你什麼時候會收齊另一半？」強納森再問瑞夫斯，好像另外一半的錢準會到手。

「不到一個禮拜。別忘了還有一件事——不然前一件事就做白工了。這要再看看。」

強納森有一點火了，但強壓下去，「那你什麼時候可以確定？」

「一樣不到一個禮拜。說不定四天就夠了，我會和你保持聯絡。」

「但——老實說——我覺得應該要比這多才合理，你說是不是？我是說，和現在這樣的金額比。」強納森覺得臉上發熱。

「我知道，所以，剛才才會先向你說不好意思，錢太少了。這麼說好了，剩下的錢我會盡量想辦法，等下一次我們再聯絡——我自己會跟你聯絡——一定給你捎來好消息，讓你知道瑞士銀行有了你的帳戶，還有銀行給的帳目報表。」

這樣就中聽一點了。「什麼時候？」強納森再問。

「一個禮拜內，信譽擔保。」

「那是——一半嗎？」強納森追問。

「我沒把握那時可以湊足一半——你也知道，我剛才跟你說過了，強納森，這一件事本來就要雙管齊下，我那幾個兄弟付錢就是要看到效果。」瑞夫斯直視強納森。

強納森看得出來瑞夫斯這是在問，不說破但在問——他什麼時候幫他們幹第二票？他還到底要不要做？若不想做，現在就說清楚。「我了解，」強納森回答，心想，若再多一點，甚至到三分之一，應該不算差了。約一萬四千英鎊吧。依他做的事，這一筆小錢算很不錯了。強納森決定穩住，先不要爭了。

翌日強納森搭中午的班機飛回巴黎。瑞夫斯說他會幫他取消溫澤爾醫生那邊的約診，強納森就把事情留給他辦。瑞夫斯還說他這禮拜六會打電話給他，也就是隔天之後，打到他的店裡。瑞夫斯送強納森到機場，也拿了一份報紙給強納森看，報上有畢安卡躺在捷運站月台的照片。瑞夫斯雖然狀若無事但掩不住得意；除了那一把義大利製的手槍，別無其他線索，警方懷疑是黑手黨所為。警方也說畢安卡本人就是黑手黨圍事的人馬或打手。強納森那一天早上去買菸，在書報攤就翻過報紙的頭版，但沒想要把報紙買下來。這時坐在飛機上面，笑臉迎人的空姐又遞給他一份報紙。強納森把摺起來的報紙搭在膝頭，閉目養神。

強納森又是鐵路又是計程車終於回到家，已經近晚上七點，強納森自己拿鑰匙開門。

「強！」席夢沿著走廊迎向他。

強納森雙手把席夢摟在懷裡，「嗨，親愛的！」

「我才想你應該要回來了呢！」席夢笑著說，「反正就是知道。剛才才在想——怎樣呢？先把大衣脫下來吧。我今天早上收到你寫的信，說你可能昨天晚上就回家。你發什麼神經啊？」

強納森一揚手，把大衣扔上掛鉤，就抱起朝他大腿飛撲過來的喬治。「我這個小討厭好不好啊？我的小石頭好不好啊？」強納森親一下喬治的臉頰。強納森幫喬治買了一個玩具傾卸卡車，和威士忌一起裝在塑膠袋裡，但強納森覺得玩具卡車等一下再拿出來好了，便先把酒拿出來。

「啊！好奢侈！」席夢驚呼，「現在開嗎？」

「當然要！」強納森說。

一家人走進廚房，席夢喜歡威士忌加冰，強納森倒是無所謂。

「跟我說德國醫生怎麼說。」席夢把冰塊盤拿進洗滌槽。

「唔——他們的說法跟法國這邊一樣。但有一些新藥想讓我試試看，有消息會再通知我。」

強納森在飛機上想好了怎麼跟席夢說的草稿。這樣，強納森下一次再到德國就不愁沒藉口。而且，跟席夢說他的病情略有一點惡化，或感覺有一點惡化，有什麼好處？除了更教她擔心，她又能怎樣？強納森自己在飛機上反而樂觀起來：第一次都那麼順利了，第二次應該也不會有事。

「那你是說你以後還要再去德國囉？」席夢問。

「是有可能。」強納森看著席夢倒酒，兩杯威士忌，倒了很多。「他們還可以付錢給我。過一陣子會通知我。」

「真的？」席夢好驚訝。

「那是威士忌嗎？那我喝什麼？」喬治這兩句用的是英語，講的還字正腔圓，強納森聽得大笑。

「要喝嗎？那，喝一小口。」強納森把杯子朝喬治遞過去。

席夢擋下強納森的手，「有柳丁汁喲，喬治！」席夢幫喬治倒柳丁汁，「你是說他們在試驗新療法來治你的病？」

強納森蹙了一下眉頭，但覺得情況還在他控制中。「親愛的，我這病是沒有辦法治的。他們只是——只是有很多新藥要作實驗。我只知道這些。來，乾杯！」強納森有一點樂陶陶的。他在外套口袋裡有五千法郎，他平安無事，至少目前如此，安然待在家庭的溫暖懷抱裡。若一切順利的話，這五千法郎還只是零頭而已——瑞夫斯・米諾說過了。

席夢坐進一張直背椅，輕鬆往後靠，「他們付錢讓你去德國？也就是說會有一點危險性？」

「不會，我想——應該說是會有一點不方便吧。跑到德國去。我只是說他們會幫我出交通費。」強納森先前沒想那麼多，他大可說培里耶醫生可以幫他打針、開藥。但那時候他覺得他這樣答還算可以。

「你是說——他們覺得你是特殊病例？」

「對，應該是這樣子吧。但我當然不是，」強納森帶著笑說。他不是，席夢也知道他不是。

「他們大概只是想試驗一些新的檢驗法吧，我還不知道，親愛的。」

「不管怎樣，這件事你好像很開心，這樣我也就放心了，親愛的。」

「我們今天晚上出去吃吧，街角那一家餐廳就好。帶喬治一起去，」席夢出聲不表同意，但被強納森強壓下去，「好了啦，我們還吃得起嘛。」

8

強納森把四千法郎放在信封裡，藏在裝裱店最裡面的木櫃子。櫃子有八格一模一樣的抽屜，強納森把信封藏在其中一格，從下面數來的第二格。裡面除了用剩的鐵絲、線頭、打洞的標籤等等，沒有別的東西——強納森想，這樣的沒用東西，大概只有節儉成性或脾氣古怪的人才會這樣收著不丟。這一格抽屜和下面那一格一樣（強納森根本就不知道這一格裡放了什麼），強納森平常從來不會打開來用，因此，他想席夢就算來店裡幫忙的那麼少少幾次，應該也不會跑來開這兩格抽屜。強納森平常放現金的抽屜，是店裡木頭櫃台下面靠右最上面的那一格。剩下的一千法郎，強納森就在禮拜五早上存進他和席夢在興業銀行的共同帳戶。席夢可能要過三或四個禮拜才會注意到多出這一千法郎，而且，就算她看到支票簿，也不會說什麼。就算她說了什麼，強納森也可以說是有幾個顧客忽然付清了帳款。強納森一般都以支票來付家裡的帳單，銀行存摺就一直放在起居室那個法式文具櫃的抽屜裡面，不見天日，除非有誰要付什麼錢，才會帶出門去，這情況一般一個月約只有一次。

禮拜五下午，強納森終於想到這一千法郎可以怎樣花掉一點。他在法蘭西街一家店幫席夢買了一件芥末色的斜紋軟呢套裝，售價是三百九十五法郎。他前一陣子就看過這一套了，去漢堡前，看到時就想起了席夢——圓領，深黃色的斜紋軟呢有褐色的小點，四顆褐色鈕釦排成方形，怎麼看都像是專門為席夢做的。價格當初是看得他目瞪口呆，想說離譜得還不止一點點。但這時候看起來還真像撿到大便宜。強納森開心的盯著店員小心摺好新衣，包進雪白的棉紙。而席夢的欣喜又再讓強納森開心一次。強納森想起來，這好像是她近兩年來頭一次擁有全新的東西，頭一次有漂亮的新衣，在市集或普利祖尼一類的不二價商店買的怎麼算呢。

「一定貴得要命，強！」

「哪有——沒多貴。漢堡的醫生給了我一筆預付款——萬一我要回漢堡的話。他們很大方。妳別擔心。」

席夢笑了，強納森看得出來她也不想多管錢的事。這當口不想。「那我就當作是先收生日禮物好了。」

強納森也笑了。席夢兩個月前才剛過生日。

禮拜六早上，強納森的電話鈴響了。那一天早上電話響過幾次，但這一次是不規則的鈴聲，長途電話。

「我是瑞夫斯。……你那邊都還好吧？」

「都好，謝謝你。」強納森忽然緊張起來，提高警覺。他店裡有顧客在，一個男子盯著強納森店面牆上的木頭框樣品瞧了好久。不過，這一會兒強納森講的是英語。

瑞夫斯說，「我明天要到巴黎一趟，想和你見個面。有東西要給你——你知道的。」瑞夫斯的口氣很平常，很平靜。

席夢才要強納森禮拜天跟她回內穆爾她父母家。「可以把時間排在晚上或——約下午六點，怎樣？我中午有飯局，會比較久。」

「喔，沒問題，我了解。法國人的禮拜天午餐！沒問題，那就約六點好了。我住的是卡耶兒酒店，在拉斯拜爾這邊。」

強納森聽過這酒店，便說他會在六點或七點趕到。「禮拜天的鐵路班車會比較少。」

瑞夫斯要強納森別擔心，「那就明天見了。」

看來瑞夫斯應該是送錢來了。強納森改將心思轉到店裡想買框的這男子身上。

席夢禮拜天穿上那一席新衣出色極了。強納森在一家三口離家準備到佛薩迪耶家去前，叮嚀席夢不要提起德國醫生付他錢的事。

「我又不是笨蛋！」席夢飛快回了這一句，有一點言不由衷，聽得強納森忍俊不禁，覺得席夢其實還是站在他這一邊居多，而不是她父母那一邊。之前，強納森的感覺常是反過來的。

「連今天禮拜天，」席夢在佛薩迪耶家就說，「強也要到巴黎去看德國那邊的醫生。」

這禮拜天的午餐吃得特別盡興。強納森和席夢還帶了一瓶「約翰走路」過去。

強納森回楓丹白露搭四點四十九分的班車，因為聖皮耶—內穆爾沒有直通巴黎的班車。強納森在五點半左右抵達巴黎，轉乘地鐵。瑞夫斯住的酒店旁邊就有地鐵車站。

瑞夫斯先在櫃台留了口信，要強納森一到就直接到他住的房間。瑞夫斯沒穿外套，看那樣子剛才正躺在床上看報紙。「嗨！強納森！日子過得好吧？……坐——隨便坐。我有東西要給你看。」瑞夫斯去翻他的公事包，「那——算是頭期款。」瑞夫斯拿出一份白色的方形信封袋，從中抽出一張打字的信紙，遞給強納森。

信是用英文寫的，署名給瑞士銀行，簽的名字是恩斯特・希德斯罕。信裡要銀行以強納森・崔凡尼之名開立銀行帳戶，也附上強納森於楓丹白露的店面地址，同時寫明隨信附上一張八萬馬克的支票。信是複寫本，但簽了名。

「誰是希德斯罕？」強納森問瑞夫斯，也在心裡換算幣值，德國馬克大約折合一點六法國法郎，所以，八萬馬克換算成法國法郎大概是十二萬多一點。

「漢堡的生意人——我幫過他幾次忙。希德斯罕未受絲毫監控，這一筆錢也不會出現在他公司的帳冊，所以，對他沒什麼好擔心的。他給的是私人的支票。重要的是，強納森，錢在昨天已經從漢堡存進你的帳戶名下，所以，你下禮拜就可以拿到你個人的帳號了。總共是十二萬八千法國法郎。」瑞夫斯未現笑容，但狀甚得意。瑞夫斯伸手去拿寫字桌上的一個盒子，「要不要來一根荷蘭雪茄？很不錯喲。」

因為這些雪茄真的很特別，強納森便帶笑拿了一根。「謝謝。」強納森就著瑞夫斯點著的火柴點起雪茄，「錢的事情多謝你了。」強納森知道還不到三分之一，也就是連一半也沒有，但強納森說不出口。

「很好的開始，真的，漢堡那邊的賭場兄弟很滿意。也在那邊探路的另一幫黑手黨，吉諾蒂家的那兩個人，表示他們對薩瓦多•畢安卡遇刺一事一無所知，只是，他們不這樣說那還要怎麼說？現在，我們這邊要做的，就是再幹掉一個吉諾蒂家的人，弄得像是幫畢安卡報仇。所以我們要再幹掉一個大的，一個大角頭——老大下面的頭目，你知道吧？有一個叫維多•馬坎吉羅的，幾乎每個禮拜都要從慕尼黑到巴黎一趟。他在巴黎有個女友。他是慕尼黑這邊的販毒頭子——起碼是他那邊的頭子。唉呀，你知道慕尼黑這當口可比馬賽都要熱，起碼毒品這一件事……」

強納森靜靜聽他說，頗為尷尬，只等著一有空檔就要插嘴表示他不想再接事情做了。過去四十八小時，強納森的想法改了，而且，說也奇怪，瑞夫斯本人出現在他面前，把他放手一試的僅剩膽子全趕跑了——可能是他這樣一來，反而襯得這樣的事益發真實。再者，顯而易見，他這時候在瑞士銀行已經有了十二萬八千法郎。強納森已經在一張扶手椅上正襟危坐。

「……在行駛的列車上，日班車，莫札特號特快車。」

強納森搖頭，「不好意思，瑞夫斯，我看我真的做不來。」強納森忽然想起，瑞夫斯這時還是來得及擋下那一筆馬克的支票。瑞夫斯只要發一封電報給希德斯罕就好了。真那樣的話，就算囉。

瑞夫斯一聽，恍若從雲端直墜谷底。「喔！呃——那就可惜了。真的可惜。那我們只好再找別人——你若真的不想接的話。而且——我想大部分的酬勞也都應該歸那人了。」瑞夫斯輕輕搖頭，噴一口雪茄，定定盯著窗外看了一會兒，忽然彎下腰一把牢牢扣住強納森一邊的肩頭，「強，前面這一部分這麼順利啊！」

強納森往椅背上靠，瑞夫斯跟著鬆手。強納森動了動，像被人逼著要道歉似的。「對，但是——在鐵路車廂裡開槍殺人？」強納森腦中浮現他當場被抓，哪裡也逃不了。「哪要開槍！根本就不能有一點聲音。我在想用絞繩。」

強納森實在不敢相信會聽到這樣的話。

瑞夫斯一派平靜，「這是黑手黨慣用的手法，只要一條細細的繩子，沒有聲音——打一個活結當絞環！用力一抽緊，就好了。」

強納森想到自己的手指頭會碰到那人溫熱的脖子。好噁心！「絕對沒辦法。我做不來。」

瑞夫斯深吸一口氣，換檔，換個手法。「這人有很嚴密的保護，一般隨身都有兩個保鏢。但在列車上面——一般人都不太坐得住，總會起來在走道走動、走動，要不也總要去上個一、兩次廁所，或到餐車去吃東西，那就很可能會自己一個人行動了。這也未必做得成，強納森，你未必——像是也很可能找不到下手的機會，但試一試也好。——再要不就用推的，把人從車門推出去。列車行駛的時候車門還是可以開的。但他一定會喊——而且，推出去人未必會死。」

滑天下之大稽！強納森暗笑，但笑不出來。瑞夫斯繼續做他的殺人大頭夢，眼睛翻上天花板。強納森想到他若因為殺人或殺人未遂被捕，那麼，那一筆錢席夢絕對一毛錢也不會去碰。她一定嚇得不知如何是好，一定羞愧萬分。「我真的沒辦法幫你。」強納森說時站了起來。

「但——你至少跟著搭火車看看也好。若沒機會下手，那我們當然就要再想別的，換另一個頭目也好，換個作法。但我們真的很想解決這一個！他正在打算從漢堡的毒品生意轉進到賭場來——已經在作組織了——反正傳言說的是這樣。」瑞夫斯換個口氣，「那你要不要改用槍？強？」

強納森還是搖頭，「我沒那膽子，拜託，在列車上開槍？沒辦法。」

「那你看看這一條套索！」瑞夫斯倏地從長褲口袋掏出左手。

他左手上拿著一根細細的、近白色的繩子，尾端打了一個活結，繩頭還纏了個死結，免得活結一路滑到底鬆掉。瑞夫斯把活結往一根床柱上一套再一拉，用力扯得繩子往一邊歪。

「看到沒？尼龍的。幾乎跟鐵絲一樣強韌。不管是誰，這樣一套哼都哼不出第二聲——」瑞夫斯說到這裡打住。

強納森實在受不了。這可是要用另一隻手去碰受害人才有辦法的——不管怎樣都要碰到人。而且，這不也要約莫三分鐘才死得了？

瑞夫斯看來像要放棄了。他走到窗邊，忽又轉身，「你考慮看看好吧。過兩天，你再打電話給我，或我打電話給你。馬坎吉羅一般都是禮拜五中午從慕尼黑出發。下禮拜的週末就把這件事情辦好最好。」

強納森慢慢朝門口走去，把手上的雪茄擱在床頭桌的菸灰缸裡。

瑞夫斯的眼睛緊盯著強納森，精光外露，但他也可能是在看強納森身後的地方，心裡在想別的人選。他臉上的那一道疤感覺比平常要厚，有的時候因為光線的關係就會這樣。強納森想，這樣一道疤說不定會害他在女人面前有自卑感。但他有這疤是多久了？說不定還不過兩年呢，看不出來。
「要到樓下喝一杯嗎？」
「不用了，謝謝。」強納森回答。
「喔，我有一本書要給你看！」瑞夫斯又走向他的公事包，從裡面一角抽出一本書，鮮紅色的精裝封面。「你可以看看。留著看，很出色的新聞作品。採訪紀錄。這樣你就知道我們對付的是怎樣的角色。但他們和其他人一樣，都是有血、有肉的人物。我是說，也都很脆弱。」
這本書叫作《冷面鐮刀手：美國組織犯罪剖析》*。
「我禮拜三再打電話給你，」瑞夫斯說，「禮拜四你要到慕尼黑來一趟，還要過夜，我也會在慕尼黑，我住另一家旅館。禮拜五晚上你再搭火車回巴黎。」
強納森一隻手搭在門把上，聽到這裡他轉動門把。「對不起，瑞夫斯，但只怕我不行。再見。」
強納森走出旅館，直接穿過街心朝地鐵走去。強納森在月台上等車時，讀了一下書皮上的書介。封底有警方的檔案照，正面、側面都有，總共六或八人，全都一臉凶相，嘴角下垂，臉上鬆垮又陰沉，一雙雙深色的眼睛直直瞪視前方。但說也奇怪，不管他們臉上肉多、肉少，表情倒還真像。書裡還有五、六頁都是圖片。每一章都以美國一處大城為名——底特律，紐約，紐奧良，芝加哥，最後面除了索引，還附上黑手黨家族的關係圖，像家族樹一樣，只不過裡面的人都是同一時代的人便是了：最上面的老大，堂口的堂主，圍事的小弟，光是小弟這一級，強納森聽過的

「熱諾亞幫」✣的人數就有五、六十人。書裡的名號一概真有其人，很多都還附上紐約和紐澤西的地址。強納森搭車回楓丹白露的路上把書瀏覽過一遍。裡面有一個「冰鑽威利」艾德曼✢，瑞夫斯在漢堡提過他。他最愛湊近在目標的肩頭，像要跟人家講悄悄話，然後用一根冰錐從人家的耳膜刺進去，直達腦部致死。「冰鑽威利」的相片也出現在書裡，咧著嘴笑，夾在一群拉斯維加斯賭場兄弟裡面，六個人，都是義大利名字，另外還有一名紅衣主教、一名主教、一名蒙席⁕，拍攝的事由是教會「收到五年預計達七千五百塊美金的捐獻」。強納森忽然一陣乏力，闔上書，呆呆看著窗外一連幾分鐘，才再翻開書。畢竟這一本書寫的都是真人真事，而且，還很好看。

強納森從楓丹白露—亞文車站搭公車回到鎮上城堡附近的廣場，再徒步沿著法蘭西街回他的店。他身上就有店的鑰匙，他走進店裡，把這一本黑手黨正傳放進他藏錢的那一格不太用的抽屜裡，再走路回他聖梅希街的家。

✻ 譯注：《冷面鐮刀手：美國組織犯罪剖析》（*The Grim Reapers: The Anatomy of Organized Crime in America*），grim reaper 的意象也是死神的代稱。

✣ 譯注：熱諾亞幫（Genovese），美國紐約市五大幫派之一。

✢ 譯注：「冰鑽威利」艾德曼（"Icepick Willie" Alderman），出身美國明尼蘇達北部的猶太人，是美國猶太籍黑幫老大大衛・柏爾曼（David Berman, 1903-1957）身邊的得力殺手，原名 William Israel Alderman，因為愛以冰鑽殺人，所以有此諢名。

⁕ 譯注：蒙席（monsignor），教宗賜與之天主教士榮銜。

9

湯姆・雷普利於四月某禮拜二發現強納森・崔凡尼的小店櫥窗掛了「因家有要務暫停營業」的牌子，心想，崔凡尼說不定就是到漢堡去了。湯姆是很想知道崔凡尼真的到漢堡去了嗎？但還沒急到要打電話去問瑞夫斯。後來有一天，禮拜四早上十點左右，瑞夫斯自己從漢堡打電話給湯姆，聲音緊張，強壓下興奮：

「欸，湯姆，辦成啦！全部都——什麼都很順利！湯姆，這我就要謝謝你了。」

湯姆一時還真說不出話來。崔凡尼真的把事情辦成啦？赫綠思和湯姆一起在起居室裡，所以湯姆也沒辦法多說，「那好，聽到這消息很替你高興。」

「根本就不需要那一份假的醫生報告，都好順利！昨晚的事。」

「那——呃——他要回家囉？」

「對，今天晚上到家。」

湯姆沒跟瑞夫斯多聊。他想過要瑞夫斯把崔凡尼的檢查報告調包，換上比實際情況要糟的報告。湯姆拿這當笑話跟瑞夫斯提過，只是，瑞夫斯是聽了就會去做的那一型——湯姆覺得這真的是很下流、很沒品的惡作劇。結果，竟然還不需要。湯姆不勝驚訝，露出了笑。湯姆從瑞夫斯那麼興奮聽得出來他要解決的那一個人真的死了。被崔凡尼斃了。湯姆真的沒想到。可憐這瑞夫斯好想聽一聽湯姆讚美他幾句，到底，這一槍斃命的戲碼從頭到尾都是他一手策劃的。只是，湯姆啥也不能說。赫綠思還懂幾句英語，湯姆可不想冒險。湯姆忽然很想翻一下安奈特太太的《巴黎人報》，安奈特太太每天早上都會買這一份日報，但安奈特太太去買菜還沒回來。

「誰打來的？」赫綠思問湯姆。赫綠思正在翻咖啡桌上的雜誌，準備挑出舊的丟掉。

「瑞夫斯，」湯姆回答，「沒什麼要緊的事。」

赫綠思覺得瑞夫斯最無聊了。瑞夫斯沒有跟人閒話家常的本事，那樣子活像活得很不耐煩。湯姆聽到安奈特太太的腳步踩在屋前的碎石子路上，吱吱嘎嘎，便走進廚房去找她。安奈特太太從側門走進來，看到湯姆就微笑招呼。

「要再喝咖啡嗎？湯姆先生？」安奈特太太問湯姆一聲，手上的菜籃子往木頭桌上擱。堆在最上面的一顆朝鮮薊掉了下來。

「不用，謝謝妳，安奈特太太，我是想要看一下妳的《巴黎人報》——可以的話。想說賽馬——」

湯姆在第二版找到他要看的。沒有照片。義大利的名字，薩瓦多・畢安卡，四十八歲，在漢堡的地下捷運站遭人射殺。槍手身份不明。現場找到一把槍，義大利製造。死者已知是米蘭黑手黨的狄史泰法諾家族一員。整篇報導的版面不到三吋。湯姆想，不管怎樣，都是一場好戲的開端，可能會再帶出其他更大的事呢！強納森・崔凡尼啊，狀似無邪、剛正的崔凡尼啊，竟然屈服於金錢的誘惑（還會有別的嗎？），幹下殺人命案還安然脫身！湯姆自己一度也屈服，就是狄奇・葛林里那一件事。所以，這個崔凡尼會不會是我們這樣的人呢？但湯姆說的這我們，其實也只有湯姆・雷普利一人而已。湯姆笑了起來。

上禮拜天，瑞夫斯從奧利打電話給湯姆，口氣很沮喪，說崔凡尼一直沒答應，所以，湯姆這邊有沒有別的人選可以提供？湯姆回說沒有。瑞夫斯說他寫過一封信給崔凡尼，禮拜一早上應該會到，信裡邀崔凡尼到漢堡一趟，作一次檢查。湯姆就是在這時候說，「他若真的要去的話，你不妨看看有沒有辦法把他的檢查報告結果弄得像是病情已經惡化。」

湯姆禮拜五或禮拜六，原本也可以親自到楓丹白露走一趟，滿足一下好奇心，瞥一眼店裡的崔凡尼也好，說不定拿一幅畫去裱（但若崔凡尼那禮拜剩下的那幾天都不開門，休養生息去也，就不行了）。其實，湯姆禮拜五還真的要去楓丹白露高席耶的店裡買油畫的拉幅架，但赫綠思的父母說要來過週末——禮拜五、禮拜六晚上都要在他們家過夜——所以，禮拜五麗影上下就忙成一團，準備迎接岳父母大人。安奈特太太拼命瞎擔心她準備的菜色不好，擔心禮拜五晚上要吃的淡菜不夠新鮮。安奈特太太才剛把客房打點得盡善盡美，赫綠思卻又把床單和毛巾全都換掉，因為床單、毛巾繡的全是湯姆姓名的縮寫，不是皮里松家的。皮里松家在湯姆和赫綠思結婚時，拿家裡的存貨送了他們二十四套華麗、厚實的亞麻床單當禮物，赫綠思覺得娘家的人要來，理當用娘家送的禮才合乎禮數，也才算有交際手腕。這樣的禮數安奈特太太一時沒想起來，赫綠思或湯姆當然不會去怪她。湯姆也知道赫綠思要換床單，另也因為赫綠思不想要她父母上床就寢時看到他姓名的縮寫，免得想起女兒嫁了個什麼樣的貨色。皮里松夫婦性子挑剔、古板——還更慘，因為湯姆的岳母，雅蓮・皮里松，身材纖瘦，五十歲但風韻猶存，她就最愛使出渾身解數，硬要假裝她那人不拘禮，假裝年輕一輩搞的花樣她一概有雅量包容。但她哪有！所以，這週末在湯姆簡直如坐針氈，還有，天哪！像麗影這樣都還不算打理得井井有條，那還有哪裡算得上是？純銀茶具（又是皮里松夫婦送的結婚禮物），不是被安奈特太太擦得光可鑑人？連花園裡的鳥屋也每天都去清鳥糞，好像這鳥屋也是麗影的一間迷你客房。麗影上上下下凡是木頭材質的東西，無不上蠟打得晶亮，還飄著怡人的薰衣草香，這蠟還是湯姆特地從英國買回來的。結果呢，這個雅蓮，坐在壁爐前的熊皮上，一身粉紫的長褲套裝伸得長長的，烘她露在外面的腳丫子，竟然還說，「這樣的木頭地板光打蠟不行，赫綠思，偶爾也要用亞麻子油和松香水保養一下——暖一暖，妳知道吧？這樣蠟才比較容易吃進木頭裡去。」

皮里松夫婦禮拜天下午喝過茶後終於走了，赫綠思一把扯下身上的水手領套頭外套，往落地窗扔過去，外套上有一只很沉的別針就這樣在窗玻璃劃出一道難看的裂縫，但窗玻璃沒破。

「香檳！」赫綠思大喊，湯姆馬上往地窖衝去拿酒。

兩人共飲香檳，不過，茶具倒還留著沒撤（安奈特太太終於可以把腳抬高休息一下了），這時電話鈴響。

是瑞夫斯・米諾的聲音，聽起來有氣無力。「我在奧利這裡，才剛從漢堡到。我今天在巴黎和我們那一位朋友見過面了，他說下一件事他不幹——你知道是哪一件事。還要再幹一次才行，我知道，我也跟他說過了。」

「你付他錢了？」湯姆的眼睛落在赫絲思身上，赫絲思正在和她那一杯香檳共舞華爾滋，嘴裡輕聲哼唱《玫瑰騎士》*裡的一首大華爾滋。

「對，約付了三分之一。應該不算少。我幫他存在一家瑞士銀行裡面。」

湯姆記得他說好的報酬是將近五十萬法郎。所以，湯姆想，三分之一不算大方，但也合理。

「你說要他再開槍一次。」湯姆跟瑞夫斯說。

赫絲思一邊轉圈一邊哼唱，「啦—達—達—啦—啦……」

「不行，」瑞夫斯的聲音變得沙啞，輕聲回答，「這一次要用絞繩來處理。要在火車上做。我想就是這樣才出麻煩的。」

湯姆嚇了一跳。這樣崔凡尼當然不幹！「一定要在火車上嗎？」

「我已經計畫好了……」

瑞夫斯這人老是有計畫。湯姆維持禮貌讓他往下說。瑞夫斯的計畫聽起來很危險，也不牢靠。湯姆忍不住打斷，「我們那朋友說不定這時候也受夠了。」

「不會，我覺得他其實是有興趣的。但他不肯——到慕尼黑，而這件事下週末就要辦好才行。」

「你《教父》*看太多了，瑞夫斯，改用槍吧你。」

「槍有聲音，」瑞夫斯的口氣沒一絲幽默。「我在想——要嘛我再找別人，湯姆，要嘛——就一定要說動強納森接下。」

哪有辦法說得動他！湯姆暗自哼了一聲，口氣不太耐煩，「說服力最強的東西莫過乎錢，若錢還不管用，那我也幫不了你。」湯姆想起皮里松夫婦來家裡住了兩天，頓時無名火起。若不是他和赫綠思少不了賈克・皮里松一年給赫綠思的二萬五法郎，他和赫綠思需要那樣卑躬屈膝、低聲下氣撐過這近三天的時間？

「我是擔心再多付他錢，」瑞夫斯說，「他很可能真的會撒手不幹。而且，我好像也跟你說過，除非強納森把剩下的那一件事也辦好，我是沒辦法拿到——拿到剩下的銀兩的。」

湯姆心想，瑞夫斯還真搞不懂崔凡尼這樣的人。若崔凡尼真已經拿到了全部的酬勞，那他不是履行承諾把事情處理到完，就是會把一半的錢退還。

「若你想到還可以怎麼處理他的事，」瑞夫斯這口氣像是硬著頭皮說出口的，「或你還知道有誰可以做，麻煩你打電話給我好嗎？就最近一兩天好嗎？」

電話終於掛了，湯姆鬆了一大口氣，猛一搖頭，翻一下白眼。瑞夫斯・米諾想的事情常讓湯姆覺得像是墜入五里迷霧的大頭夢，而且，完全沒有大部分的夢多少會有一點的真實感。

赫綠思一手拿著她那一杯香檳，一手輕輕搭在黃色沙發椅背，一個大跨步就從沙發背後跨到

＊ 譯注：《玫瑰騎士》（*Der Rosenkavalier*），德國音樂家理查・史特勞斯（Richard Strauss, 1864-1949）寫的一齣三幕的喜歌劇。

✣ 譯注：《教父》（*The Godfather*），義裔美籍作家馬里奧・普佐（Mario Puzo, 1920-1999）著，此書於一九六九年出版。

前面，無聲落座，以優雅的姿態朝湯姆舉杯，「多虧你了，這週末總算大功告成，我的寶貝！」

「謝謝妳，親愛的！」

是啊，生命又美好起來了，又只剩他們倆了，晚上若是光著腳丫吃晚餐都沒人管！自由啦！

湯姆卻在想崔凡尼的事。湯姆也不是真喜歡瑞夫斯，反正他那人總有辦法僥倖過關，要嘛也還知道太危險要及時抽身。但是，這崔凡尼——他這人就有一點教人猜不透了。湯姆在腦子裡胡亂想法子，看能不能和崔凡尼再熟一點。不太容易，因為湯姆知道崔凡尼不喜歡他。但真要試的話，也再簡單不過，拿一幅畫到崔凡尼的店裡去請他裱，不就得了？

禮拜二，湯姆開車到楓丹白露，先上高席耶的美術用品店去買油畫拉幅架。高席耶說不定會自動奉上崔凡尼的消息，像是他去過漢堡一趟之類的，湯姆想，因為崔凡尼不就裝作是去看醫生的嗎？湯姆在高席耶的店裡買好東西，只是崔凡尼的事高席耶隻字未提。湯姆要走了，只好自己先問：

「呃，我們那朋友——崔凡尼先生——還好嗎？」

「啊，對，他上禮拜到漢堡去看一個專家，」高席耶的玻璃義眼直直瞪著湯姆，真的那一隻眼卻泛著光，有一點哀傷，「我聽說結果不是很好。像是有一點惡化的樣子，比這裡的醫生說的還要壞一點。但他很勇敢，你也知道他們英國人，從來就不讓人知道他們心裡真正的感覺。」

「很遺憾聽到他病情惡化。」湯姆說。

「嗯，唉——也是他自己跟我說的，但他還是會照常過日子。」

湯姆把他買的內框放進車裡，再從後座拿出一份文件夾。他帶了一張水彩畫要請崔凡尼幫他裱起來。湯姆想他今天和崔凡尼對話未必會多順利，但反正他幾天後要再回來拿畫，包準有機會再見崔凡尼一次。湯姆走向薩布隆街，進了崔凡尼的小店。崔凡尼正在和一名婦人討論畫框，手上拿了一截木框樣品搭在一幅蝕刻畫上作比對。崔凡尼看了湯姆一眼，湯姆知道崔凡尼應該記得他。

「現在看起來好像比較沉，但加上白色的襯卡——」崔凡尼在和婦人作說明，他說法語的口音還真準確。

湯姆端詳一下崔凡尼，想看看有沒有哪裡不同？——像是焦躁之類的吧——但看不出來痕跡。終於輪到湯姆了。「你好。早安。我叫湯姆・雷普利，」湯姆微笑說道，「我去過你家——二月，對吧？你太太過生日。」

「喔，對。」

湯姆從崔凡尼那臉色看出崔凡尼對他的態度，還是二月那一晚的樣子。那一晚崔凡尼說，「喔，對，我聽過你。」湯姆打開他拿在手上的文件夾。「我這裡有一幅水彩畫要裱，我太太畫的。我在想是不是用窄框，深褐色的，加襯卡——大概，最寬兩吋半吧，我是說底寬。」

崔凡尼的眼睛在看水彩畫，水彩畫擺在隔在他們兩人中間的櫃台上，櫃台有凹口，磨得很光滑。

水彩畫以綠、紫二色為多，赫綠思對麗影一角的自由詮釋，背景是冬季的松林。湯姆覺得畫得不錯，因為赫綠思向來懂得適可而止。赫綠思不知道湯姆把畫留下來，裱好後送她，她一定大為驚喜——湯姆希望她會。

「那這類的好嗎？」崔凡尼一邊說，一邊從架子上面抽出一截木頭。架子上面橫七豎八堆得都是木框樣品。崔凡尼把木頭擺在水彩畫的頂端，但空出一截，留出位子給襯卡。

「我覺得不錯，好，就這樣。」

「襯卡要用米白色還是純白？像這樣的？」

湯姆選了一樣。崔凡尼在便條紙上仔細用大寫字寫下湯姆的姓名和地址。湯姆也把電話號碼給了崔凡尼。

那現在又要說什麼好？崔凡尼的冷淡擺得很明顯，湯姆知道崔凡尼一定會拒絕，但又覺得說一說又會怎樣？又沒損失。所以，湯姆開口了，「說不定哪一天你可以帶你太太到我家來，我們小酌一番。維勒佩斯離這裡不遠，小孩子也一起帶來。」

「謝謝你，我沒車，」崔凡尼回答時笑得很和氣，「只怕我們不太愛出門的。」

「車不是問題，我可以來接你們。當然也就要留下來一起共進晚餐。」後一句就是湯姆不假思索、脫口而出的話了。崔凡尼聽了把兩隻手插進毛衣外套的口袋，重心左右換了換。湯姆感覺得出來，崔凡尼在想他到底是怎樣的人。

「我太太性子比較害羞，」崔凡尼說了，臉上首度露出了笑。「她英語不太好。」

「我太太也是，真的，她也是法國人，你知道吧？總之——我家若太遠的話，那現在就喝一杯茴香酒應該可以吧？你是不是也要午休了？」

沒錯，崔凡尼是準備要午休了。已經過正午一下子了。

兩人走到法蘭西街和聖梅希街交叉口的一家酒吧餐廳。崔凡尼中途還在一家烘焙坊停下來買麵包。崔凡尼點了生啤酒，湯姆也一樣。湯姆在櫃台放了一張十法郎的鈔票。

「你怎麼會住到法國來的？」湯姆問崔凡尼。

崔凡尼跟湯姆說他最早是和英國的好哥兒們到法國來開骨董店的。「那你呢？」崔凡尼問湯姆。

「喔，我太太喜歡法國。我也是。真還想不出來哪裡有比這裡更愜意的生活。我要旅行就可以旅行。多的是自由的時間——你們會說是空閒吧。園藝啊，繪畫。我只算是『禮拜天畫家』*那一級吧，但我真愛畫。——興致一來，就到倫敦住它個兩個禮拜。」湯姆這一招就像把牌攤在桌上，讓人覺得自己沒有防人之心，也沒有害人之心。只是，崔凡尼很可能就會奇怪，他這樣過日子的錢是打哪裡來的？湯姆想崔凡尼應該已經聽人說過狄奇・葛林里的事了，但也跟大部分的人一樣，聽過也不會記得多少，頂多留幾件事在腦子裡，像狄奇・葛林里「神祕失蹤」的事。不過，後來不說狄奇自殺了嗎？也獲採信為真。說不定崔凡尼知道狄奇・葛林里的遺囑留給湯姆一筆錢（湯姆偽造的遺囑），因為這一件事報上登過。後來，前一年又出了德瓦特那一件事，但以

＊譯注：禮拜天畫家，指業餘玩票作畫。

法國報紙登的，說是德瓦特還不如說是湯瑪斯・莫奇森；莫奇森這美國人那時正在湯姆家裡作客。

「聽起來是很愜意。」崔凡尼口氣很淡，伸手把上唇的啤酒泡抹掉。

湯姆覺得崔凡尼好像有事情要問他，但要問什麼呢？湯姆很想知道這個崔凡尼渾身上下那一股英國佬的冷淡裡，是不是還有一絲良心的譴責？會不會想要和他太太吐露實情，或乾脆到警局自首？湯姆覺得先前他就認為崔凡尼還沒有也不會跟他太太坦承他做了什麼事，應該不會錯。不過五天前，崔凡尼才扣扳機槍殺一人。湯姆當然可以給崔凡尼來一番精神講話，幫他作一點心理建設，跟他細數義大利黑手黨的惡形惡狀，肯定他或別人除掉其中一個都是莫大的貢獻。想到這裡，湯姆就想起了絞繩的事。不行，要崔凡尼去勒死別人，他看不下去。崔凡尼自己對他幹下的這一樁殺人案有什麼感覺嗎？或該問他這時候開始有感覺了嗎？可能還沒吧。崔凡尼點起一根「吉普賽女郎」。他的手很大。他這一型的人就算穿的是舊舊的衣服，縐巴巴的長褲，還是掩不住那一股英國紳士的氣質。而且，他還長得粗獷俊朗，只是他自己好像不知道。

「我想問你認不認識一個人？」崔凡尼說了，一雙冷靜的藍色眼睛盯著湯姆，「也是美國人，叫瑞夫斯・米諾？」

「不認識，」湯姆回答，「住在楓丹白露這裡嗎？」

「不是，但他到處跑，我想是吧。」

「不認識。」湯姆喝一口啤酒。

「我該走了，我太太在等我。」

兩人走出餐廳，各自要走的是不一樣的方向。

「謝謝你請的啤酒。」崔凡尼說。

「我的榮幸！」

湯姆朝他的車走去，他的車停在黑鷹旅館前面的停車場。湯姆上車朝維勒佩斯開去，心裡還在想崔凡尼，想他那樣子像是相當頹喪，對自己目前的景況很頹喪。崔凡尼年輕時想必也有雄心大志才對。湯姆又想起崔凡尼的太太，可愛的女子，看起來沉穩、深情，絕對不會逼丈夫去多賺錢、叨叨唸唸要過更好的日子。她那樣子就是給人和崔凡尼一樣正派善良的感覺。只是，崔凡尼不也向瑞夫斯的提議屈服了嗎？這表示崔凡尼這人還是會被外力牽著走，只要做得夠聰明就沒問題。

安奈特太太在門口迎進湯姆，順便跟湯姆說赫綠思交代她會晚一點回家。赫綠思說她在夏翼一家骨董店找到一具英國製的船櫃，簽了支票買了，但要跟骨董店的老闆一起上銀行一趟。「夫人很快就會帶著櫃子回來了！」安奈特太太那一雙藍色眼睛透著開心，「夫人要你等她一起吃午餐，湯姆先生。」

「哪有問題！」湯姆答得同樣開心。銀行的帳戶可能有一點透支，湯姆想，所以赫綠思才必須上銀行找人疏通一下——但銀行中午又不開門，她這午餐時間是要怎麼解決問題？安奈特太太那麼開心，當然是家裡又多了一件家具可以讓她好好上蠟，她打起蠟來可是從不厭倦。赫綠思幾個月來一直想幫湯姆找一件有航海風味、鑲黃銅框的五斗櫃。赫綠思幾個月前突發奇想，覺得湯姆的房間應該要有一具船櫃才對。

湯姆決定趁這時候和瑞夫斯聯絡一下，趕忙往樓上跑。下午一點二十二分。麗影三個月前裝了兩具新的撥號式電話，這下子家裡再也不必透過接線生打長途電話了。

來接電話的是瑞夫斯的管家，湯姆用德語問米諾先生在嗎？瑞夫斯在。

「瑞夫斯啊，你好，是我，湯姆。我沒辦法講太久，我只是要跟你說，我和我們那朋友見過面了，和他喝過一杯……楓丹白露的一家酒吧。我想——」湯姆站著講電話，相當緊張，眼睛緊盯著窗外馬路另一邊的樹林，緊盯著林梢碧空如洗的藍天。他也不知道該說什麼才好，只是很想要瑞夫斯不要放棄。「我還不知道，但我想他應該可以。只是直覺這樣。你再跟他磨一磨。」

「真的？」瑞夫斯回答，緊扣住湯姆說的話，好像湯姆是百發百中的預言家。

「你什麼時候要再見他？」

「喔，我是希望他禮拜四可以到慕尼黑來一趟。也就是後天。我想跟他說到慕尼黑來再看另一個醫生。然後——就是禮拜五，兩點十分，火車就從慕尼黑往巴黎開了，你也知道。」

湯姆坐過一次莫札特號特快車，在薩爾斯堡上的車。「我覺得，你應該讓他自己挑是要用槍還是——別的，然後勸他最好別選槍。」

「這我試過了啊！」瑞夫斯說，「那你想——他是不是還有可能回心轉意？」

湯姆聽見一輛車，兩輛車，輾過屋前的碎石子路，應該是赫綠思和那一個骨董商。「我要掛電話了，瑞夫斯。不能講了。」

那一天，後來湯姆一人在房間裡時，又再仔細看過一遍新買的漂亮五斗櫃，五斗櫃就擺在他房間朝前的兩扇窗中間。櫃子是櫟木材質，矮墩墩，很結實，有晶亮的黃銅包角，埋頭式抽屜把手。拋光的木頭感覺好像活的，好像做這櫃子的人用雙手在木頭裡面注入了生氣，或用過這櫃子的船長、軍官的手注入了生氣。木頭雖有兩個暗暗、亮亮的凹痕，卻像怪怪的傷疤；但凡生物走過生命的歷程，無不會留下烙印。頂部鑲了一個橢圓形的銀質牌子，渦卷花體字刻的是：「阿奇博・帕屈治船長，普里茅斯，一七三四年」，下面一行的字小得多了，刻的是木匠的名字；湯姆覺得這畫龍點睛的一筆，道盡了巧匠的自豪。

10

禮拜三，瑞夫斯一如先前說的，打電話到強納森的店裡找強納森。強納森那時店裡卻一反常態，很忙，只好要瑞夫斯過了中午再打。

瑞夫斯也聽命，打第二次電話，稍事平常的寒暄過後，便直接開口問強納森隔天可以到慕尼黑來嗎？

「慕尼黑這邊也有醫生，你知道，很不錯的醫生，我這時候就有人選，麥克斯・施洛德醫生，也查出他禮拜五一早有時間見你，一大早約八點。只要我和你作過確認，就可以。所以，你若——」

「好，」強納森答得乾脆。他心裡原先就已經有底，知道兩人講電話會講到這樣的事去。「那好，瑞夫斯，我去買機票——」

「單程票，強納森。——呃，由你決定。」

強納森心裡有數，「確定班機的時間後，就會打電話給你。」

「我知道班機的時間，下午一點十五分有一班從奧利直飛慕尼黑，看你趕得上嗎？」

「好，那我就訂那一班的。」

「若沒接到你的電話，就表示你已經上了飛機，我會像先前一樣在慕尼黑的接駁公車底站接你。」

強納森茫茫然走向洗滌槽，用雙手順了順頭髮，就伸手去拿他的風衣。外面在下小雨，相當冷。強納森昨天晚上下的決定。他乾脆把先前走過的那一回再走一遍好了，只是這一次是到慕尼黑看醫生，然後就去搭火車。他的心意已定，沒把握的只剩下他的膽量。這一次他走得到什麼地步呢？強納森走出店門，拿鑰匙把門鎖好。

強納森在人行道上撞到一個垃圾筒，這才驀然驚覺自己一路蹣跚亂晃，根本沒好好走路。強納森抬起頭來。他就跟瑞夫斯既要一把槍也要一根絞繩吧，以絞繩為先，但若他臨場退縮，不敢動手（強納森覺得他用絞繩準會怯場），便馬上改用槍。就這樣了。強納森會跟瑞夫斯先講好：若他改用槍，而且看來事跡敗露準會被抓，那他就會用槍裡剩下的一、兩顆子彈自我了斷。這樣，他就不可能牽連到瑞夫斯或和瑞夫斯有關的人。若真這樣的話，瑞夫斯要把剩下的錢付給席夢。強納森知道沒人會把他的屍體認作是義大利人，但他覺得狄史泰法諾他們找非義大利籍的殺手犯案，也不是絕不可能。

強納森跟席夢說，「我今天早上接到漢堡醫生打來的電話，要我明天到慕尼黑一趟。」

「喔？那麼急啊？」

強納森想起他講過，若要再到德國去看醫生，大概是兩個禮拜後。他也說溫澤爾醫生開了一些藥給他，想要看看他服藥的效果。強納森和溫澤爾醫生確實是談過吃藥的事——白血病其實醫界目前還無技可施，只有靠投藥減緩惡化的速度——只是，溫澤爾醫生沒真的開藥給他。強納森相信他若再看一次溫澤爾醫生，溫澤爾醫生應該就會開藥給他。「慕尼黑那邊有另一個醫生——叫施洛德——溫澤爾醫生要我去他那邊看一看。」

「慕尼黑在哪裡？」喬治問道。

「在德國。」強納森回答。

「那你要去多久？」席夢再問。

「可能——要到禮拜六早上，」強納森回答，心想火車禮拜五晚上抵達巴黎的時候已經很晚了，應該不會再有班車從巴黎開往楓丹白露。

「那店裡怎麼辦？明天早上要我去看店嗎？禮拜五早上要嗎？——明天你什麼時候就要出門？」

「一點十五分有一班飛機。可以的話，親愛的，明天早上和禮拜五早上妳若可以幫我看店，會比較好——一小時也可以。會有兩個人要來拿畫。」強納森把手上的叉子輕輕插進一塊卡門貝爾乳酪，他拿歸拿但其實不想吃。

「你會擔心嗎？強？」

「還好。——不擔心啦，正相反，現在啊，不管再聽到什麼都應該只會好不會差。」開心但不過分，強納森暗想，但是全都是胡扯。醫生才沒有辦法跟時間搶人。強納森看一眼兒子，兒子的表情是有一點不懂，但還沒到開口要問的地步。強納森這才想到，喬治可是打從聽得懂大人講話開始，就在聽他和席夢這樣的對話了。喬治也聽大人跟他講過，「爸爸感染到病菌，像感冒一樣，有的時候會很累。但不會傳染到你。不會傳染到誰，所以你不會怎樣。」

「你會在醫院住一晚嗎？」席夢再問。

強納森一開始沒聽懂席夢的話。「不會，溫澤爾醫生——喔，他的祕書說他們會幫我訂旅館。」

第二天早上才剛過九點，強納森就出門了，要去趕九點四十二分往巴黎的火車，因為不坐這一班，下一班會來不及趕到奧利的機場搭飛機。他已經買好票了，單程票，前一天下午就買好的，強納森也在興業銀行的戶頭再存入一千法郎，隨身的錢包放了五百法郎，這樣他店裡的抽屜就只剩兩千五的法郎。他另也把那一本《冷面鐮刀手》從抽屜裡拿出來，塞進行李箱，準備還給瑞夫斯。

剛要到下午五點，強納森已經搭接駁巴士抵達慕尼黑市中心的底站。這一天陽光普照，氣溫宜人。強納森看到幾名壯碩的中年男子穿著皮短褲和綠夾克*，人行道上有人在演奏搖弦琴。瑞夫斯快步走向他來。

「我遲到了一下，不好意思！」瑞夫斯說，「你好吧？強納森？」

「還不錯，謝謝你，」強納森微笑回答。

＊譯注：皮短褲是歐洲阿爾卑斯山區的男性傳統服飾，皮短褲加綠外套是慕尼黑啤酒節的男性標準裝束。

「我在旅館幫你訂好房間了，現在就搭計程車過去。我住另一家旅館，但我會去找你，我們再談。」

兩人坐進計程車。瑞夫斯開始跟強納森介紹起慕尼黑，講得好像他對慕尼黑很熟、很喜歡這城市，倒不像是要用講話來蓋掉緊張。瑞夫斯拿出一張地圖，把英國花園*指給強納森看，計程車不會經過那裡，瑞夫斯再把以薩河岸邊那一區指給強納森看，強納森第二天約診的醫院就在那裡，時間是早上八點。瑞夫斯還說，兩人住的旅館都在市中心一帶。計程車在一家旅館前面停下，身穿紅黑二色制服的小弟前來幫他們拉車門。

強納森登記住房。旅館門廳有許多現代風格的彩繪玻璃，題材是古日耳曼騎士和吟遊詩人。強納森注意到自己的感覺好得反常，心頭一樂，顯得十分開心。但這會不會是迴光返照？會不會是第二天大難臨頭、在劫難逃的前奏？強納森這時忽然發現自己這麼開心實在不正常，馬上提醒自己要多注意，他平常怕自己喝多了酒時就是這樣的反應。

瑞夫斯陪強納森上樓進他的房間。小弟放下強納森的行李，人才剛走，強納森就把大衣往門口的鉤子掛，這也是他在家裡的習慣。

「明天早上——說不定今天晚上就可以了，我們會幫你弄一件新大衣來，」瑞夫斯說時看向強納森，表情略有一點苦笑。

「喔？」強納森也不得不承認，他這一件大衣真的很舊。強納森微微一笑，不以為忤。至少他帶了他最好的一套西裝來了，也帶了一雙滿新的黑色皮鞋。他把藍西裝掛起來。

「畢竟你在火車上坐的是頭等車廂，」瑞夫斯說道，走向門邊，按下門鎖，免得有人從外面進來。「我拿到槍了。還是義大利槍，但有一點不一樣。我弄不到滅音器，但我想——老實跟你說吧——有滅音器也沒什麼用。」

強納森了解。他看瑞夫斯從口袋掏出槍，剎時腦中一片空白，覺得自己好蠢。只要他一開槍，表示他緊跟著也要舉槍自盡。亮出槍來，在他不會有別的意義。

「當然還有這個。」瑞夫斯再從口袋抽出一根繩子。

繩子映著慕尼黑比較亮的天光，像慘白的膚色。

「你試試看——在椅背上試試看。」瑞夫斯說。

強納森拿起繩子把打好的活結往一張椅背突出的角上套，茫茫然扯一下繩子直到拴緊為止。他這時候的感覺連厭惡也沒有，只覺得空空的，不禁暗忖，一般人若在他口袋或哪裡發現這樣一根繩子，會看得出來這繩子是要幹什麼的嗎？應該不會吧，強納森想道。

「你一定要一把就扯得很緊，」瑞夫斯嚴肅說，「也不可以鬆手。」

強納森忽然火氣上來了，很想開口發一發脾氣但又及時剎車。他把繩子從椅背拿下來，才要往床上扔，瑞夫斯就說：

「收在口袋裡，或先放進你明天要穿的那一套衣服口袋也可以。」

＊譯注：英國花園據稱是德國最古老的花園，於歐洲也是數一數二，佔地極廣，由於設計走的是英國風，所以有「英國公園」之名。

強納森便想把繩子收進身上的長褲口袋，但馬上又改將繩子放進那一套藍西裝的長褲口袋。

「這裡有兩張照片，你看一下，」瑞夫斯從他外套裡面的口袋抽出一份信封。沒有封口的白色信封袋裝了兩張照片，一張是光面的，明信片大小，另一張則是從報上整齊剪下來的，對折。

「維多・馬坎吉羅。」

強納森先看光面那一張，有幾條摺痕。一名男子，圓頭、圓臉，稜角分明的厚唇，黑色的鬈髮。兩鬢各有一撮花白的頭髮，感覺像頭上在冒煙。

「他約五呎六吋高，」瑞夫斯說，「那邊的頭髮還是白的，他不染。這張是在派對上拍到的。」報紙剪下來的照片拍到的是三名男子和兩名女子站在一張晚宴桌子後面。墨水畫的箭頭指向一名矮矮的男子，開懷大笑，太陽穴各有一抹飛霜。標題用的是德文。

瑞夫斯把兩張照片拿回去，「我們下去買大衣吧。應該還有店沒關。還有，那一把槍的保栓跟前一把一樣，裝了六發子彈。我就把槍留在這裡，好吧？」瑞夫斯把槍從床腳拿起來，塞進強納森行李箱的一角，「布萊恩納大街最好買東西了？」瑞夫斯和強納森搭電梯往下時說。

兩人步行前往。強納森把他的舊大衣留在旅館的房間裡。

強納森挑了一件墨綠色的斜紋軟呢大衣。由誰付帳？好像不重要。強納森另也想到，他好像也只剩二十四小時可以穿這一件大衣。瑞夫斯一定要付這大衣的錢，不過強納森說他把法郎換成馬克後，會把錢還給瑞夫斯。

「不用，不用，不要跟我客氣。」瑞夫斯說時頭還一歪，有的時候他這動作等於笑容。

強納森直接穿上大衣從店裡離開。兩人一路走，瑞夫斯一路把街景指給強納森看——奧丁廣場，路易街從這裡開始，瑞夫斯說從路易街可以走到施瓦賓區，作家湯瑪斯・曼的住家就在那裡。兩人走到了英國花園，就叫計程車到一家啤酒屋去。強納森其實比較想喝茶，但他知道瑞夫斯只是想要他放輕鬆一點。強納森已經夠輕鬆了，連隔天早上麥克斯・施洛德醫生會說什麼，他都不擔心。還相反，這時候不管施洛德醫生說什麼，都已無關緊要。

強納森和瑞夫斯在施瓦賓區一家很吵的餐廳吃晚餐，瑞夫斯跟強納森說這裡的人幾乎「不是畫家就是作家」。強納森被瑞夫斯逗得很樂。喝了那麼多啤酒，強納森開始有一點暈飄飄，他們這時候喝的是「庚波定爾」（Gumpoldsdinger）。

近午夜時，強納森已經換好睡衣，站在旅館房間裡。他才剛沖過澡。電話會在一早七點十五分響起，之後是一頓歐陸式早餐。強納森走到寫字桌邊坐下，從抽屜拿出幾張信紙，在一個信封上面寫下席夢的名字。這時他才想起來，後天他就到家了，或甚至明天深夜就到家了。他把信封揉掉，扔進字紙簍。這一晚吃晚餐時，他問過瑞夫斯，「你認得一個叫湯姆・雷普利的人嗎？」瑞夫斯一臉茫然說，「不認得，怎麼了？」強納森爬上床，按下床邊的一個按鈕，每一個燈就都關了，連浴室裡的也一併關掉，真方便。他今天晚上吃過藥了嗎？吃過了，沖澡前吃的。強納森把藥罐子放在外套的口袋裡，這樣隔天一早就可以拿給施洛德醫生看——若醫生想知道的話。

瑞夫斯問過他，「瑞士銀行寄通知給你了嗎？」還沒有，但強納森想，瑞士銀行寄的信很可能會在今天早上寄到他的店裡。那席夢會拆開來看嗎？機會是一半一半，強納森想，就看她在店裡有多忙。瑞士來的信應該是證實八萬馬克已經存入他名下的戶頭，可能是寄卡片要他簽名存證。強納森又想，信封可能不會有回函地址或其他字樣讓人看得出來是銀行公文。由於他禮拜六就要回去了，席夢收到信，應該也會放著等他回去再拆吧。機會一半一半吧，強納森想著想著，恍恍惚惚進入夢鄉。

§

第二天一早，到了醫院，氣氛就是平常的醫院作業，但又不甚拘束，怪有趣的。瑞夫斯全程陪在強納森身邊，雖然瑞夫斯和醫生講的全是德語，但強納森看得出來，瑞夫斯沒跟施洛德醫生提起先前他在漢堡也作過一次檢查。漢堡的檢查報告已經送回楓丹白露交給培里耶醫生，培里耶醫生也應該把報告送到埃貝爾—瓦倫檢驗中心去了，培里耶醫生說過他會送去。

這一次，還是有一個護士講了一口流利的英語。麥克斯・施洛德醫生年約五十，留了一頭時髦的半長黑髮披在襯衫領子上。

「他說的都差不多，」瑞夫斯跟強納森說，「你這是典型的病例——預後不是很好。」是，強納森還是沒聽到特別不一樣的說法。連強納森第二天一早就可以拿到檢查報告，也是老調重談。

強納森和瑞夫斯走出醫院，已經快要十一點了。兩人沿著以薩河邊的堤岸徒步前行，坐嬰兒車的小孩，石砌的公寓大樓，藥局，雜貨店，原都是生活裡的配件，強納森這一天早上卻怎樣也不覺得自己身在其中。強納森還要提醒自己不要忘了呼吸。這一天注定在劫難逃，強納森心想，驀地好想縱身朝河裡跳，淹死算了，要不變成魚也好。瑞夫斯跟在他邊，不時絮絮叨叨講話，惹得強納森十分不快。到最後，強納森對瑞夫斯的話充耳不聞，只覺得他今天不想殺人，不想用他口袋裡的繩子殺人，不想用槍殺人。

「我要不要回旅館去拿行李？」強納森打斷瑞夫斯的話，「火車是兩點開，對不對？」

兩人叫了一輛計程車。

旅館旁邊有一家小店挨得很近，櫥窗裡擺的都是亮晶晶的東西，又是金又是銀的小燈，搞得像德國的耶誕樹。強納森慢慢朝櫥窗走過去，大部分是賣給觀光客的小紀念品，強納森看了有一點失望，卻發現裡面有一個迴轉儀，斜斜架在方形的盒子上。

「我想幫兒子買一點東西，」強納森說時已經走入店裡，指著迴轉儀說，「麻煩你，」沒管價錢就買下這一個迴轉儀。那一天早上，他在旅館已經先換掉了兩百法郎的馬克。

強納森的行李早先就已經收好了，所以這時他只需要蓋上行李蓋就好。強納森自己將行李拿下去。瑞夫斯塞了一百馬克的鈔票在強納森手中，要他出面去付旅館的帳，因為若由瑞夫斯出面，看起來會很怪。錢在這時候於強納森已經無關緊要。

兩人到站時間太早。到了小餐廳，強納森不想吃東西，只想喝咖啡。

所以瑞夫斯點了咖啡，「我現在發現你要自己想辦法製造機會，強。說不定辦不成，這我了解，但這人我們真的……反正你待在餐車附近就是了。像是抽一根菸，站在餐車那一節尾巴抽一根菸，諸如此類……」

強納森再喝一杯咖啡，瑞夫斯買了一份《每日電訊報》和一本平裝書給強納森帶上車看。

火車進站了，秀秀氣氣的卡達、卡達敲在鐵軌上，雅致的灰、藍二色車身——莫札特號特快車。瑞夫斯四下搜尋馬坎吉羅的身影。馬坎吉羅這時應該已經帶著至少兩名保鏢坐在火車上了。月台從前到後大概有六十名乘客陸續上車，下車的大概也是這人數。瑞夫斯忽然抓住強納森一隻手臂，指給強納森看。強納森正提著行李箱，依他買的票站在他要上的那一節車廂旁。強納森順著瑞夫斯指的方向看到——真的看到了？——瑞夫斯講的那三個人，三個身形矮壯的男子，都戴著帽子，正爬上階梯進車廂，強納森這一節車廂往前再數兩節，離火車頭比較近。

「是他，我連他兩邊的白頭髮都看到了，」瑞夫斯說，「那——餐車是在哪一節呢？」瑞夫斯往後退一步，好看清楚，又再朝前面小跑步過去，然後折返。「餐車在馬坎吉羅坐的那一節車廂前面。」

車站廣播這時已改用法語宣告火車即將啟動。

「你把槍收在口袋裡了嗎？」瑞夫斯問。

強納森點頭。強納森在旅館上樓去拿行李時，瑞夫斯就提醒過他，槍要放在口袋裡。「不管我出什麼事，我太太一定要拿到錢。」

「我跟你保證。」瑞夫斯輕拍一下強納森的手臂。

汽笛大作，響第二次了，一扇扇車門砰砰關上。強納森上了火車，沒有回頭再看瑞夫斯一眼，他知道瑞夫斯的一雙眼睛應該一直盯在他身上。強納森找到他的包廂。八人座，但這時只有另外兩人在座。椅套是暗紅色的長毛絨。強納森把行李箱放在頭上挑高的置物架上，再把他的新大衣由裡朝外摺好，也放上去。一名年輕男子走進包廂，再從窗口探身出去，用德語和外面的人講話。和強納森同一包廂的其他人，有一名是中年男子正埋首讀他的東西，看來是公文的樣子；再來是一名裝扮整齊的嬌小婦人，戴了一頂小帽，正在讀小說。強納森的座位就在讀公文的生意人旁邊，這男子先佔了靠窗的位置，面向火車前進的方向。強納森打開他的《每日電訊報》。

下午兩點十一分。

強納森看向窗外，慕尼黑郊區一幕幕從他眼前飛逝，一棟棟辦公大樓，那兩個洋蔥頭*。強納森正對面的牆上掛了三幅裱框的照片——不知哪裡的一座古堡，兩隻天鵝悠游在湖面之上，白雪皚皚的阿爾卑斯山巔。火車沿著平順的軌道往前飛馳，低聲輕吟，輕輕晃動。強納森半閉起眼睛，十指交握，手肘搭在椅子的扶手上面，差一點就要打盹。還有時間，還有時間，他還可以打定主意，改變主意，再改回去。馬坎吉羅像他一樣，也要到巴黎去，火車要到晚上十一點零七分才會開到巴黎。六點半左右會在史特拉斯堡停一站，強納森記得瑞夫斯跟他說過。幾分鐘後，強

＊譯注：洋蔥頭，指慕尼黑的聖母院大教堂，位於慕尼黑市中心，是慕尼黑重要地標，教堂本體於十五世紀完工是哥德式建築，但於十六世紀加蓋了洋蔥式的尖頂。第二次世界大戰期間遇到空襲，現為重修復原後的模樣。

納森清醒過來，發現包廂玻璃門外的走道老是有人來來去去，不多，但川流不息。一名男子推了一台小推車，停在包廂門口半探進來，推車上有三明治、罐裝啤酒、葡萄酒。強納森包廂裡的年輕男子買了一罐啤酒。走道有一名矮胖的男子在抽菸斗，不時朝窗邊靠，好讓別人通過。

慢慢從馬坎吉羅坐的包廂晃過去又不會怎樣，就當作是要去餐車路過他們的包廂——強納森想，這樣就可以大概抓一抓狀況。但是，強納森還是等了好幾分鐘，才有辦法要自己動起來，這幾分鐘時間他抽掉了一根「吉普賽女郎」。他把菸灰撣在拴在窗戶下面的小托盤裡，小心注意菸灰不會掉在讀公文的男子膝上。

好不容易強納森終於站起來，朝前走去。車廂一頭的門會卡住，不好開。要走到馬坎吉羅的包廂，還要再過兩道門。強納森走得很慢，頂著火車不規律的輕輕晃動，穩住腳步，每走過一間包廂，都朝裡面瞄上一眼。馬坎吉羅強納森一眼就認出來了，因為馬坎吉羅就坐在正中間的位置，面對強納森，睡著了，雙手交握搭在肚皮上面，下巴耷拉在領口，兩鬢的飛霜往後上方刷上去。強納森也飛快瞄了一下另兩人，兩個義大利佬湊在一起比手劃腳在講話。強納森想，包廂應該沒有其他的人。強納森繼續走到車廂尾，站在平台上點起一根菸，眼光落在窗外。車廂尾端有一間廁所，門把上的旋轉鎖轉在紅色的標誌上，表示裡面有人。另有一名男子站在對面的窗口，禿頭、瘦長，可能在等著用廁所吧。想要在這樣的地方殺人？太荒唐了，因為無論如何都會有人目擊。就算這平台上只有殺手一人和目標一人，難道不是隨時都可能有人冒出來？火車根本就不吵，若有人喊叫，就算絞繩已經套在他脖子上了，難道最近的那一間包廂不會有人聽到嗎？

一名男子和一名女子從餐車走出來，走進車廂走道，但沒把餐車的門給關上，不過馬上就有穿白外套的侍者過來把門關上。

強納森回頭朝他坐的車廂走過去，經過馬坎吉羅的包廂時，又再朝裡面瞄了一眼，但閃一下就過去。馬坎吉羅這時正在抽菸，身體前傾，腦滿腸肥，在講話。

若要動手，就要趕在火車開到史特拉斯堡前動手，強納森想，因為他覺得史特拉斯堡那一站應該會有很多人要上車到巴黎去，但他想的可能也不對。強納森再想，約莫半小時後，他就應該穿上大衣走到馬坎吉羅車廂尾端的平台等機會。但萬一馬坎吉羅是用車廂另一頭的廁所呢？車廂的兩頭都有廁所。或萬一他根本就不進廁所的呢？也不是沒有這可能，只是機會不大。又那三個義大利人若是連餐車也不肯惠顧一下呢？不會吧，依一般的情理，他們都會有上餐車的時候，但也可能是三人集體行動。若強納森實在找不到機會下手，那瑞夫斯也只好另作打算，強納森想，最好是好一點的打算才行。只是，強納森若想多拿一點錢，那馬坎吉羅或另一個份量相當的人，就要由他下手才可以。

快到四點時，強納森硬逼自己從座位上站起來，小心從置物架拿下那一件大衣。強納森在走道上把大衣穿好，右手邊的口袋特別沉。強納森就這樣拿著那一本平裝書，走到馬坎吉羅車廂底的平台。

11

強納森再從幾個義大利人坐的包廂走過去，這一次沒再往裡面偷瞄，但是用眼角的餘光看到模糊的一團人影，像是幾個人在從置物架把行李拖下來，也可能是幾個人在打著玩。強納森聽到有笑聲。

一分鐘後，強納森站在牆邊，面朝車廂走道半截玻璃的車門，他倚在一張中歐地圖上，地圖鑲了金屬框。強納森隔著玻璃看到一名男子朝他這方向走來，用力把門撞開。這男子看起來像是馬坎吉羅兩名保鏢裡的一個，深色頭髮，三十多歲，一臉乖戾，身材壯碩，準有一天他那樣子會像是貼了「凶神惡煞」的標籤。強納森想起《冷面鐮刀手》書皮上的那幾張照片。這男子直接朝廁所走過去，開門進去。強納森繼續讀他那一本打開的書。過了一下子，那男子出了廁所，走回車廂的走道。

強納森發現那人這一來一去他始終屏氣凝神。只是，萬一來人就是馬坎吉羅本人，那不正是他下手的大好機會？一直沒人從車廂走道或餐車出入。強納森這時知道，就算來人真的是馬坎吉羅，他應該還是像現在這樣站著假裝在看書。強納森的右手插在口袋裡，把槍的保險栓一下扣住一下拉開。想來想去，風險到底在哪裡？損失又是什麼？不過是他一條命嘛。

馬坎吉羅隨時可能拖著矮胖的身軀咚咚朝這邊走來，推開門，然後——但也很可能跟前一次一樣，就像在德國捷運那一次，對不對？再來就是給自己一槍。不過，強納森腦中也浮現他先朝馬坎吉羅開了一槍，就把槍從廁所旁邊的門外一丟，或從廁所裡的窗口朝外丟，廁所裡的窗戶好像沒關。接下來再沒事人般朝餐車走過去，找位子坐下，點東西吃。

哪有這可能！

我現在就去點東西吃好了，強納森再想，緊接著就朝餐車走去，裡面空桌子很多。一邊是四人座的，另一邊便是雙人座的。強納森選了雙人座的小桌子。一名侍者走過來，強納森點了啤酒，但又馬上換成葡萄酒。

「白葡萄酒，麻煩你。」強納森跟侍者說。

一瓶冰過的小瓶雷絲玲（Reisling）送上來。火車在鐵軌上卡答、卡答奔馳，在餐車裡聽起來比較悶，比較有豪華的感覺。餐車的窗戶比較大，感覺卻更隱密，襯得外面的樹林——是黑森林嗎？——更蓊鬱、蒼翠。一株株高聳矗立的松木像是無邊無際，渾似德國的松樹太多，不需要砍來用。看來看去沒看到一絲垃圾或紙屑，也沒看到半個人影在撿垃圾還是怎樣，這教強納森歎為觀止。德國人什麼時候打掃環境呢？強納森是想靠酒精壯膽。這一路下來，他的動力不知走到哪裡時弄丟了，這時候他只要再把膽子找回來就好。他把杯裡的酒喝得一滴不剩，像是覺得有一乾為敬的規矩不得打破。強納森付了帳後，拿起他搭在對面座椅上的大衣，穿在身上。他決定回平台去等，一直站到馬坎吉羅出現。屆時，不管馬坎吉羅是單槍匹馬還是帶了兩個保鏢，他一定開槍。

強納森用力抓住車廂的門，把門拉開，就此重回平台這小小的牢房，再靠回那一幅地圖上，開始看那一本無聊的平裝小說。……大衛在想，伊蓮是不是起了疑心？大衛不知如何是好，便把事情再一一……強納森的眼睛在書頁上亂走，像不識字。他想起先前想過的事，幾天前才想過的事。席夢若是知道錢是怎麼來的，一定一毛錢也不拿。而他若在火車上飲彈自盡，席夢就一定知道是怎麼回事。強納森不太相信有誰說得動席夢，不管是瑞夫斯或誰都應該沒辦法說得讓席夢相信——他這時候幹的這一件事也不算殺人。強納森差一點笑出來。哪有可能！他站在這裡傻等是為了什麼？他大可以往前邁步走，走回他自己的座位。

有人過來了。強納森抬起眼來，馬上眨一下眼睛。怎麼朝他走來的這人是湯姆・雷普利！

雷普利把半截玻璃的門用力推開，微微一笑。「強納森，」雷普利輕聲說道，「東西給我，可以嗎？——我是說絞繩。」雷普利側身站在強納森旁邊，臉朝外看。

強納森忽然腦中一片空白，嚇得不知如何是好。湯姆・雷普利是站在哪一邊的？馬坎吉羅他們那邊嗎？接著強納森又注意到有三個人沿著走道朝他們走過來。

湯姆朝強納森靠近一點，讓出路給這三人過。

三人講的是德語，直接走進餐車。

湯姆側著臉跟強納森說，「繩子給我。我們不做不行，好吧？」

強納森忽然懂了——或說是半懂不懂吧。原來，雷普利是瑞夫斯的朋友。雷普利也知道瑞夫斯在搞什麼鬼。強納森用左手在左邊的褲袋裡把絞繩捲成一團，抓在掌心，再抽出左手，把絞繩交在湯姆伸出來的掌心。強納森別過臉沒看湯姆，但知道自己鬆了好大一口氣。

湯姆把絞繩塞進右手邊的外套口袋，交代強納森，「你待在這裡別動，我也可能要你幫忙。」

湯姆朝廁所走去，看到裡面沒人，便走進去。

湯姆把廁所的門鎖上。絞繩連活結都還沒套好。湯姆把活結調整好，方便他用，再把絞繩小心塞進外套的右邊口袋。湯姆笑了笑。強納森剛才竟然嚇得一臉慘白！湯姆一天前打過電話給瑞夫斯，問他情況如何，瑞夫斯跟他說強納森願意跑德國這一趟，但可能還是選擇用槍。所以，湯姆心想，強納森這時身上一定有槍，只是湯姆覺得這情況用槍根本行不通。

湯姆踩下水龍頭踏板，沖一沖手，甩掉水，再用沾水的掌心抹一把臉。他自己也有一點緊張。到底，這也是他頭一遭對付黑手黨！

湯姆覺得強納森這一次可能會搞砸，而強納森會被扯進來，又全都是因為他的緣故，湯姆覺得他有責任幫他一把。所以，湯姆才會在前一天搭飛機到薩爾斯堡，好趕得上這一班火車。湯姆問過瑞夫斯馬坎吉羅長什麼樣子，但裝得像是隨口問問，因此，湯姆覺得瑞夫斯應該不會懷疑他會插一腳也跑到火車上來。還相反，湯姆跟瑞夫斯說，他若真想把事情辦成的話，最好是付一半的錢給強納森，放他一馬，剩下的事他再找別人做就得了。但瑞夫斯竟然像小男生玩遊戲玩得正在興頭上，停不下來——這遊戲是他發明的，規矩也是他訂的，而且，規矩還訂得很嚴——對別人很嚴。所以，湯姆就來幫崔凡尼一把，而且，這幫的還是多崇高的事啊！除掉一名黑手黨的大頭目！說不定還一口氣除掉兩個！

湯姆很討厭黑手黨，討厭他們放高利貸，討厭他們搞恐嚇取財，討厭他們上的那個死教會，討厭他們沒擔當，骯髒事全扔給下面的人去扛，結果最壞的頭頭反而無事一身輕，法律根本制裁不到他身上，除非弄些逃漏稅或什麼小事來治他們，才有辦法將他們關入大牢。跟黑手黨一比啊，湯姆覺得自己還真是道德完人。想到這裡，湯姆忍不住笑出聲來，笑聲在他站的小小金屬加磁磚的廁所裡面迴盪。（湯姆忽然想到，搞不好馬坎吉羅這時正被他擋在外面乾等！）是啊，這世上就是有人比他更不老實，比他更壞，也一定比他更冷酷無情，這些人便是黑手黨——這一批看起來魅力天成、聒噪嬉笑的家族，美國義大利聯盟說根本就不存在，說所謂的黑手黨純粹是小說家想像出來的事。唉，他們教會的主教在聖真納羅的祭典上把凝固的血變回液體*，小女孩說她看見聖母瑪利亞顯靈，這些才是真的，黑手黨的事跟這些比，哪算真的！是啊，不這樣那是要怎樣！湯姆用水漱一嗽口，吐掉，再用水沖洗滌槽。水流掉後才走出廁所。

廁所外面的平台除了強納森‧崔凡尼，沒有別人。強納森在抽菸，一見到湯姆馬上把菸往地下丟，像小兵看見長官駕到，緊急擺出積極認真的模樣。湯姆朝強納森笑一笑，要他放輕鬆，便再站在強納森身邊，朝強納森身邊的窗口向外看。

「他們剛才沒正好走過去吧？」湯姆可不想隔著兩扇拉門朝餐車裡面偷瞄。

「沒有。」

「可能要等到史特拉斯堡才有機會；最好不要。」

一名女子從餐車裡要出來，但是開那兩扇拉門好像有一點吃力，湯姆一個箭步趕過去幫她拉開第二扇門。

「多謝。」女子向湯姆說。

「您請。」湯姆答禮。

之後湯姆慢慢晃到平台另一邊，從外套口袋抽出一份《前鋒論壇報》來看。時間已到下午五點十一分，列車六點三十三分會開到史特拉斯堡。湯姆猜那三個義大利佬應該中午吃得太飽，所以一直不用進餐車。

一名男子走進廁所。

強納森低頭看他的書，但湯姆的眼神飄向他，看得強納森也抬頭回望，湯姆朝強納森又笑了一下。待那男子出來走了，湯姆朝強納森略微靠近一點。車廂裡的走道有兩名男子站在那裡，離他們有幾碼，一個在抽雪茄，但兩人同都朝窗外看，沒理湯姆和強納森。

「我要在廁所裡面下手，」湯姆跟強納森說，「然後我們兩個再一起把他扔到車外。」湯姆把頭一歪，指向廁所旁邊的那一扇車門。「我在廁所裡時，你看到外面安全了，就敲兩下門讓我知道。接下來我們再一起『嘿——喲！』儘快把他丟出去！」湯姆小心點起一根高盧牌香菸，再用慢

＊ 譯注：聖真納羅（San Gennaro, ?-350?），聖真納羅是義大利那不勒斯的主保聖人，據說殉教後存放在小瓶裡的凝固血液，每年會有三次由固態轉為液態。聖真納羅的中文譯名雖以聖熱內羅最為常見，不過，此處之聖真納羅沿用的是天主教的正式譯名。這裡的美國義大利聯盟（Italian-American League），指的是柯倫波（Joe Colombo）聯合各界對抗聯邦調查局掃盪黑手黨的組織。

速度故意打了一個長長的呵欠。

湯姆待在廁所裡時，強納森原本怕到了極點，這時也開始消褪一點。看來湯姆要把事情辦到完。只是，他為什麼要出手相助？這就是強納森這時想破頭也想不透的了。強納森另也覺得湯姆說不定是來搞破壞的，然後留著爛攤子要強納森扛起全責。只是，為什麼呢？若說湯姆・雷普利的目的在求分一杯羹，可能性還要再大點——說不定錢他全都要呢。但這時候強納森才不在乎錢不錢的。無所謂了，強納森想，現在連湯姆看起來的樣子都有一點擔心。湯姆靠在廁所門口對面的牆上，手上拿著報紙，但沒在看。

這時，強納森看到兩名男子走了過來。後面那一人是馬坎吉羅。前面那一位倒不是馬坎吉羅的兩位保鏢之一。強納森看湯姆一眼——湯姆也馬上朝強納森看過來——強納森趕忙點頭示意。

前面那人在平台四下看了一圈，找到廁所，走進去。馬坎吉羅走過強納森前面，看到廁所已經有人，馬上回頭走回車廂裡的走道。強納森看到湯姆咧嘴怪笑一下，右手還跟著一攤，像是在說，「可惡，大魚跑了。」

強納森從他站的地方可以把馬坎吉羅看得很清楚，馬坎吉羅等在走道幾呎外的地方，眼睛看向窗外。強納森這才忽然想到，馬坎吉羅的保鏢留在車廂中段的包廂裡，應該不知道馬坎吉羅還要在廁所外面等。所以馬坎吉羅若回去晚了，他的保鏢反而會提前開始擔心。強納森朝湯姆輕輕點頭，暗自祈禱湯姆看得懂他這意思是說馬坎吉羅就等在附近。

廁所裡的那人出來了，走回車廂。

馬坎吉羅又走回來，強納森再朝湯姆看一眼，湯姆卻埋頭在看他的報紙。

湯姆知道走進平台的這個矮胖子是馬坎吉羅回來了，但沒從報上抬起眼睛。馬坎吉羅就在湯姆跟前打開廁所的門，湯姆這時冷不防就衝了上去，像是要跟馬坎吉羅搶廁所，不讓馬坎吉羅先用。但是，湯姆一衝到馬坎吉羅身邊，就把手上的絞繩往馬坎吉羅的頭上套，馬坎吉羅出聲驚叫，但湯姆手上的絞繩已經用力一抽，動作像拳擊手的右鉤拳，希望及時將馬坎吉羅的叫聲勒斷。湯姆一邊抽緊絞繩，一邊把馬坎吉羅朝廁所裡拖，再關上門。湯姆狠狠扯住絞繩，毫不留情——心裡還想，馬坎吉羅年輕時愛用的凶器應該也有絞繩這一樣——眼睛眨也不眨看著絞繩陷入馬坎吉羅脖子的肉內。湯姆在馬坎吉羅腦後又再用力一絞，拉得更緊。這時湯姆也用空下來的左手將身後廁所門鎖按下，鎖住。馬坎吉羅喉嚨裡咕嘟嘟的聲音停了，舌頭也開始從濕答答、好恐怖的嘴裡朝外伸。馬坎吉羅先是痛苦得雙眼緊閉，緊接著又倏地睜得斗大，先是驚恐，然後換成垂死前「我這是怎麼了」的茫然。馬坎吉羅的下排假牙卡達一聲掉在磁磚地上，湯姆把繩子勒得太緊，自己的大拇指和食指側邊都好像要被切掉了，但湯姆覺得這樣的痛苦真值得。馬坎吉羅身子一癱，往地板上滑，但因為有絞繩套在脖子上，或說是被湯姆拿絞繩勒住，他滑到地板上呈現坐姿。馬坎吉羅這時已經沒有意識，湯姆想，應該是根本就沒有辦法呼吸了。湯姆撿起馬坎吉羅的假牙，扔進馬桶，再伸長腳踩下踏板把假牙沖掉，然後在馬坎吉羅的墊肩上擦一擦手指頭，覺得好噁心。

強納森看到廁所門鎖的栓頭由綠轉紅。但一直聽不到聲音，害得他很緊張。這到底要多久的時間？裡面怎麼了？已經過去多久了？強納森不時隔著半截玻璃的車門朝車廂裡面張望。

一名男子從餐車出來，朝廁所走過去，看到裡面有人，便進車廂裡去。

強納森在想，馬坎吉羅這時候再不回他的包廂，他那兩個同夥隨時都會過來查看。但現在應該算是安全了，所以，他要敲門嗎？弄死馬坎吉羅的時間應該夠了吧。強納森走向前去，在廁所的門上輕敲兩聲。

湯姆從廁所裡面走出來，神色平靜。他反手關上門，四下查看一下，馬上就看到一名女子身穿淺紅斜紋軟呢套裝在這時走到了平台這裡來——身材嬌小的中年婦人，走的方向正朝廁所。門鎖栓孔呈現綠色。

「不好意思，」湯姆馬上跟她說，「有人——我朋友，我想是不太舒服的樣子。」

「你說什麼？」

「我朋友在裡面，人很不舒服，」湯姆滿臉堆笑和婦人道歉，「不好意思，女士。他很快就出來。」

婦人點頭，笑一下，轉身回車廂裡去。

「好了，你幫我一下！」湯姆低聲吩咐強納森一句就急著走回廁所。

「又有人來了，」強納森說，「義大利人裡的一個。」

「唉，天哪！」湯姆想，若他這時進廁所去把門鎖上，這義大利人很可能就會待在平台這裡等著不走。

這義大利人是個臉色蠟黃的傢伙，年約三十，朝強納森和湯姆瞥了一眼，看到廁所門鎖轉在沒人的顏色，便走進餐車，應該是去看馬坎吉羅在不在餐車裡面。

湯姆趕快跟強納森說，「我打倒他後，你就用槍敲他，你會嗎？」

強納森點頭。槍很小，但強納森的腎上腺素終究被帶了起來。

「當作你的命就在此一舉，」湯姆再加上這一句，「說不定還真是這樣。」

那一名保鏢從餐車出來，而且腳步加快。湯姆這時正站在這義大利人的左邊，趁這義大利人走到透過餐車車門看不到的地方，倏地出手一把揪住他襯衫的前襟，重重一拳朝他下巴打去，緊接著再用左手朝這人的肚子補上一拳。強納森急忙拿槍柄朝這人的後腦敲。

「門！」湯姆的頭朝車門一歪，還急著抓住往前栽的這義大利人。

這人還沒被他們兩個敲昏，但是兩隻手臂虛軟無力，不過強納森已經把側邊的門打開了，湯姆一見，馬上就要把人扔出車外，不想多花一秒再出拳打他。列車的輪子走到這時也忽然怒吼起來，湯姆和強納森趕忙又推、又踢、又摔，把這保鏢扔出車外，湯姆一時失去平衡，差一點跟著摔出去，幸好強納森一把抓住湯姆的外套衣角把他拽回來。車門砰一聲關上。

強納森這時用指頭順了順頭上的亂髮。

湯姆朝強納森比手勢，要他移到平台另一邊，這樣他才看得清楚走道。強納森依命走過去，湯姆看著他，知道他正在努力鎮定下來，盡量回復到一般乘客的模樣。

湯姆朝強納森一揚眉，像在問可以嗎？強納森點頭示意，湯姆便回頭鑽進廁所，扣上門栓。

湯姆覺得強納森應該還算聰明，確定安全無虞便會敲門讓他知道。馬坎吉羅在地板上癱成一團，頭抵在水槽踏板旁邊，慘白的臉上這時已經開始發青。湯姆別過頭不去看他，聽到門外有窸窸窣窣的聲音——餐車的門——接著，他一直在等的那兩記敲門聲響了。這一次，湯姆只把門拉開一條細縫。

「看起來都沒問題。」強納森跟湯姆說。

廁所的門要開時，撞在馬坎吉羅的鞋上，湯姆舉腳踢開馬坎吉羅的腳，朝強納森比手勢，要他去把火車的邊門打開。但湯姆和強納森其實需要兩人合力，強納森要先幫湯姆抬馬坎吉羅出來，才有辦法抵住車門全開。車門因為火車行進的關係，老是會再關上。兩人合力把馬坎吉羅頭先腳後從車門口推出去，湯姆還補上一腳，但沒踢到，因為馬坎吉羅已經摔在鐵軌旁的煤渣堆上，鐵軌沿邊堆的煤渣就在湯姆眼前，清楚得連一粒粒煤渣和一根根草葉都歷歷在目。湯姆趕忙拉住強納森的右手臂，強納森伸手去抓車門的門把——抓到了。

湯姆把廁所的門用力關上，上氣不接下氣，盡量維持鎮定。「你先回座位去，到史特拉斯堡就先下車，」湯姆吩咐強納森，「他們會搜遍全車的人。」湯姆朝強納森手臂一拍，相當緊張，「祝你好運了，兄弟。」湯姆目送強納森打開門，走進車廂走道。

接下來，湯姆開始朝餐車走去，餐車裡卻正好有四個人要出來，湯姆不得不往旁邊靠一步，讓他們先過。他們四人搖搖晃晃、說說笑笑走過兩道拉門。湯姆終於進了餐車，一看有空的桌位，就馬上走過去，坐進一張椅子，面朝他剛才走進來的餐車入口。湯姆知道馬坎吉羅的另一名保鏢隨時會走進來找人。湯姆把菜單拉到面前，隨便瀏覽。捲心菜沙拉，牛舌沙拉，匈牙利牛肉湯……菜單法文、英文、德文三種語言並用。

強納森才剛走進馬坎吉羅坐的那一車廂走道，就看到馬坎吉羅的另一名保鏢迎面朝他走來，擠過他身邊時還不顧禮貌，硬撞了強納森一下。強納森慶幸自己這時還有一點失神，要不然這樣的肢體碰撞可能會激得他有不悅的反應。列車的汽笛發出一記長鳴，接著兩記短鳴。這有意思的嗎？強納森回到他的座位坐下，身上的大衣沒脫，也小心不去看同包廂的另外四人。強納森看一下錶，下午五點三十一分。感覺像是過了一小時有，但強納森上一次看錶的時候，時間是五點過幾分而已。強納森在座位上稍微動了動，閉上眼睛，清一清喉嚨，腦子裡浮現馬坎吉羅和他那一個保鏢被捲入車輪底下再輾成一塊塊。搞不好根本就沒捲進去，那個保鏢真的死了嗎？說不定還會獲救，把他和湯姆．雷普利的長相講得一清二楚。還有，湯姆．雷普利為什麼要幫他？他這樣真的是在幫他嗎？雷普利圖的是什麼？強納森知道他這下子只能任由雷普利擺佈了，不過，雷普利可能也只是要錢而已。要是他打的主意還要更壞呢？像是勒索。勒索的手法可是有很多種的。

那他今晚在史特拉斯堡下車後要趕快搭機飛回巴黎嗎？還是在史特拉斯堡的旅館過一夜比較好？怎樣比較安全？——怎樣叫安全？不被黑手黨逮到還是警察？難道就沒有旅客正好從車窗看出去，結果看到一具屍體——說不定還是兩具——摔在軌道旁邊？但屍體摔下去的地方會不會離軌道太近，根本沒人看得到？真有人看到什麼的話，火車或許不會停，但應該會廣播，強納森心想，同時提高警覺，注意走道是不是有警衛或有騷動，但是強納森什麼也沒看到。

這時在餐車裡的湯姆，點了匈牙利牛肉湯和一瓶卡斯巴啤酒，正在看報紙。他把報紙架在芥末醬的瓶子上，一小口、一小口咬著小餐包。湯姆眼裡看著那義大利保鏢在有人的廁所外面等得好不耐煩，到最後卻看到出來的是個婦人，不禁莞爾。這時候，那保鏢二度隔著雙層的玻璃拉門朝餐車裡面張望，然後走過來，力持鎮靜，繼續找他的老大或兄弟——或兩人都要找吧。他把一整列車廂從頭到尾走上一遍，好像這樣就能發現馬坎吉羅是醉倒在哪一張桌子底下，還是在餐車另一頭和大廚瞎扯。

那一個義大利人走過湯姆跟前，湯姆眼睛抬也沒抬，但感覺得到義大利人盯了他一眼。這時湯姆也放膽側過臉看了一下，裝作是在看他點的東西送來了沒有。這就看到那義大利保鏢——滿頭鬈曲金髮的男子，穿著細白條紋西裝，打了一條寬幅的紫色領帶——正在找餐車底的一個侍者講話。侍者很忙，只顧著搖頭，拿手上的餐盤把他頂開。這保鏢馬上拔腳匆匆穿過桌子中間的走道，走出餐車。

湯姆點的紅椒色濃湯和啤酒一起送來了。湯姆這時真的很餓，他在薩爾斯堡的旅館早餐吃得不多——這一次湯姆沒住「哥登內爾赫許」，因為那裡的人都認得他。湯姆搭飛機不到慕尼黑而到薩爾斯堡，就是不想在火車站遇到瑞夫斯和強納森，他在薩爾斯堡還抽空去買了一件綠色的皮夾克，夾克還有綠色的毛皮鑲邊。這是準備送給赫綠思的，但湯姆要先藏起來，等到十月赫綠思過生日時才拿出來。他跟赫綠思說他要到巴黎去一天，說不定兩天，去看美術展。由於湯姆三不五時就會上巴黎一趟，一般都住「洲際大飯店」或「麗池」，再不就是「皇家橋」，赫綠思對他忽然有此行程並不意外。湯姆其實出遠門不太固定住哪一家旅館，這樣，他跟赫綠思說他要到巴黎一趟人卻跑到別的地方，赫綠思打電話到像洲際大飯店這樣的飯店去卻找不到他，便也不會太奇怪。他也是在奧利的機場買票，而沒在楓丹白露或是莫黑向他認識的旅行社買。他連護照也是用瑞夫斯前一年幫他弄來的假護照：名字叫羅柏・費德勒・馬凱，美國人，工程師，出生地是美國的鹽湖城，未婚。湯姆會想到要用假護照，是因為想起黑手黨只要多費一點手腳，就拿得到列車乘客的名單，而他會不會正好就在黑手黨的注意名單之列？湯姆不急著往自己臉上貼金，但是馬坎吉羅那一幫人應該不會沒一個人注意到報上登過他的事。不算是可以吸收的好人才，也不像是擠得出來多少油水的勒索對象，但終歸是游走在法律邊緣的一號人物。

不過，這一個黑手黨保鏢，或說是打手吧，打量湯姆的時間還比不上他盯湯姆走道對面那一個年輕男子要久，那男子身材壯碩，穿皮夾克。說不定一切都會很順利。

那一個強納森・崔凡尼會需要有人幫他打一打氣。崔凡尼一定以為他的目的在錢，他這樣子做準是要藉機勒索。湯姆想起他一走進平台區，崔凡尼臉上那表情，想到崔凡尼發現湯姆是來幫他的，那時候真的很好笑，湯姆忍不住輕輕笑了一下（但樣子還是在看報，說不定是在看包可華〔Art Buchwald〕的專欄才笑呢。）湯姆在維勒佩斯把事情好好想了一下，也判定瑞夫斯用絞繩的下流勾當他不出手相助不行。這樣，強納森至少拿得到當初說好要給他的錢。湯姆心底其實隱隱有一股愧疚，因為是他把強納森拖進來蹚這渾水的，所以他要幫忙，多少是想減輕一點罪惡感吧。沒錯，若是一切順利，湯姆想，崔凡尼就會是個很幸運也快樂得多的人了。湯姆這人相信凡事都要往好處想。不是祈禱，而是要往最好的方向去想，湯姆覺得，這樣事情的發展就會朝最好的方向去走。他還要再見崔凡尼一次，跟他解釋幾件事情。尤其是馬坎吉羅被殺一事，一定要崔凡尼扛下全功，這樣他才有辦法從瑞夫斯那邊拿到全部的餘款。他和崔凡尼絕對不能讓人覺得像是哥兒們，這可是絕頂重要。他們兩個絕不能稱兄道弟。（湯姆忽然想到崔凡尼這時不知怎樣了？萬一馬坎吉羅剩下的那一個保鏢在列車前前後後找人呢？）黑手黨那一幫義大利老鄉，一定會追查殺手是哪一個人——或哪幾個人。黑手黨他們就算要花好幾年時間解決一件事情，向來在所不惜，他們這一幫人從來不會罷手。就算他們在追的人跑到美洲去，黑手黨照樣逮得到人；湯姆心知肚明。不過，湯姆倒是覺得在這當口，瑞夫斯・米諾的處境會比他自己或崔凡尼還要更危險。

等到隔天早上，他就要打電話到崔凡尼的店裡。下午也可以——萬一崔凡尼晚上到不了巴黎的話。湯姆再點一根高盧菸，眼光飄向那一位淺紅斜紋軟呢套裝的女子，這女子崔凡尼和他在平台遇見過，正在吃一盤精緻的小黃瓜萵苣沙拉，神情恍惚。湯姆卻覺得無限暢快。

強納森在史特拉斯堡下車後，覺得車站裡的員警看起來比平常要多，說不定有六個，不像平常只有兩個或三個。一名警官好像在查看一名男子的身份證之類的東西——還是那男的只是在向警察問路？而那警察在看的是街道指南？強納森拎著行李直接走出車站，他先前已經作好打算，先在史特拉斯堡過一夜。也不知為什麼，他就是覺得這一晚待在史特拉斯堡比巴黎要安全。剩下的那一位保鏢可能會先到巴黎和同夥會合——除非那保鏢竟然已經在追他，準備從後面堵他。強納森覺得身上微微在冒汗，疲累忽然就湧了上來。強納森在一處十字路口把行李放在人行道邊，四下看看陌生的建築。街景滿是行人、車輛，熙來攘往。晚上六點四十分了，準是史特拉斯堡的交通尖鋒時刻。強納森想到住旅館作登記一定要用假名，假名加上假的證件或護照號碼，就沒人會問他要真的證件。但他隨即想到，假名只會害他更不自在。先前他和雷普利在列車上搞的那些事，這時開始襲上他的心頭，揮之不去。強納森覺得一陣頭昏。強納森再拿起行李箱，蹣跚往前走去。他塞在大衣口袋裡的那一把槍這時候變得好沉啊。強納森不敢把槍朝街邊的下水道扔，也不敢丟進垃圾筒。他知道這一路都要帶著口袋裡的這一把槍到巴黎，再回到家。

12

湯姆把他那一輛綠色的雷諾旅行車停在巴黎的義大利門附近，於禮拜六半夜快一點時回到麗影家中。從前門看過去沒看到屋裡有燈，但湯姆拎著行李順著樓梯往上爬，卻發現屋子靠左角的赫綠思房間有燈亮著，心頭一喜。湯姆走進赫綠思的房間。

「終於回來囉！巴黎好玩嗎？你都做了些什麼？」赫綠思穿了一件綠色的絲質睡衣，粉紅的緞面羽絨被蓋到腰際。

「唉，今天晚上挑的電影真爛！」湯姆看到赫綠思在讀的那一本書是他買的，講的是法國社會主義運動。讀這樣的書，是沒辦法改善她和她爸爸的關係的，湯姆想，赫綠思常常會冒出一些極左的看法，連她自己也不知道該怎麼去實現的原則啊、理想什麼的，但湯姆覺得赫綠思就是被他慢慢朝左派推過去的。是啊，湯姆又想，一隻手推、一隻手攔。

「你有去看諾愛爾嗎？」赫綠思問道。

「沒有？怎樣？」

「她開了一場晚宴——就是今晚。我想是。她還缺一名男賓，她當然是邀了我們兩個一起，但我跟她說你可能住在麗池，要她打到麗池找你。」

「我這一次住克里雍，」湯姆回答妻子，聞到赫絲思的香水混了妮維雅的香味，真是舒服。也襯得他這一趟火車之旅滿身塵土，一點也不愜意。「家裡都還好吧？」

「好得很。」赫絲思說的神態特別嫵媚，但湯姆知道她不是那意思。赫絲思是說她這一天過得很開心，跟平常一樣；她自己一人日子也過得很快樂。

「我想沖個澡，十分鐘後回來。」湯姆走進他自己的房間，他那邊的淋浴要站在浴缸裡面，是貨真價實的浴室，不像赫絲思那邊是電話亭式的淋浴間。

幾分鐘過後——他幫赫絲思買的那一件奧地利夾克已經塞在最下面的抽屜，壓在幾件毛衣下面——湯姆躺在赫絲思身邊開始打盹，累到手上的《快報》也讀不下去。湯姆想《快報》下禮拜會不會登出那兩個黑手黨一人或兩人躺在鐵軌邊坡的照片？那一個保鏢到底死了沒有？湯姆衷心祈禱那保鏢被他們那一推會摔在軌道上面，因為湯姆很擔心那保鏢被他們扔下去時人還沒死。湯姆也想起他還差一點跟著摔了下去，千鈞一髮之際，靠強納森拉他一把才轉危為安。湯姆回想那一幕，眼睛忍不住還閉了起來，畏縮一下。他這一條命還算是強納森救下來的，或起碼沒讓他摔得很慘，真那樣摔下去，很可能會有一隻腳硬生生被列車的輪子輾斷。

湯姆睡得很沉，早上八點三十分左右起床，赫絲思還沒醒。他下樓到起居室喝咖啡，雖然實在很想知道情況怎樣，但還是按捺住了，沒去開收音機聽九點的新聞報導。湯姆在花園裡遛達一下，看看他剛做過修剪、除過草的那一畦草莓，心頭不無得意。也仔細察看一下他冬天留下來的大理花根，收在三個麻袋裡，準備這時候要栽下地了。湯姆也在想這一天下午應該要打一通電話給強納森；愈早約時間和強納森見面，強納森就愈早能夠安心。湯姆又想，強納森不知注意到那個金髮保鏢沒有？那保鏢看起來好慌亂。湯姆要從餐車回他坐的車廂時，和他曾在走道擦身而過；湯姆坐的車廂還要往回走三節車廂。湯姆看到那保鏢急得像要發狂了，好想拿他講得最好的幾句義大利黑話跟他說，「這種事再這樣下去，你準要捲舖蓋走人囉，對吧？」

安奈特太太早上買菜回來了，還不到早上十一點，湯姆聽見她關上廚房側門，便走進廚房，想看一看安奈特太太買的《巴黎人報》。

「要看賽馬。」湯姆帶笑拿起報紙說一聲。

「啊，對喔，你下注了？湯姆先生？」

安奈特太太知道湯姆從來不賭的。「沒有，只是要看看朋友下注的結果怎樣。」

湯姆發現他要找的登在頭版最下面，短短一則，約三吋長而已。一名義大利人遭到絞殺，另一名身受重傷。遭絞殺的男子身份經查為維多・馬坎吉羅，五十二歲，米蘭人。湯姆更有興趣的是重傷的那人，那人叫腓利波・圖洛利，三十一歲，遭人從列車推落，有複合性腦震盪、多根肋骨骨折、一條手臂受創嚴重恐須截肢，現於史特拉斯堡醫院急救。圖洛利據稱陷於昏迷，情況危急。新聞還說列車上有一名乘客看見有人躺在鐵軌邊坡，通知列車長，但是，莫札特號豪華特快車又走了好幾公里才停得下來，當時這一班豪華列車正朝史特拉斯堡全速飛馳。救護單位後來找到兩個人。警方研判兩人跌落的時間差距約是四分鐘，現正全力偵察此案。

這一件事看來過幾天會再有後續報導，到時候說不定連照片也有了。湯姆想，他們做的這偵察還真有那麼一絲法國人細膩的調調，四分鐘，還有一點像給小孩子做的數學題。列車若以一百公里的時速奔馳，一名黑手黨先被扔出車外，隔了六又三分之二公里，又有一名黑手黨被扔出車外，那麼，這兩名黑手黨被扔出去的時間隔了多久？答案：四分鐘。報上沒提到另一名保鏢，看來是這人把嘴巴閉得很緊，不敢對莫札特號特快車的服務有絲毫怨言。

只不過，圖洛利這一名保鏢真的沒死，湯姆這下子知道圖洛利應該在他一拳打上他的下巴前就看到他的臉了，也大概知道他的長相，說不定還有辦法描述他的模樣，甚至再看到湯姆的話也指認得出他。不過，圖洛利很可能就不知道還有一個強納森了，因為強納森是從後面打他。

下午三點三十分，赫綠思出門去艾格妮斯．葛瑞家串門子，葛瑞家在維勒佩斯的另一頭。湯姆便趁這時候查一下崔凡尼在楓丹白露的電話號碼，發現和他記得絲毫不差。

是崔凡尼接的電話。

「喂，我是湯姆．雷普利。唔——我那一幅畫——你現在一人在店裡嗎？」

「對。」

「我想跟你見一見面。我覺得這事情很重要。你可以來找我嗎？大概——今天你打烊以後？約七點左右？我——」

「好。」崔凡尼緊張得像老鼠見到了貓。

「那我把車停在薩拉曼多酒吧附近可以嗎？你知道我說的這酒吧嗎？就在大街那裡？」

「我知道，我知道那一家。」

「到時候我們看看開車到哪裡去好好聊一下。六點四十五分，可以嗎？」

「好。」崔凡尼應的這一聲，像從牙縫裡擠出來的。

湯姆掛掉電話時，想這崔凡尼到時候的感覺就會是驚喜了。

那一天下午，湯姆打過這一通電話不久，正在畫室裡，赫絲思打電話找他。

「喂？湯姆！我還不回去，因為艾格妮斯和我要煮很好吃的東西，要你過來一起吃。安東也在，你知道嗎？今天是禮拜六欸，你七點半左右過來好吧？」

「八點好不好？親愛的，我有事情在忙。」

「工作啊？」

湯姆笑了一下，「在畫素描，我八點到好嗎？」

安東・葛瑞是建築師，家裡有妻子和兩個年紀還小的孩子。湯姆向來樂意和鄰居共度愉快、輕鬆的夜晚。他提早開車到楓丹白露，這樣才有時間先去買盆栽當作到葛瑞家的伴手禮——湯姆選了一盆山茶花——而且，萬一遲到的話，也就有了藉口。

湯姆到了楓丹白露，也買一份《法國晚報》，看一看圖洛利的事有何進展。他的傷勢沒有變化，但報上說兩名義大利死者據信是義大利黑手黨吉諾蒂家族的人馬，兩人很可能是雙方火併的冤魂。這樣，瑞夫斯應該滿意了吧？湯姆想道，因為這正是瑞夫斯的目的。湯姆在薩拉曼多幾公尺外的人行道邊找到空位停車，才從車窗看出去，就看到崔凡尼朝他的方向走來，慢慢的大踏步。這時，崔凡尼也看到湯姆的車。崔凡尼穿了一件風衣，破舊不堪。

「嗨！」湯姆打開車門向崔凡尼打招呼，「請進，我們到亞文去吧——或別的地方也可以。」

崔凡尼坐進湯姆的車裡，低低咕噥了一聲「嗨」，不太聽得到。

亞文是楓丹白露的雙子市，但比楓丹白露要小一點。湯姆開車沿著下坡路往楓丹白露－亞文車站去，開到拐彎處再轉向右往亞文去。

「一切都還好吧？」湯姆問崔凡尼，口氣很愉快。

「好。」崔凡尼回答。

「我想你應該看過報紙了？」

「看過了。」

「那個保鏢沒死。」

「我知道。」強納森那一天早上八點在史特拉斯堡看到報紙，就想過圖洛利不知什麼時候一定會醒過來，然後把他和湯姆‧雷普利，也就是平台上那兩人的長相，講得清清楚楚。

「你昨天晚上回巴黎的？」

「不是，我——我在史特拉斯堡過夜，今天早上才搭飛機回來。」

「那，史特拉斯堡那邊沒事吧？有沒有看到另一個保鏢？」

「沒有。」崔凡尼回答。

湯姆開得很慢，眼睛四下搜尋僻靜的地方。開到一條街邊，沿邊都是兩層樓房，湯姆把車靠邊停下，關掉車燈。「我想，」湯姆掏出香菸，「既然報上都還沒說有什麼線索——總之沒有正確的線索——就表示我們這一次處理得不錯。昏迷的那一個保鏢是唯一的麻煩。」湯姆遞了一根菸給崔凡尼，但崔凡尼掏出自己的菸。「瑞夫斯和你聯絡了嗎？」湯姆再問。

「有。今天下午，你打電話來前。」瑞夫斯這一天早上也打過，但是席夢接的。席夢說是：漢堡打來的，美國人。這也讓強納森緊張，雖然瑞夫斯沒說他是誰，但是席夢和瑞夫斯講過話，就可以把強納森搞得很緊張了。

「錢的事希望他爽快一點，」湯姆再說，「我催過他，你知道吧，他應該馬上把錢付清才對。」那你想要多少？強納森差一點就問出口，但還是壓下，讓雷普利自己提吧。

湯姆笑了一下，在駕駛座往後靠，「你可能以為我是要來分這一筆錢的，是吧？——四萬英鎊，對不對？但我不要錢。」

「喔——老實說，我是以為你要分，沒錯。」

「所以，我今天才說要見你一下。這是理由之一。另一個理由是要問你擔心嗎？——」崔凡尼那麼緊張，搞得湯姆跟著不太自在，舌頭幾乎要打結。湯姆乾笑一聲，「你怎麼會不擔心！但要擔心的事才多著呢，擔心不完的。我說不定可以幫忙一下——就看你願不願意跟我說。」

強納森暗想，他到底要什麼？他絕對不會一無所圖。「我想是有一件事我不太懂吧——你怎麼也會在火車上面？」

「因為那是我的榮幸！除掉像昨天那樣的兩個人，或說是幫忙除掉他們，是我的榮幸，就這麼簡單！幫你多弄一點錢進口袋，一樣也是我的榮幸。——不過，我說的擔心，是指我們兩個做的那一檔子事——不管你擔心的是哪一方面。這我很難說得清楚，可能是因為我自己一點都不擔心吧，反正還不需要開始擔心。」

強納森一時不知如何是好，湯姆・雷普利分明在顧左右而言他——反正就是這樣——要不然就是在拿他開玩笑，強納森對雷普利的敵意還沒完全褪去，對他還是有很深的戒心。但這時候再怎樣也嫌遲了。昨天他在列車上看到雷普利準備接手的時候，就應該要明白表示，「好，全都歸你，」然後撒手走人，回自己座位。這樣雖然沒辦法把雷普利知道的漢堡那邊的事一筆勾銷，但是——前一天的事，錢根本不是動機！強納森一直十分慌亂，即使雷普利人還沒到他就已經十分慌亂。但這時候，強納森卻覺得自己找不到合適的武器來為自己辯護。「我猜是你，」強納森說，「放風聲說我不久人世的人，我猜應該是你。瑞夫斯會知道有我這個人，也是你搞的鬼。」

「沒錯，」湯姆回答，口氣略顯懊悔但也堅定，「但這也不是沒得選擇的事，你說是不是？你大可以回絕瑞夫斯的提議不就得了。」湯姆暫停，靜待崔凡尼回答，但崔凡尼沒有答腔，「無論如何，我相信現在情況應該已經好很多了，對吧？我想你應該絕不是離死不遠，而且還多出了一筆不小的錢——你們給錢取的諢名好像叫棒棒糖。」

強納森看到湯姆臉上揚起燦爛的笑，一派無邪的美式笑容。不管是誰看到湯姆・雷普利臉上這笑，絕對想不到他會殺人，他會用絞繩勒死人——但不過二十四小時前，他才剛做過這樣的事。「所以，你有跟人惡作劇的習慣囉？」崔凡尼問時臉上帶笑。

「不是，不是，我當然不是這樣的人。這應該說是我生平第一遭吧。」

「而且，你真的——什麼都不要？」

「我才不敢跟你要東西。我連你的友誼也不敢要——太危險了。」

崔凡尼在座位上動了動，逼自己不要再拿手指頭在菸盒上敲。

湯姆也想得到崔凡尼這時候一定在想，這下子他成了湯姆操縱的木偶了，不管雷普利有沒有跟他索討什麼，他都只能任由雷普利擺佈。湯姆便說，「我是有你的把柄沒錯，但你也有我的把柄，我們兩個半斤八兩。勒死馬坎吉羅的人是我，對不對？所以，沒錯，你手上是有不利於我的事，但我手上也有不利於你的事。你不妨這樣子想就好。」

「是這樣沒錯。」崔凡尼回答。

「若說我真在打什麼鬼主意的話，那鬼主意也是要保護你。」

崔凡尼聽到這一句笑了，雷普利沒笑。

「也許沒這必要吧。——最好是沒必要。有麻煩的向來都是別人。哈！」湯姆盯著擋風玻璃看了一會兒，才說，「比方你太太好了。錢的事情你是怎麼跟她說的？」

這是個問題沒錯，實在、具體、還沒解決的問題。「我說是德國醫生那邊付我的錢。他們在作試驗——拿我作試驗。」

「不錯，」湯姆沉吟說道，「但可以有更穩當的說法，因為那樣一筆金額你大概沒辦法全用這說法就混得過去，這樣一筆錢要你們兩個都用得著才好。——就說你們家族有人過世，好不好？英國那邊？像是不怎麼和人往來的遠親？」

崔凡尼笑了一下，瞄一眼湯姆。「這我想到過，但偏就是沒有這樣的人。」

湯姆看得出來崔凡尼不習慣捏造事實。湯姆自己就常要編些有的沒的去哄赫綠思，像是他忽然有大筆進帳等等時候。湯姆會捏造出一個怪脾氣的遠親，他媽媽那邊遠之又遠的遠親，還隱居在聖塔菲或索薩利托好多年都不跟人來往，諸如此類，再拿湯姆小時候在波士頓有過一面之緣的親戚為本，添油加醋一番——應該說是湯姆失去雙親淪為孤兒時的事吧。他這親戚他所知不多，卻有一副菩薩心腸。「但你老家在英國，應該還是滿容易講得過去。我們再想想辦法，」湯姆補上這一句，因為他注意到崔凡尼好像又要開口反駁。湯姆看一下手錶，說，「我有晚餐的約，不去不行了，我想你也該回家吃晚餐。啊，還有一件事，槍。小事，但你處理好了嗎？」

槍就塞在強納森身上這一件風衣的口袋裡。「現在就帶在身上，可以處理掉最好。」

湯姆伸出手來。「那就趕快處理吧。麻煩少一件是一件。」崔凡尼把槍遞給湯姆，湯姆再把槍塞進置物櫃。「始終沒用到，所以不算多危險，但我會處理掉，因為終歸是義大利槍。」湯姆頓一下想了想。一定還有事，現在就要全都理清楚，因為他不想再和強納森見面。想起來了。「還有，我就當你跟瑞夫斯說事情是你一個人幹的，瑞夫斯不知道我也在火車上面，不讓他知道會好一點。」

強納森卻寧願反過來，花了幾分鐘反芻這一件事。「我想你應該是瑞夫斯滿好的朋友。」

「喔，我們是有交情沒錯，但也沒多好。略有一點距離。」湯姆這一句倒是脫口而出的真心話，但他也注意到他講的話最好不要再給崔凡尼添加憂懼，而應該讓他放心。只是，不太容易。

「除了你沒有別人知道我在那列車上，我用假名買的票，老實說，我用的護照也是假的。我知道絞繩這一件事對你會很麻煩，我和瑞夫斯講過，在電話上講過。」湯姆轉動車子引擎，打亮車燈，「瑞夫斯那人有一點神經。」

「怎麼說？」

一輛摩托車開了刺眼的頭燈疾駛過來，拐彎經過他們車邊，轟隆的引擎一時把湯姆汽車的引擎聲蓋過去。

「他那人就愛玩花樣，」湯姆說，「他搞的以收贓為主，你可能已經知道了，專門幫人收東西轉賣出去。搞這種事跟玩間諜把戲一樣蠢，但起碼瑞夫斯還沒被抓過——我是說連被抓然後保釋這樣的事都沒有。我知道他在漢堡混得不錯，但我沒去漢堡他那裡看過——他不該沾這樣的事的，他又吃不下。」

強納森原本以為湯姆．雷普利常到漢堡瑞夫斯．米諾的住家盤桓呢。他忽然想起，佛立茲那一天晚上在瑞夫斯家裡是拿出過一個小包裹。珠寶嗎？還是毒品？強納森看向窗外熟悉的高架橋，接著是鐵路車站附近的樹林暗影映入眼簾，樹頂被街燈照得雪亮。這一切，只有坐在他身邊的湯姆．雷普利是他不熟悉的。強納森的恐懼又再湧現心頭。「有一件事我可以問你一下嗎？你是怎麼挑上我的？」

湯姆車子正好開到一處不太好過的彎道，在山丘頂上，他要在這裡左轉到羅斯福大道，對向還有來車，他便暫停一下，等來車過去。「唉，不過是一件小事，我自己都不好意思說。二月那一天晚上，在你家的派對——你說了一句話惹得我不太高興。」這時湯姆的車可以過去了，「你說，『喔，對，我聽過你，』口氣不太好。」

強納森想起來了。他也想起那一天晚上他特別累，看什麼都不順眼。所以，不過是稍稍出言不遜，雷普利竟然就把他拖進這麼大的麻煩裡來。不對，強納森提醒自己，是他自己把事情搞到這地步的。

「以後你不想再見我也沒關係，」湯姆說，「事情處理得很不錯，只要那個保鏢沒說出來什麼，我想應該就沒問題。」那他應該跟崔凡尼說一聲「對不起」嗎？管它！湯姆暗啐一聲。「而從道德面來說，我想你應該也不用自責，那些人自己幹的就都是殺人放火的勾當。殺的還是無辜的人居多。所以，我們這只是替天行道。黑手黨他們自己就最愛講替天行道的話。那是他們安身立命的磐石。」湯姆把車子右轉開進法蘭西路，「我就不送你到門口了。」

「附近一帶就好，多謝你了。」

「我會請人去幫我拿畫。」湯姆停下車。

強納森鑽出車外，「看你方便都好。」

「有麻煩一定要打電話給我。」湯姆帶笑叮嚀強納森一聲。

強納森終於回報一笑，好像這話很有意思。

強納森開始朝聖梅希街走回家去，而且，沒幾秒就覺心情大好——輕鬆好多。他覺得放心，主要是因為看雷普利那樣子好像一點也不擔心——不擔心那一個保鏢還活著，不擔心他們兩人在火車廁所平台待了那麼久的時間。而且，錢的事情——怎麼也跟其他事情一樣順利得不得了！

強納森走到他那「福爾摩斯之家」不遠的地方，停下腳，他知道他已經比平常的時間要晚了。瑞士銀行寄來的簽名卡，昨天已經寄到他的店裡，席夢沒拆，強納森昨天下午已經簽好名字，拿到郵局寄出去了。他這帳戶的號碼有四個數字，他以為他記得下來，但這時候卻怎麼也想不起來。他說他去德國第二趟，是去看另一個專家；席夢相信。但在這以後，他不用再去德國了，這下子強納森要動腦筋幫錢的事情想好說辭——未必每一毛錢都要交代得清楚，但至少大部分還是要吧——像是打針、吃藥，說不定還要再跑一、兩趟德國，坐實他說那邊的醫生做的試驗還沒做完的說法。這不容易，不是強納森的作風。強納森只希望想得出來更好的說辭就好，不過強納森也知道，他若不想破頭還真沒辦法。

「怎麼那麼晚，」席夢一見他進門就說。席夢正帶著喬治在起居室，喬治的圖畫書在沙發上放得到處都是。

「顧客的事，」強納森回答席夢，把他的風衣往鉤子上掛。少了槍的重量，好輕鬆。強納森帶笑看向兒子，「你怎樣啊？我的小石頭？你在幹什麼啊？」強納森這時用英語跟孩子說話。

喬治咧著嘴笑得好開心，像小小的金黃色南瓜。他一顆門牙已經掉了，強納森在慕尼黑時掉的。「我在砍樹。」

「看書。要在樹林子裡才會砍樹。欸，是啦，你口齒不清。」

「啥麼是狗屎不清？」

就是遛狗沒有公德心——唉，這樣下去沒完沒了。那「公德心」是什麼？德國的地名？「口齒不清——就是你講話不清楚、不流利，像會口吃——b-b-begayer*——呃，口吃是——」

「強！你看！」席夢伸手拿報紙，「我中午吃午餐的時候還沒注意到，你看，兩名男子——不是，一名男子昨天在德國往巴黎的火車上遇害。被殺，然後推下火車！這會不會就是你搭的那一班車？」

強納森低頭看報上登的照片，一名男子的屍體躺在坡地。強納森細看報上登的新聞，好像他以前還沒看過……絞殺……另一名受害人的一隻手臂恐怕需要截肢……「對欸——莫札特號特快車。但我在車上沒看到有事啊，不過，那一班車也有約三十節車廂。」強納森跟席夢說他前一晚因為時間太晚，沒趕上回楓丹白露的末班車，所以就在巴黎找了一家小旅館過夜。

「黑手黨，」席夢搖頭嘆道，「他們一定在他們自己的包廂裡把窗簾拉下來關得緊緊的，才有辦法這樣子勒死人。唉喲！」席夢站起來進廚房。

強納森看一眼喬治，喬治正埋頭在看阿斯泰利克斯的圖畫書，強納森可不想跟兒子解釋絞殺是什麼意思。

那天晚上湯姆雖然略有一點緊張，但在葛瑞家興致還是好得很。安東和艾格妮斯・葛瑞住的是一棟圓石屋，有一座角樓，屋牆爬滿了薔薇。安東年近四十，規規矩矩略有點嚴肅，一家之主

* 譯注：法文的口吃為：Bégue，強納森的法文也不太好。

的派頭很大，力爭上游的野心更大。工作日都待在巴黎不算大的事務所裡忙公事，週末才回鄉間和家人相聚，但還是要在花園裡忙到昏天黑地。湯姆知道安東覺得他這人太懶，因為就算湯姆的花園跟安東家一樣漂亮，那有什麼稀奇？湯姆又沒別的事可幹！至於赫綠思說要和艾格妮斯一起做的大菜，其實就是龍蝦煲，米飯裡加了一大堆形形色色的海鮮，搭配的醬料則有兩種可選。

「我想到有很漂亮的手法可以引發一場森林大火，」湯姆和大家一起喝咖啡時，沉吟說道。「用在法國南部尤其合適，因為法國南部夏天多的是曬得很乾的林子。你只要把手持放大鏡綁在松樹上就好，就算是冬天綁上去也可以，然後，等夏天來了，太陽一照，放大鏡就會在松針燒起一小撮火苗。當然，你也可以把放大鏡放在你討厭的人家附近，然後就——劈哩啪啦，轟！——燒起一團火球。警方或是保險公司的人真要找的話，在燒焦的林子裡面找到放大鏡，應該不太可能。——你們說，這樣豈不萬無一失？對吧？」

安東勉強幾聲乾笑湊合，赫綠思和艾格妮斯則是略作驚聲尖叫狀，相互應和。

「我在南邊的房子若是出事，我就知道是誰搞的鬼！」安東低沉的男中音再作結論。

葛瑞家在坎城附近有一棟小房子，每年七、八月都會出租，那時節租金最高，剩下的夏季月份就留著自用。

不過，湯姆這時候的心思主要還是在強納森・崔凡尼身上。他是性格呆板、壓抑那一型的人，但大體算是正派、善良。看來這一位真的需要有人幫一點忙——湯姆希望只是精神上的協助就好。

13

由於文森．圖洛利的狀況不明朗，湯姆便在禮拜天開車到楓丹白露，去買幾份倫敦的報紙來看，像是《觀察家報》和《週日泰晤士報》；平常他都是等到禮拜一早上，才到維勒佩斯的賣菸書報攤去買。楓丹白露的書報攤就在黑鷹旅館前面。湯姆四下看了一下，看會不會遇到崔凡尼，他說不定也有買倫敦禮拜天報紙來看的習慣，但沒看到崔凡尼。時間是早上十一點，說不定崔凡尼已經買過報紙了。湯姆坐進他的車，先看《觀察家報》，沒登火車事件的新聞。湯姆也不知道英國的報紙真的登這樣一條新聞是要幹嘛，但他還是把《週日泰晤士報》也翻了一下，結果在第三版看到一則報導，短短的一欄，湯姆急急細看。記者的筆調比較輕鬆：「……黑手黨犯的案子裡面手法特別乾淨俐落的一件，……吉諾蒂家的文森．圖洛利雖然少了一條胳膊，壞了一隻眼睛，但在禮拜六早上清醒過來，傷勢復原的速度飛快，說不定沒多久就會搭機回米蘭就醫。只是，就算他對案情略有所知，他也堅不吐實。」湯姆不覺得這算新聞——湯姆是說圖洛利一句話也不說這一件事。但是，照這情況看，他不會沒命。這可就不太妙了。湯姆想，圖洛利應該已經把他的長相和他那些兄弟說了。吉諾蒂家一定會派人到史特拉斯堡去看圖洛利。黑手黨有份量的人在醫院裡，都會有人日夜守衛，圖洛利應該也有人保護——湯姆馬上就想到這個圖洛利要除掉才好。湯姆想起喬・柯倫波住院時，便有黑手黨派人當警衛；柯倫波是紐約黑幫普洛法齊家族的老大*。雖然罪證確鑿，而且很多，柯倫波卻始終否認他是黑手黨的老大或真的有黑手黨這樣的黑社會組織。柯倫波住院時，保鏢就睡在醫院的走廊裡，醫院護士還要跨過幾名保鏢的腿才走得過去。還是別想除掉圖洛利的事吧。他說不定已經跟他的兄弟們說有一個男的，三十多歲，褐色頭髮，身高比一般人要再高一點，朝他下巴、肚子都重重打了幾拳，說不定還另有一個人也從後面打他，因為他覺得後腦好像也挨了一記。但這問題是，圖洛利再看到他的話，真的百分之百認得出他嗎？湯姆想，機會應該不小。說巧不巧，圖洛利若也看到強納森的話，說不定還把強納森記得更清楚一點，因為強納森那樣子就不太像一般人。強納森比大部分人都還要高，髮膚的顏色也比大部分人都還要淺。圖洛利當然會和另一名保鏢比對一下，這一位保鏢可就活得好好的。

「親愛的，」赫綠思一見湯姆走進起居室就說，「要不要來一趟尼羅河的遊輪之旅？」

湯姆的思緒還不知道在哪裡遊盪，聽了還想了一下，才想到赫綠思說起尼羅河是在說什麼。赫綠思赤腳偎在沙發上，在翻旅遊手冊。赫綠思定期會收到莫黑一家旅行社寄來的一堆手冊，都是旅行社主動寄的，因為赫綠思這顧客實在太好。「不知道欸，埃及——」

「你不覺得這很吸引人嗎？」赫綠思拿一張照片給湯姆看，照片裡有一艘小船正駛過長滿蘆葦的岸邊，船名是古埃及女神「伊西斯」——但是，那樣的船說是密西西比河上的汽船還差不多。

「對，是很吸引人。」

「要不然別的地方也可以，你若哪裡也不想去，那我就去問諾愛爾看她意思怎樣。」赫綠思回頭再去看她的旅遊手冊。

赫綠思的血液有春光在鼓譟，搔得她腳底發癢。湯姆和赫綠思夫妻倆從耶誕節後就沒出過遠門，耶誕節他們過得很愉快，搭遊艇從馬賽到義大利的菲諾港，遊艇的主人是諾愛爾的朋友，都上了年紀，在菲諾港有房產。只是，湯姆這時候哪兒也不想去，但不想對赫綠思說出口。

這禮拜天很安靜，很愉快，湯姆畫了兩幅素描稿，畫的都是安奈特太太在燙衣服。安奈特太太每禮拜天下午會在廚房裡面燙衣服，一邊看她的電視；她會把電視推到餐具櫃正前面放好，邊燙邊看。再也沒比這更富居家的情趣，更有法國味的畫面了，湯姆想，還有什麼比得過禮拜天下午安奈特太太矮小結實的身軀彎腰燙衣服的呢？湯姆要在畫布上捕捉這樣的情調——廚房淡到不能再淡的橘色牆壁映著陽光，安奈特太太有一件精緻的薰衣草藍連身裙，和她淡藍色的眼睛配得多好！

但是，晚上都過了十點，湯姆家裡的電話卻響了，湯姆和赫綠思正躺在壁爐前看禮拜天的報紙。湯姆去接電話。

是瑞夫斯打來的，聽起來氣極敗壞。但是線路很吵。

＊譯注：喬・柯倫波（Joe Colombo, 1914-1978），紐約黑手黨五大家族「普洛法齊」（Profaci）的老大，一九六〇年代曾經和人權運動人士聯合起來以捍衛義大利裔美籍人士民權的名目，發動運動對抗聯邦調查局。

「你可以等一下嗎？我換到樓上去講。」湯姆跟瑞夫斯說。

瑞夫斯說他可以等。湯姆便跑步上樓，還跟赫綠思說，「是瑞夫斯！線路很吵！」樓上的線路未必真的比較好，但湯姆接這一通電話時不想要有旁人在場。

瑞夫斯說，「我是說我住的公寓，漢堡的公寓。今天被人炸了。」

「啊？我的天！」

「我是在阿姆斯特丹打的電話。」

「你有受傷嗎？」湯姆問瑞夫斯。

「沒！」瑞夫斯回得很大聲，聲音都破了。「還真是天佑我也，我正好在下午五點左右出門。蓋碧也正好不在，因為禮拜天她本來就不上班。這些人啊，準是——從窗口朝屋裡扔炸彈。真有他們的。樓下的住戶先是聽見有車子衝過來，約過了一分鐘，車子又飛快開走，等再過了兩分鐘，就是好大的爆炸聲——把牆上的畫全都震了下來。」

「我問你——他們知道多少？」

「我是想，我還是先到別的地方避風頭好了。一小時不到我就閃人了。」

「他們怎麼知道的？」湯姆對著電話筒大吼。

「我也不知道。我真的不知道。他們可能是從佛立茲那裡問出什麼吧，因為佛立茲今天跟我有約卻沒來。希望佛立茲沒事才好。不過，佛立茲並不知道我們那朋友叫什麼，他在這裡時，我一直叫他保羅，我說他是英國人，所以，佛立茲可能還以為他是住在英國那邊的呢。我真的覺得他們會這樣，單純是因為懷疑而已，湯姆，我覺得我們的計畫大致算成功的吧。」

還是那一個樂天過了頭的瑞夫斯，公寓都被炸了，財產也沒了，卻還在說計畫成功。「我跟你說，瑞夫斯，那些——你在漢堡的那些東西怎麼辦？我是說像檔案之類的東西？」

「鎖在銀行的保險箱裡，」瑞夫斯馬上回答，「我可以要他們給我寄來。不過——你是指怎樣的文件？你若擔心——我只有一本小小的通訊錄，而且從不離身。我放在那裡的那些畫啊、一大堆紀錄什麼的，這下子全要扔在那裡了，我當然難過得要死，但警方說他們一定會盡力把我的財物保護得好好的。他們當然找過我問話——當然都很客氣，只問了幾分鐘，但我說我嚇死了——其實我還真的差一點嚇死——要到別的地方休息、休息。他們知道我人在哪裡。」

「警方懷疑是黑手黨嗎？」

「就算是也不會說出來，湯姆老哥啊，我可能明天再打電話給你吧。你要不要記一下我的電話？」

湯姆不是很願意，但知道說不定什麼時候還會用得上，便還是抄下瑞夫斯旅館的名稱，「須德海」，還有電話號碼。

「雖然另一個混蛋沒死，但我們那朋友做得還真不賴，像他那樣有貧血問題的病人——」瑞夫斯爆笑出聲，感覺有一點歇斯底里。

「你已經全額付清了？」

「昨天就付清了，」瑞夫斯回答。

「所以，我看你不再用得到他了。」

「是不用。都已經引起警方注意了，我是說漢堡這邊的警方。我們的目的就只是這樣。我聽說義大利那邊又再有好幾名黑手黨到了這裡。所以——」

電話忽然斷線，湯姆心頭掃過一陣不快，覺得自己像笨蛋，呆站在這裡，手裡還拿著嗡嗡作響的電話。湯姆把話筒放回去，在他的臥室呆呆站了幾秒，心想瑞夫斯會再打來嗎？又想說不定不會，一人靜靜思索事態的發展。依湯姆對黑手黨的了解，他覺得黑手黨他們應該會見好就收，也就是炸掉瑞夫斯的公寓就到此為止，不至於派人追殺瑞夫斯。但顯然黑手黨知道瑞夫斯跟他們有兩人被殺的事情有關，所以瑞夫斯想要藉此製造黑手黨幫派火併的感覺，也不算奏效。但話說回來，漢堡警方還是會因此加緊掃蕩黑手黨的勢力，而把黑手黨趕出漢堡，也就順便幫瑞夫斯把他們趕出私人賭場了。還真像瑞夫斯搞的那些把戲，或他插花蹚的渾水，到後來都搞得更渾。湯姆暗想，所以呢，這一件事若要蓋棺論定，那還是要說：沒什麼成效。

不過，唯一差堪告慰的是，崔凡尼一毛錢也不會少拿。禮拜二或禮拜三他應該就會接到通知了。瑞士捎來的喜訊！

接下來幾天一片風平浪靜，瑞夫斯・米諾沒打電話來，沒寫信來，報紙上也沒有文森・圖洛利在史特拉斯堡或米蘭醫院裡的消息，湯姆也到楓丹白露買了巴黎的《前鋒論壇報》和倫敦的《每日電訊報》來看。湯姆把他的大理花根種下，耗掉他一下午三小時的時間，因為他把花根又依顏色分成小包裝在麻布袋裡，標上顏色。他要把花圃當畫布，精心調配一畦畦的色彩。赫綠思回香堤邑住三天，她娘家那裡，因為赫絲思的媽媽要動小手術割除身上的腫瘤，但幸好是良性的。安奈特太太以為湯姆應該會覺得寂寞，便拿美國餐來安慰他；這是她特地為了湯姆而去學來的：烤汁排骨，蛤蜊巧達濃湯，炸雞。不過，湯姆不時擔心自己真的安全嗎？維勒佩斯這裡的氣氛這麼幽靜，慵懶又頗為高尚的小村，麗影雖然有高大的鐵門，似乎將城堡一樣的大宅子保護得森森嚴嚴，但其實中看不中用——誰都爬得進來——所以，殺手隨時進得來，湯姆想道，不知哪一天，黑手黨派出來的人說不定就長驅直入，來敲他的家門或按門鈴，一把推開應門的安奈特太太，衝到樓上，一槍斃了湯姆。莫黑警方少說也要花上十五分鐘才趕得到這裡，這還要安奈特太太有辦法即時報警才行。鄰居就算有人聽到一、兩聲槍響，搞不好還會想作是有人在拿貓頭鷹練槍，連察看一下也沒興趣。

赫絲思待在香堤邑的那幾天，湯姆決定幫麗影添購一具大鍵琴——當然是他自己要的，但說要給赫絲思也可以吧。湯姆聽過赫絲思在鋼琴上彈過簡單的小曲。哪裡？什麼時候？湯姆猜赫絲思應該也是童年苦學才藝的受害者，加上他對赫絲思父母的了解，湯姆覺得赫絲思小時候的學習樂趣，大概都被她父母扼殺殆盡。總之，買大鍵琴應該所費不貲（到倫敦去買當然是會便宜一點，但若加上法國政府要抽的百分之百進口稅，那就未必了），只是，買大鍵琴絕對可以掛在文化資產的名下，因此，湯姆也不必因為要花大錢而苛責自己。大鍵琴又不是游泳池。湯姆打電話找巴黎他很熟的一個骨董商，雖然對方只賣家具，但還是幫湯姆打聽到巴黎一家很可靠的店家，讓湯姆跟他去買大鍵琴。

湯姆於是跑了巴黎一趟，在店家那裡聽老闆講一整天大鍵琴的知識，看了看店裡的大鍵琴，怯怯試彈了幾個音，作出決定。他挑中的寶貝，米黃色的木製琴身四處點綴金葉，要價上萬法郎，禮拜三，四月二十六日，會送到麗影，調音師也會跟來，馬上幫琴調音，因為運送的過程一定有影響。

買下大鍵琴，湯姆心情大好，樂不可支，走向他停在街邊的雷諾車時，覺得自己像是天下無敵，黑手黨的眼線根本看不到他，說不定連黑手黨的子彈也打不穿他。

麗影還沒被人扔炸彈。維勒佩斯兩旁林蔭蔽天，沒鋪人行道的街頭幽靜一如平常。沒看到陌生人徘徊不去。赫絲思禮拜五回家來了，心情很好，湯姆也在引頸期盼那一份驚喜的大禮，下禮拜三裝大鍵琴的那一具大箱子就會由人小心送達。絕對比耶誕節還要好玩。

湯姆也沒跟安奈特太太提他買了大鍵琴的事。不過，到了禮拜一，湯姆說，「安奈特太太，我要請妳幫忙一件事。禮拜三我們有很特別的貴客要到家裡來吃午餐，說不定還會留到晚餐那時候，我們就吃好一點吧。」

安奈特太太的藍眼睛瞬間發亮。要她多費力氣、多費心思，她最樂了，若是烹飪大事，更好。「道地的美食大餐？」安奈特太太不勝期待。

「若可以的話，」湯姆回答，「妳自己籌劃就好，我不跟妳說要做哪些菜——也一樣要赫絲思夫人驚喜一下喲。」

安奈特太太淘氣一笑。看得外人還以為有人送了她大禮。

14

強納森在慕尼黑幫喬治買的迴轉儀，成了爸爸送的玩具裡他最鍾愛的一樣。而且，每一次喬治從盒子裡把迴轉儀拿出來，迴轉儀的魔力始終不減。強納森要求兒子不玩時就要把迴轉儀收在盒子裡。

「小心別掉到地上！」強納森叮嚀兒子，他正趴在起居室的地板上，「那儀器很精巧的。」

喬治為了玩這迴轉儀，不得不跟著強納森多學幾個英文單字，因為強納森自己玩得入迷時，才懶得講法語。喬治會把奇妙的轉輪套在指尖上玩，或斜掛在塑膠城堡的角樓頂上——這個塑膠城堡是從喬治玩具箱裡挖出來重見天日的老玩具，迴轉儀說明書有一頁印成粉紅色，還有艾菲爾鐵塔，這塑膠城堡就是拿來代替艾菲爾鐵塔的。

「大型的迴轉儀，」強納森說，「可以維持船隻在海上航行不致翻倒。」強納森解釋得相當清楚了，但還是覺得把迴轉儀裝在玩具船上，再拿浴缸當作是波濤洶湧的大海，應該可以把迴轉儀的作用作實際的示範。「例如大型船隻就裝了三具迴轉儀同時在運作。」

「強，沙發！」席夢站在起居室門口說，「你還沒跟我說你打算怎樣。墨綠的嗎？」

強納森在地板上翻了個身，手肘撐地坐起，眼睛還是盯在那一具漂亮的迴轉儀上；迴轉儀不住旋轉，始終維持平衡，真奇妙！席夢說的是沙發要換布面的事。「我的打算是乾脆買全新的沙發好了，」強納森從地板上站起來，「我今天看到廣告，一組長沙發，五千法郎。我若多看幾家，一定可以用三千五就買到同樣的一組。」

「三千五百塊的新法郎？」

強納森知道她一定會嚇到，「妳把它想作是投資就好了嘛。我們又不是買不起。」強納森確實認識一名骨董商，鎮外五公里處，專門賣修得很好的大型二手家具。只是，直到這時候，他才想得出來可以跟這一家店買什麼東西。

「一套長沙發組是很好啦——可是，強，你不要買昏了頭啊，你怎麼像在瘋狂大採購！」

強納森這同一天才剛講過要買電視。「我哪有在瘋狂大採購，」強納森心平氣和回答，「我不會這麼笨啦。」

席夢朝強納森比手勢要他到門廊來，好像不想讓喬治聽見兩人的話。強納森摟住席夢，席夢的頭髮靠在掛在牆上的幾件大衣，弄得亂亂的。席夢湊在強納森耳邊低語：

「好啦，但你下一次去德國是什麼時候？」

席夢不喜歡強納森跑德國。強納森跟她說德國那邊在試驗新藥，培里耶也把藥開給他吃，雖然他的病情可能不會有變化，但也說不定有改善的機會。但若說要惡化，也不是沒有可能。由於強納森報給席夢知道的金額不小，所以席夢不相信他在吃的藥沒有危險性。不過，即使如此，強納森還是沒跟席夢講清楚確實的金額——也就是說，強納森名下在蘇黎世那一家瑞士銀行裡面到底有多少錢，席夢還不知道。席夢只知道楓丹白露的興業銀行戶頭裡面有六千法郎，不再是他們以前一般的四到六百法郎——有的時候還會掉到兩百而已，付一期貸款就會只剩這麼多。

「我當然也想要新沙發，但你真覺得這時候買新沙發好嗎？還這麼貴。你別忘了我們還有貸款沒付完。」

「親愛的老婆，我怎麼會忘嘛——那個死貸款！」強納森笑了笑，但他其實好想一口氣把剩下的款項全部付清，「好嘛，我會注意，我發誓。」

強納森知道他要想出更好的說辭才行，或把他現有的說法再潤飾一下。但這時候，他只想先輕鬆一下，享受一下坐擁財富的感覺——因為真要花錢還不太容易。而且，他還是有可能過不了一個月就告別人世。慕尼黑那一位施洛德醫生先前開給他三十六顆藥丸，強納森一天吃兩顆，但這藥既沒辦法救他的命，也沒辦法扭轉他的病情。所以，他目前的安全感或許算是幻覺吧，但只要這一份安全感沒有不見，不就和其他事情同等真實？要不然還要怎樣？幸福感不就是一種心理狀態嗎？

而且，強納森另還有未知數要面對。那個叫圖洛利的保鏢沒死。

四月二十九日，禮拜六晚上，強納森和席夢一起到楓丹白露劇院去聽音樂會，弦樂四重奏，舒伯特和莫札特的作品。強納森買了最貴的票，也打算把喬治一起帶去。只要事前先跟喬治好好叮嚀過，喬治都還懂得要守規矩，但席夢不肯。喬治一旦有失模範兒童的榜樣，她可是比強納森還不好意思。所以席夢說，「等他大一點再說吧。」

中場休息的時候，強納森和席夢走到寬敞的門廳，那裡可以抽菸。門廳滿是他們熟悉的面孔，開美術用品店的皮耶·高席耶也在內，他竟然還穿了燕子領襯衫加黑領帶，看得強納森有幾分意外。

「夫人，您今晚出席，可謂幫音樂錦上添花！」高席耶這是對席夢說的，對席夢穿的中國紅連身裙報以讚美的眼光。

席夢大方接受讚美。強納森心想，她這一晚看起來真的是容光煥發，特別開心。高席耶孤身一人，強納森忽然想起高席耶的太太幾年前就過世了，那時強納森和高席耶還不怎麼認識。

「楓丹白露的人今晚全到齊了，」高席耶拉高音量，不想被門廳嘈雜的人聲蓋過。圓頂走廊那邊聚了幾十人，高席耶拿他好的那一隻眼睛在人群裡面逡巡，頭頂光禿的部分雖然用黑中泛白的髮絲仔細蓋住，映著燈還是閃出了光。「音樂會後要不要一起喝咖啡？就在街口對面那一家咖啡廳？」高席耶問道，「請得到你們兩位是我的榮幸。」

席夢和強納森才要說好，就發現高席耶的臉色有異。強納森順著高席耶的視線看過去，看到湯姆·雷普利混在四或五人裡，離他們只有三碼遠。雷普利也看到強納森，兩人四目交投，雷普利朝強納森一點頭，像是要過來打一聲招呼，但高席耶卻一個側身就往左邊的方向靠過去，準備走人。席夢轉頭去看強納森和高席耶兩人到底看到了誰。

「待會兒見囉！」高席耶說完就走了。

席夢看向強納森，眉尾微挑。

雷普利在人群中相當醒目，主要倒不在他長得高，而在他看起來就不像法國人，褐色的頭髮映著吊燈閃現絲絲金光。雷普利穿了一件青紫色絲緞外套。那一位沒有化妝卻豔光四射的金髮女子，想必是他妻子。

「怎麼啦？」席夢問道，「那是誰？」

強納森知道席夢問的是雷普利，心頭忽然砰砰亂跳。「我也不知道，以前見過，但不知道他的名字。」

「他來過我們家欸——那個男的，」席夢說，「我記得他，高席耶不喜歡他嗎？」

鈴響了，通知大家回座。

「我不清楚。怎麼了？」

「因為高席耶好像看到他就急著要走！」席夢回答，像是覺得事情擺得再明顯不過。

原本是賞心樂事的音樂會，於強納森就此完全走味。湯姆・雷普利坐在哪裡？包廂裡嗎？強納森一直沒抬頭去看包廂。強納森推斷，雷普利的座位很可能就和強納森他們隔著一條走道而已。強納森再一細想，就知道害他掃興的，倒不是雷普利忽然冒了出來，而是席夢的反應。而席夢的反應又是因為他的關係，因為他看到雷普利就變得不自在。強納森坐回座位後，盡量裝作輕鬆，下巴托在手上，但他也知道再怎麼裝都騙不了席夢。席夢跟很多人一樣，都聽說過湯姆・雷普利的事（雖然席夢這時候可能連他的名字都還想不起來），席夢這時候搞不好還會把雷普利和——和什麼？——連在一起。強納森這時候真的什麼也抓不準。但他好怕萬一。他在心裡暗罵自己為何那麼容易就讓人發現他在緊張，那麼簡單就露出馬腳。強納森知道他這時候有大麻煩，身陷極其危險的處境，所以他再怎樣也要鎮定，才能好好應付這局面。這時候他一定要演得好一點才行。和他年輕時在舞台上求發展所演的戲略有不同，此時的場景是真實的人生。但要說很假，也可以吧。強納森在這以前從來沒想過要在席夢面前假裝過什麼。

「我們去看高席耶在哪裡。」強納森說，他和席夢正沿著走道往上走。他們身邊還有掌聲此起彼落，但是漸漸匯聚一致，這一批法國觀眾還想要一曲安可。

只是，強納森和席夢找不到高席耶。強納森沒注意到席夢的回答。她好像不是很想去找高席耶。他們請了保母到家裡陪喬治——住他們那一條街的一名女孩。已經快要晚上十一點了，強納森沒去找湯姆・雷普利，也沒看到他。

禮拜天，強納森和席夢回內穆爾和席夢的父母還有哥哥傑哈德一家人共進午餐。餐後跟平常一樣，開電視，不過強納森和傑哈德沒湊過去看。

「還真好，那些德國仔花錢請你當他們的天竺鼠！」傑哈德好難得說得都笑了出來，「但也但願沒有害處才好。」傑哈德這兩句法語講得飛快，一股腦兒脫口而出還夾著俚語，但強納森注意的是第一句。

兩人都在抽雪茄，強納森在內穆爾一家菸攤買了一盒。「是啊，一大堆藥丸。他們說是要試試看一次用八或十種藥來圍攻。混淆敵人的視聽，你也知道。同時，也可以讓為害的細胞比較難去產生抵抗力。」強納森可是可以順著這樣的話題東拉西扯好一陣子，說得他自己都有一點相信他在瞎編的這些鬼話，但又沒忘記他說的這白血病新療法是他幾個月前讀到的。「當然沒人能給什麼保證，也有可能會有副作用，所以他們才要付我一點錢幫他們作實驗。」

「怎樣的副作用？」

「說不定會——導致血液凝結能力降低，」強納森搬弄沒有意義的術語，他的道行已經愈練愈高深，而且，別人聽得入迷的樣子更能激發他的靈感。「噁心想吐——但我到現在好像都還沒有。不過他們其實也還不知道到底會有哪些副作用，所以他們是有風險，我這邊也是。」

「若有效呢？若他們試驗到後來說這樣的療法有效呢？」

「那就表示我可以多活個一、兩年囉。」強納森說得輕鬆。

禮拜一早上，強納森、席夢和一名鄰居一起開車到楓丹白露鎮外的一家骨董店去，強納森先前覺得應該在那一家找得到他們要的沙發。這鄰居叫作以琳•皮雷瑟，每天下午喬治幼稚園放學後，都先待在以琳家裡等席夢下班才去接回來。以琳•皮雷瑟這人性情隨和開朗，骨架子大，老是給強納森男人婆的感覺，只是，以琳恐怕是最不男人婆的一個。她自己也有兩個年紀還小的孩子，她在楓丹白露的那一棟房子裡的蕾絲花邊杯墊和薄紗窗簾，可是比誰家裡都要多。無論如何，她這人向來大方，不吝匀出時間、借人車子，看到崔凡尼一家人禮拜天要回內穆爾，往往還會自告奮勇要開車送他們去。席夢性子拘謹，當然從沒答應過一次，因為內穆爾那邊到底是自家人定期的聚會。也因此，有幸讓以琳•皮雷瑟幫一次忙，一起去買沙發，就不必太不好意思了。而以琳對這一次要去買沙發，興致之高，不下於任何人，好像這沙發是要放她家裡似的。

他們有兩套長沙發可以選，兩套都是舊框架剛換上全新的黑色皮面。強納森和席夢喜歡大的那一套，強納森也講價講到三千法郎，殺掉五百。強納森知道這樣的價格算是撿到便宜，因為他看到同樣大小的沙發，在廣告上打出來的價格是五千法郎。但是，原本看起來很大的一筆數目，三千法郎，幾乎是他和席夢兩人一個月收入的總和，這時候在強納森看，卻像微不足道的小錢。真奇妙！強納森想，只不過略有一點小錢，竟然這麼快就可以適應。

連以琳看見他們要買的沙發，一樣眼睛一亮，以琳的家比起崔凡尼他們可是富裕許多。強納森注意到席夢甚至一時都還不知道要怎麼說，好把這一件事順利打發掉。

「強在英國有親戚送了他一筆錢，不多，但——我們想用來買一點好東西。」

以琳點頭表示同意。

很順利嘛，強納森暗想。

隔天晚上，吃晚餐前，席夢跟強納森說，「我今天經過高席耶的店，就進去打了一聲招呼。」

強納森馬上提高警覺，因為席夢講這話的口氣不太對勁。強納森正在喝蘇格蘭威士忌加水，看晚報。「喔，那——」

「強——會不會是那個雷普利先生跟高席耶說——說你活不了多久了？」席夢的聲調放得很輕，不過喬治已經上樓了，可能在他的臥室裡。

是不是席夢去找高席耶開門見山問個清楚，而高席耶也承認了？強納森不知道高席耶會是怎樣的反應，被人這樣開門見山問這種問題——但席夢的性格可是溫和但堅定，不問出結果不會干休。「高席耶跟我說，」強納森開口回答席夢的問題，「呃——欸，我跟妳說過了，他不肯說是誰跟他說的。所以我也不知道。」

席夢盯著強納森看。她正坐在那一張漂亮的黑皮長沙發上，長沙發前一天一進門，就讓他們家起居室的氣氛完全改觀。強納森在想，席夢這時候可以坐在這樣的沙發上，也是因為雷普利的關係。只是，就算如此，也沒辦法讓強納森的心情好過一點。

「高席耶跟你說是雷普利說的？」強納森問席夢，還擺出驚訝的口氣。

「喔，他沒說，但我直接問他——是不是雷普利先生。我把雷普利的長相說給他聽，就是我們那一天在音樂會上看到的那人。高席耶知道我在說誰。你好像也知道——知道他叫什麼。」席夢喝一口她手上的「仙山露」。

強納森猜席夢的手應該在微微發抖。「當然有可能是他，」強納森說時聳一聳肩膀，「妳忘了啊？高席耶那時跟我說，不管是誰跟他說的——」強納森擠出一聲笑來，「唉，怎麼這麼多風言風語！反正，高席耶那時候說，不管是誰跟他說的——那人說過他也可能聽錯了，或說的人說得太誇張了——親愛的，這一件事真的忘掉比較好。去怪不認識的人，很笨。小題大作，一樣不聰明。」

「是這樣沒錯，但是——」席夢把頭一歪，嘴唇一撇，表情有一點刻薄，強納森以前只看過她一、兩次這樣。「但怪的是真的就是雷普利嘛。我知道是他。但不是高席耶跟我說的，不是。他沒說，但我看得出來……強？」

「我在聽，親愛的。」

「是因為——雷普利那人簡直跟壞蛋沒兩樣——搞不好他真的就是壞蛋。很多壞蛋都沒被抓到，你也知道。就是因為這樣，我才要問。我問你。你是不是——那些錢，強——你是不是因為怎樣，才從這個雷普利先生那邊弄到這些錢的？」

強納森逼自己直視席夢，覺得他好不容易弄到手的東西，他一定要保住，但這一筆錢和雷普利的關係真的很深，所以他若說沒關係，就是撒謊。「怎麼會呢？親愛的，他幹嘛要給我錢呢？」

「就因為他是壞人嘛！天知道是什麼事情？他和那些德國醫生到底有什麼關係？你講的那些醫生真的是醫生嗎？」席夢的口氣愈來愈激動，臉頰也開始泛紅。

強納森蹙一下眉頭。「親愛的，培里耶醫生那裡不是有我的兩份檢查報告？」

「這些實驗很危險的，強，要不然他們付你那麼多錢幹什麼？對不對？——我覺得你一直沒跟我把全部的事都說清楚。」

強納森輕聲笑了一下。「湯姆‧雷普利他啊，那個無事忙先生——總之他是個美國人，他和德國的醫生能有什麼關係？」

「你去德國另外找醫生看，是因為你怕你沒多久好活了。而跟別人說你沒多久好活的人，就是雷普利——我知道一定是他。」

喬治咚咚走下樓梯，嘴裡還在跟他拖在腳邊的玩具講話。喬治這時是在他自己的想像世界裡，但終歸人到了起居室，離他們幾碼而已，強納森看到喬治下樓一時慌了手腳。他沒想到席夢竟然自己挖出了那麼多事情！怎麼可能？他當下的衝動就是否認，全都否認到底，不管一切否認到底。

席夢在等他開口回答。

強納森說，「我不知道是誰跟高席耶講我的事的。」

喬治站在起居室的門口了。這時喬治來到這裡，反而讓強納森鬆了一口氣，因為夫妻倆的對話就到此為止。喬治來問他窗戶外的那一棵樹。強納森沒在聽，就留給席夢去回答兒子的問題。

晚餐時，強納森覺得席夢還是不太相信他的話，她是想要相信，但就是沒辦法信。不過，席夢的神態已經回復到她平常的模樣（可能是因為有喬治在場的關係吧），沒在生悶氣或冷冰冰。但氣氛強納森怎樣就是覺得不對。而且，強納森發現，除非他拿得出更明確的說法，解釋清楚德國醫院何以要另外給他這麼些錢，這樣的氣氛還會繼續下去。但強納森又恨他不得不說謊，誇大他病情的危險，就為了幫這一筆錢的來路解套。

強納森甚至還想席夢說不定會自己跑去找湯姆・雷普利問個清楚。她怎麼不能打電話找他呢？約個時間不就可以當面問了嗎？強納森在心底強行打消這般的思緒。席夢又不喜歡雷普利那人，她才不會想要靠近雷普利一步。

同一禮拜，湯姆・雷普利進了強納森的店。他的畫已經裱好幾天了。雷普利到時，強納森正好在招呼一名顧客，雷普利便先去看一些靠在牆邊的現成畫框，看樣子是很願意等到強納森有空再來處理他的事不遲。好不容易那個顧客走了。

「早，」湯姆愉快打一聲招呼，「找來找去竟然不太找得到人來幫我拿畫，所以，我想就還是自己跑一趟好了。」

「沒問題，已經裱好了，」強納森回答，走到裡面去拿湯姆的畫。裱好的畫包了一層牛皮紙，但沒綁起來，上面還有標籤寫著「雷普利」。標籤是用透明膠帶貼在牛皮紙上。強納森把畫拿到櫃檯邊，「要不要看一下？」

湯姆看了很滿意，伸長手臂拿遠了欣賞。「真好看，太好了，多少錢？」

「九十法郎。」

湯姆掏出皮夾。「一切都還好吧？」

強納森知道自己先深呼吸了兩下才作出回答。「既然你問起了，」強納森從湯姆手上收下一百法郎的鈔票，還點頭為禮，順手拉開現金抽屜找錢。「我太太——」強納森朝門口看了一下，沒看到這時候有誰要進他的店來，有一點慶幸。「我太太去找高席耶問過了，他沒跟我太太說是你跟別人說我——快要死了。但我太太好像自己猜到了。我真的不知道她是怎麼猜到的。大概就是直覺吧。」

湯姆也想到過會有這情況。他也知道自己的名聲，許多人都對他有戒心，會躲著他。湯姆常覺得，若不是一般人一旦真的認識他，一旦到麗影作客一晚，都會滿喜歡他和赫綠思，也都會回請他們去作客，他的自尊啊，早就被摧毀殆盡了——一般人的自尊遇到這類情況，老早就被摧毀殆盡了。「那你怎麼跟你太太說呢？」

強納森盡量講快一點，因為能讓他講的時間可能不多。「跟我一開始講的一樣，高席耶一直不肯跟我說是誰把這一件事講出去的。高席耶真的沒講。」

湯姆也知道高席耶沒講。高席耶這人夠義氣，沒把他的名字講出來。「唔，挺住，冷靜。那我們可能不要再見面了——那一天晚上音樂會的事，很不好意思。」湯姆帶著笑補上這一句。

「也對，但是——運氣真是不好。最糟糕的是她把你和——她自己亂想的——和我們那一筆錢扯在一起。我已經把完整的金額跟她說了。」

湯姆也想到會這樣。是很討厭沒錯。「那我就不再拿畫來給你裱了。」

一個男子拿了一面很大的畫，撐在拉幅架上，在想辦法要擠進店門裡來。

「那好，先生，」湯姆用空著的手揮了揮，「謝謝，晚安。」

湯姆走出店外。崔凡尼若真的很擔心的話，湯姆想道，應該就會打電話找他。他已經叮嚀過崔凡尼不止一次。他太太竟然懷疑崔凡尼病重垂危的下流傳言是湯姆起的頭，這對崔凡尼來說是運氣不好，而且還很麻煩。但話說回來，要把崔凡尼那一筆錢和漢堡、慕尼黑的醫院連起來，已經不容易了，再要和兩名黑手黨的命案連起來，更難。

禮拜天早上，席夢在花園曬衣服，強納森和喬治正在拿石頭給花圃砌邊，門鈴響了。是他們的鄰居，年約六十的老婦人，強納森一時說不準她姓什麼——德拉特還是德蘭布爾？老太太神情哀傷。

「不好意思，崔凡尼先生。」

「請進。」強納森請老太太進門。

「高席耶先生出事了，你聽到消息了嗎？」

「沒有。」

「他昨天晚上被車撞，死了。」

「死了？——在楓丹白露這裡被撞的嗎？」

「他半夜的時候從朋友那裡要回家，住教區路的一個朋友。你也知道，高席耶先生住在共和路，就在羅斯福大道旁邊，那邊那個十字路口有一塊小小的三角形草坪、有紅綠燈那邊。有人看到是誰撞的，兩個男生坐在車裡。他們闖紅燈，就撞到高席耶先生，還撞了就跑，停都沒停！」

「天哪！——妳要不要坐一下？太太——」

席夢回屋裡來了，走到玄關。「啊，早啊，德拉特太太！」席夢和老太太打招呼。

「席夢，高席耶死了，」強納森說，「被車撞，肇事逃逸。」

「兩個男的，」德蘭特太太說，「都沒停！」

席夢倒抽一口氣。「什麼時候？」

「昨天晚上，他們送他到這裡的醫院時已經沒救了，大概半夜的時候。」

「你要不要進來坐一下，德拉特太太？」席夢問道。

「不用了，不用，謝謝妳，我還要去看個朋友，莫克太太。不知道她知道了沒有？我們都跟他很熟啊，妳知道吧？」老太太泫然欲泣，把菜籃子往地上擱，伸手拭淚。

席夢緊緊握住老太太的手，「謝謝妳來跟我們說，德拉特太太，妳人真好。」

「葬禮訂在禮拜一，」德拉特太太說，「在聖路易教堂。」老太太說完就轉身告辭。

但強納森好像一時沒把老太太的話聽進去。「她是哪一位？」

「德拉特太太，她先生是水電工。」席夢回答，好像強納森應該要知道才對。

強納森他們家沒請德拉特家幫他們處理水電的事。高席耶死了，強納森想，那他的店怎麼辦？強納森愣愣看著席夢，兩人都還站在窄窄的玄關裡。

「死了，唉。」席夢嘆了一聲，伸手抓住強納森的手腕，但避開眼睛。「我們禮拜一要去參加葬禮才對，你知道吧？」

「當然。」天主教葬禮。這時候用的全是法語了，不再用拉丁文。強納森想到一個個鄰居，不論識與不識，都會走進點滿蠟燭的清冷教堂。

「肇事逃逸，」席夢又說了一句，直挺挺走過走廊，忽然側過頭跟強納森說，「真糟糕！」

強納森跟在她後面穿過廚房，走出後門來到花園。回到陽光下，真好！

席夢的衣服已經全都晾好，她再把晾在曬衣繩上的幾件衣物拉直，才拿起空空的洗衣籃。

「肇事逃逸。——你想真的是這樣嗎？強？」

「她不說是肇事逃逸的嗎？」強納森和席夢兩人都壓低了聲音，強納森還是有一點恍惚，但他知道席夢在想什麼。

席夢拿著洗衣籃朝強納森靠近一步，然後比手勢要強納森往後門小門廊的台階走，好像隔了一道圍牆的鄰居們全聽得到似的。「你想他會不會是被人故意開車撞死的？像有人花錢雇人把他弄死？」

「為什麼？」

「因為說不定他知道什麼事啊，這就是為什麼。有沒有可能？——要不然怎麼會一個單單純純的人忽然就被人這樣子撞死——不小心撞死？」

「因為——這世界就是會有這樣的事嘛。」強納森回答席夢。

席夢搖頭。「你難道不覺得雷普利先生跟這一件事脫不了關係？」

強納森注意到席夢好像有一肚子無可理喻的怒火。「怎麼可能！我才不覺得。」強納森還願意拿他的命去賭湯姆‧雷普利和高席耶之死沒有一點關係。強納森才要開口說，就覺得他的反應好像太強了——而且，換個角度看，拿他的命作賭注也有一點滑稽。

席夢從強納森身邊走開，進屋裡去，但才要走過他身邊，忽然停下來。「高席耶是沒跟我把事情說得很清楚，強，但他一定知道一些事情。我感覺得出來他知道一些事情。——我也覺得他是被人故意撞死的。」

席夢只是太震驚了，強納森想，他自己也是。席夢講的這些，都是不假思索的話而已。強納森跟在席夢後面走進廚房。「那他是知道些什麼？」

席夢把洗衣籃收進牆角的櫃子裡。「問題就在這裡，我不知道。」

15

皮耶・高席耶的葬禮在禮拜一早上十點於聖路易教堂舉行，聖路易教堂是楓丹白露最大的教堂。教堂坐滿了人，連教堂外面的人行道也站了人，人行道邊停了兩輛黑色大汽車等在那裡——一輛是黑得發亮的靈車，一輛是廂型車，供沒車的親友搭乘——四下不勝淒涼。高席耶是鰥夫，沒有子女。強納森只希望他還有兄弟姊妹或侄子、侄女之類的親屬。雖然來了這麼多人，但是葬禮給人的感覺還是相當孤寂。

「你知道他的義眼掉在街上嗎？」教堂裡坐在強納森身旁的人，低聲向強納森說，「車子撞到他時掉出來的。」

「喔？」強納森輕輕搖頭，不勝同情。和他講話的這人是一家店的老闆，強納森認得他的長相，但想不起來是哪一家店。強納森腦中浮現高席耶那一隻義眼掉在黑色的柏油路面，說不定這時候已經被車子壓碎，也說不定被哪個小孩在水溝裡撿了去。那一隻義眼的背面是什麼樣子？

搖曳的燭火閃著黃白不定的光，照不亮教堂黯淡的灰色牆面。這一天是陰天。神父用法語誦唸葬儀的悼辭，高席耶的靈柩擺在祭壇前面顯得好短，好厚。至少高席耶身後還有幾位家人，還有那麼多朋友。席間有不少女性、幾名男性都在拭淚。其他人低聲交頭接耳，好像彼此的細語比臺上神父唸的悼辭更能撫慰他們哀傷。

幾聲輕輕的鈴聲傳來，像是排鐘。

強納森朝右邊看向走道另一邊的一排排椅子，眼光忽然落在湯姆・雷普利的側影上面。雷普利直視前方的神父，神父又開始祝禱，雷普利的模樣十分專心，緊跟著神父主持的儀式。他的長相夾在滿座的法國人中十分突兀。真的嗎？會不會僅只是因為強納森認得湯姆・雷普利的緣故？雷普利怎麼會來參加高席耶的葬禮？強納森緊接著又想，搞不好雷普利只是在裝樣子？他會不會跟席夢想的一樣，和高席耶被撞脫不了關係？甚至是他花錢找人來弄成肇事逃逸的？

大家全站起來魚貫走出教堂，強納森很想要避開湯姆・雷普利，但又覺得避開雷普利最好的方法就是不要故意去避，尤其是不要再朝他那方向看過去。但是才走到教堂大門前面台階，湯姆・雷普利忽然從強納森和席夢身邊冒出來，跟他們打招呼。

「早啊，」雷普利用法語打招呼。他脖子上繞了一條圍巾，最外面套了一件暗藍色雨衣，「日安，太太，很高興遇到兩位，兩位和高席耶都是老朋友吧，我想。」

三人正沿著台階往下走，夾在人群裡，而且因為人很多，擠得不太好維持平衡。

「啊，」強納森回答，「他是我們那一帶一家店的老闆，你知道，很好的人。」

湯姆點頭。「我今天早上還沒看報，是我在莫黑的一個朋友打電話給我——才跟我說的。警方查出來是誰幹的嗎？」

「還沒聽說，」強納森回答，「只知道是兩個男的。妳聽說了別的沒有？席夢？」

席夢搖頭，她頭上披了黑紗。「沒有，什麼都沒聽說。」

湯姆再點頭。「我原以為你們會聽說什麼呢——你們住得比我近。」

湯姆・雷普利看起來是真的很關心，強納森想，不像是裝出來給他們看的。

「我要去買報紙。——你們要到墓園去嗎？」湯姆再問。

「不去，我們不去。」強納森回答。

湯姆再一次點頭。三人這時已經往下走到人行道上。「我也不去。我會很想念高席耶這老朋友的。真不幸——很高興遇到你們。」雷普利輕笑一下，便轉身離開。

強納森和席夢繼續往前走，繞過教區路的轉角，往回家的方向去。相識的鄰居見到了都頷首為禮，微笑招呼，有的會說，「早啊，太太，先生，」平常的日子一般倒還不會這樣。有汽車在發動引擎，準備跟著靈車一起到墓園去——強納森想起來，楓丹白露的墓園就在楓丹白露醫院後面，他常去那一家醫院輸血。

「日安，崔凡尼先生！太太！」是培里耶醫生，和平常一樣輕鬆愉快，興高采烈的程度比起平常也沒減多少。他一把抓住強納森的手行握手禮，同時略向席夢彎一彎腰。「真糟糕，啊？……沒有、沒有、沒有！他們還沒找到那兩個開車的人。但有人說車子掛的是巴黎的車牌。黑色的雪鐵龍DS系列，警察他們只知道這樣。……還有，你覺得怎樣啊？崔凡尼先生？」培里耶醫生臉上的笑充滿信心。

「老樣子，」強納森回答，「馬馬虎虎。」幸好培里耶醫生馬上就走了，強納森心裡暗喜，因為他知道席夢以為他常去找培里耶醫生拿藥兼打針，但他至少已經兩個禮拜沒去找培里耶醫生了，前一次去，也就是把他在店裡收到的施洛德醫生寄來的檢查報告，送到培里耶醫生那裡。

「我們也要買報紙來看才好。」席夢說。

「轉角就有。」強納森回答。

兩人買了報紙，強納森站在人行道上翻起報紙，因為高席耶葬禮離開的人群還沒全散，所以人行道上還是有一點擠。強納森在報上看到，前一禮拜六晚間於楓丹白露街上，「年輕混混囂張犯下卑劣惡行」。席夢湊在強納森肩頭跟著一起看。週末的報紙還來不及登出事情的始末，所以這還是強納森和席夢看到的第一則報導。有人看到一輛深色的大型車，車裡坐了至少兩名年輕人，但沒提到巴黎車牌的事。該一車輛肇事後朝巴黎方向疾駛，但待警方趕往追捕，該一車輛已經逃逸無蹤。

「真可怕！」席夢說，「不常有這樣的事，你知道吧，法國不常有這種撞了人就跑的事……」

強納森從席夢的話裡嗅到了一絲沙文的氣息。

「所以我才會懷疑嘛——」席夢聳一下肩膀，「當然我也可能全都說錯，但像雷普利這樣的人，居然也跑來參加高席耶先生的葬禮，還真有他的！」

「他——」強納森沒再講下去。他原本要說湯姆．雷普利這時候當然會關心，到底他的美術用品都是從高席耶的店裡買的，但才要說出口，就忽然想到這樣的事他不會知道才對。「妳說『真有他的』是什麼意思？」

席夢又再聳肩，強納森知道她這時候不會有心情回答他這問題。「我只是想，雷普利說不定從高席耶先生那邊知道我去問過他，問他是誰跟外面的人講你的病的。我跟你說過我覺得那人就是雷普利，雖然高席耶沒說是誰。結果，現在——這樣——高席耶忽然不知怎麼回事就死了。」

強納森沒吭聲。兩人已經走到聖梅希街不遠處。「但那一件事，親愛的——妳不覺得根本就不值得為那樣的事去殺人，對不對？理性一點。」

席夢忽然想起要買一點東西回家做午餐，便走進一家熟食店，強納森留在人行道上等她。有那麼幾秒的時間，強納森清楚知道——以另一種方式，像是透過席夢的眼睛在看——他做了什麼：他用槍殺了一名男子，再幫著別人殺掉另一名男子。強納森原本找了個藉口，跟自己說這兩人本來也就是黑道的殺手，也都殺過人。但席夢當然不會這樣子去看。畢竟那兩人終歸也是人。席夢已經夠氣了，因為湯姆・雷普利很可能買凶殺了高席耶——只是可能而已。所以，她若知道自己的丈夫曾經親手扣下扳機——強納森變得這麼敏感，會不會是因為剛才那一場葬禮？葬禮雖然愛說來世多麼美好，但終究是在禮讚生命的神聖。強納森微微一笑，覺得相當嘲諷，神聖這個詞——

席夢從熟食店走出來，手上捧著幾包東西走得有一點吃力，她的購物袋沒帶在身上。強納森趕忙接過兩、三包東西幫忙拿，兩人一起走路回家。

神聖。強納森已經把那一本黑手黨的書還給瑞夫斯。唉，若他對自己做過的事真有良心的譴責的話，那就想一想這一本書裡的幾個殺人魔頭好了。

然而，強納森跟在席夢後面爬上屋前台階時，心裡還是不無恐懼。因為席夢這時候對雷普利的敵意實在很深。席夢從來也沒多喜歡高席耶，高席耶的死對她的影響絕對不會這麼大。席夢會有這樣的態度，是第六感加傳統的道德觀加妻子要保護丈夫的本能，才有以致之。她相信強納森不久人世的傳言是雷普利起的頭，強納森也看得出來大概沒有什麼事可以動搖席夢的看法，因為他實在也很難找到另一個人來當起頭造謠的人，尤其高席耶這時候人也死了，強納森若要再捏造出另一個源頭來，還真沒人可以幫他背書呢。

湯姆在他的車裡把黑色的圍巾拿掉，就開車南下朝莫黑和他家的方向開去。席夢對他敵意這麼強，真是遺憾，席夢竟然懷疑高席耶是他買凶殺害的！湯姆用儀表板上的打火機點起一根菸。湯姆開的是他那一輛紅色的愛快羅密歐；他想到席夢懷疑他，就有一股衝動要用力踩下油門飆到高速，但覺得小心為要，還是把速度放慢。

高席耶的死絕對是意外，湯姆敢打包票。很討厭、很不幸的事沒錯，但意外終歸就是意外，除非高席耶牽扯到湯姆都還想不到的怪事。

一隻很大的喜鵲俯衝飛越馬路，襯著淺綠的低垂柳樹十分漂亮。大陽已經露臉，湯姆想在莫黑停一下買一點東西好了——安奈特太太好像總是缺這、缺那，要不然就是可能會要這、要那——但是，湯姆這一天卻想不起來安奈特太太說過她要什麼來著？他自己其實也沒多想要買東西。前一天打電話跟他說高席耶過世的人，是莫黑那邊幫他裱畫的老闆。湯姆一定不知什麼時候跟他提過他的顏料是在楓丹白露高席耶的店裡買的。湯姆把腳搭在油門上一踩，超過一輛大卡車，再超過兩輛雪鐵龍，沒多久，他的愛快羅密歐就飆到了往維勒佩斯的叉路。

「啊，湯姆，你有一通長途電話，」湯姆一走進家門出現在起居室，赫綠思便跟他說。

「哪裡打來的？」湯姆心裡有數，可能是瑞夫斯。

「德國吧，我想。」赫綠思走回大鍵琴前。大鍵琴這時候已經佔去他們家落地窗前的上上座。

湯姆看見赫綠思在研究的是巴哈的「夏康」（chaconne）舞曲高音部。「會再打來嗎？」湯姆問道。

赫綠思回頭看向湯姆，一頭飄逸的金色長髮迴盪出一個大弧。「我不知道欸，寶貝，跟我講話的人是接線生，因為是指名的叫人電話。打來了！」赫綠思還沒全講完，電話鈴就響了。

湯姆往樓上衝進他的臥室。

接線生確認他是雷普利先生後，瑞夫斯的聲音就上線了。「喂，湯姆，你現在方便講話嗎？」瑞夫斯這一次的口氣比上一次要沉著一點。

「可以，你在阿姆斯特丹？」

「對。我這裡有一點消息，報上沒登，但我想你應該會想知道。那個保鏢死了，你知道嘛，就是那個送回米蘭的保鏢。」

「誰說他死了的？」

「喔，我從漢堡那邊的一個朋友聽來的，一般都還滿可靠的朋友。」

黑手黨他們最會放這樣的消息了，湯姆心想，沒看到屍體他才不相信那人真的死了。「還有別的消息嗎？」

「我覺得對我們那朋友應該算是好消息吧，我是說那保鏢死了的事。」

「是，我懂。瑞夫斯，那你還好嗎？」

「啊，還沒死就是了。」瑞夫斯擠出一聲乾笑。

「還有，我在安排把我的東西送到阿姆斯特丹這邊來，我滿喜歡阿姆斯特丹這裡的，感覺比漢堡那裡要安全多了。喔，還有一件事，我那朋友，佛立茲，他打電話給我了，從蓋碧那裡要到號碼的。他現在待在他親戚家裡，漢堡附近的小鎮。但他被打得很慘，掉了幾顆牙，可憐的傢伙。那些豬把他揍得半死，逼他說……」

大概就是這麼回事了，湯姆心想，對這個他不認識的佛立茲一時覺得好同情——瑞夫斯的司機，或說是幫他跑腿送貨的吧。

「我們那朋友佛立茲啥也不知，只知道『保羅』這名字，」瑞夫斯再往下講，「還有，佛立茲跟他們說的長相全相反，深色頭髮，矮矮胖胖的，但我想他們恐怕也不會真的相信。佛立茲處理得不錯，你想想看他們會怎麼對付他就知道了。他說他的說法從頭到尾都沒變過——像我們那朋友的長相，他也就只知道他的長相而已。我倒覺得真的有麻煩的人是我。」

這倒是真的，湯姆暗想，因為義大利人他們還知道瑞夫斯長得什麼樣子，絕對知道。「這消息很有意思，但我想我們兩個也不能這樣講上一整天，老弟，你就直說你在擔心什麼吧。」

瑞夫斯長嘆一口氣，隔著話筒清晰可辨。「我在煩惱怎麼把東西弄到這裡來。我寄了一點錢給蓋碧，她會幫我把東西寄過來。我也通知銀行那邊了，等等的事。我還在臉上留鬍子呢。當然我現在用的是——另一個名字。」

湯姆本來就想過瑞夫斯應該會改用另一個名字，也會改用他的另一本假護照。「那你現在叫——」

「安德魯・魯卡斯——維吉尼亞州人。」瑞夫斯說時還像在笑般「哈」了一聲。「還有，你見過我們那朋友沒有？」

「沒有，我為什麼要見他？——欸，安迪，你要隨時讓我知道情況怎樣。」湯姆知道瑞夫斯若有麻煩，一定會打電話找他——若他還有辦法打電話的話，因為瑞夫斯這人老是覺得他不管遇到什麼麻煩，湯姆・雷普利都有辦法助他脫離苦海。不過，湯姆要知道瑞夫斯有沒有麻煩，倒主要是為了崔凡尼的緣故。

「一定，湯姆。喔，還有一件事！狄史泰法諾家有一個人在漢堡被做掉了！禮拜六晚上的事。報上可能看得到也可能看不到。準是吉諾蒂家的人幹的。我們就是要這樣……」

瑞夫斯終於掛掉電話。

黑手黨若找上躲在阿姆斯特丹的瑞夫斯，湯姆心想，也準會動手逼供，要瑞夫斯透露詳情。湯姆不太相信瑞夫斯有辦法像他說的佛立茲那樣挺得住不說。湯姆也在想，不知是狄史泰法諾家還是吉諾蒂家逮到了佛立茲？佛立茲可能只知道第一件事，也就是漢堡捷運站槍殺的那一件。死者不過是圍事的打手一級。吉諾蒂家那一邊的火氣可能就要大得多了：因為他們死的可是頭目那一級。而且，這時候也已經傳出多死了一個打手或保鏢。那麼，兩大黑幫到現在難道都還沒搞清楚，兩件命案都是瑞夫斯和漢堡的地下賭場那一幫人搞出來的？根本不是什麼黑幫火併？所以，他們會解決瑞夫斯嗎？湯姆覺得瑞夫斯若真需要保護的話，他還根本就沒本事保護瑞夫斯。他們要對付的若是單槍匹馬的一個人，那簡單！但是，黑手黨，那可是數也數不完的人。

瑞夫斯最後還說他是在郵局打的電話，起碼比從旅館打要安全一點。湯姆這就想起瑞夫斯前一通話不是從一家叫「須德海」的旅館打的嗎？湯姆記得是。

樓下傳來大鍵琴澄澈的琴音，像是另一世紀送來的訊息。湯姆走下樓，赫綠思可能會要他說一說葬禮的情況，說一說他的感覺，只是他先前問她要不要一起去時，她說她參加葬禮心情會變得很差。

強納森站在家裡的起居室，從前面的窗口朝外看。時間才過正午十二點，他已經打開家裡的手提收音機準備聽午間新聞，但這時候收音機播的是流行音樂。席夢在花園和喬治玩。強納森和席夢去參加葬禮時，喬治一人留在家裡。收音機傳來了男聲在唱「奔跑在……奔跑在……」，強納森看到對面的人行道有一隻小狗跟在兩個小男孩身後蹦蹦跳跳，看起來像德國牧羊犬。強納森心頭忽然湧現世事如煙的惆悵，任何事，人生的一切，全都轉瞬即逝——不止這一條小狗，不止這兩個小男孩，不止他們身後的房子，世間的一切，強納森覺得全都會毀敗，全都會腐壞，形體終將消逝，甚至永遠遺忘。強納森想起躺在棺木裡的高席耶，說不定這時候正被人往下放進墓穴——想到這裡，他的思緒忽然從高席耶轉到他自己。他連眼前走過去的那一隻小狗活蹦亂跳的精力都沒有。若他還有過鼎盛的時期，應該也早就過了。太遲了，強納森僅剩的人生，他覺得自己再也無力享受。他想要關掉他那一爿小店，賣掉或送人都好——又有什麼差別？但再一細想，他也不可以和席夢就這樣把錢隨便花掉，因為，等他死後席夢和喬治還會有什麼呢？四萬英鎊也不算多少錢。強納森覺得耳鳴得厲害，他沉著作了幾次很慢的深呼吸。強納森想把面前的窗戶拉起來，卻使不出力氣，他轉頭面向起居室中央，卻覺得兩條腿異常沉重，不太聽他使喚。而且，這時耳鳴已經將收音機裡的音樂完全蓋過。

強納森醒過來時，正躺在起居室的地板上，全身冷汗，一片冰涼。席夢跪在強納森身邊，輕輕拿一條濕毛巾從他的額頭往下擦他的臉。

「親愛的，我剛才才發現！你還好嗎？——喬治，沒事，爸爸沒事！」但是席夢的口氣掩不住驚恐。

強納森再把頭放回地毯。

「要不要喝水？」

強納森努力從席夢捧來的杯子裡喝了一點水，便再躺回地毯上。「我看我要在這裡躺上一個下午了！」強納森的聲音還要和耳朵裡的耳鳴打架。

「我幫你把這個拉好，」席夢把強納森壓在身子底下的外套拉直。

這時，有東西從強納森的外套口袋掉了出來。強納森看到席夢撿起那東西，接著，席夢的眼睛投向強納森，滿是憂慮。強納森還是硬睜開眼睛，集中在天花板上，因為他一閉上眼睛感覺就更糟。幾分鐘過去，幾分鐘都沒有聲音。強納森倒不擔心，因為他知道他還撐得下去，這還不是死期到了，只是昏過去一陣罷了。或許跟死去算是近親吧，但死去不太會是這樣。死神有的恐怕是更甜蜜、更誘人的召喚，像一股大浪從岸邊捲去，不小心游得太遠的泳者腳跟瞬間被大浪纏住，而且，不知怎麼搞的，泳者也忽然沒有了掙扎的意志。席夢從強納森身邊走開，也催喬治跟她走。席夢再回來時，手上多了一杯熱茶。

「我放了很多糖，會有幫助。你要不要我打電話給培里耶醫生？」

「不用了，親愛的，謝謝妳。」強納森喝了幾口茶，終於勉強回到沙發坐下。

「強，這是什麼？」席夢舉起一本小小的藍色簿子問強納森。那是瑞士銀行的存摺。

「喔——那啊——」強納森輕輕甩一下頭，想要腦筋清楚一點。

「這是銀行存摺，對不對？」

「欸——對。」裡面的餘額有六位數，超過四十萬法郎，尾巴有一個「f」，表示幣值是法郎。他也知道席夢一定已經看過簿子裡面了，不知情之下看的，因為以為記的是家裡的開銷，像是兩人共有的帳冊之類。

「裡面說是法郎，法國法郎嗎？——你哪裡來的這些錢？這些錢是怎麼來的？強？」

金額是法郎沒錯。「親愛的，那有一點像預付款——德國醫生那邊給的預付款。」

「可是——」席夢不解，「是法國法郎，對不對？這樣的數目！」席夢怪笑一聲，很緊張。

強納森覺得臉上忽然有了暖意。「我跟妳講過錢的事了，席夢。當然——我知道金額不小，所以我不敢一次跟妳全講清楚。我——」

強納森的皮夾就放在沙發前的矮桌上，席夢把藍色小簿子小心擺在強納森的皮夾子上面。接著，席夢把寫字桌前的椅子拖過來，自己坐下，側座，一手抱住椅背。「強——」

喬治忽然站在起居室門口，席夢馬上站起來，動作堅定，抓住喬治的肩膀要他轉身。「我的小寶貝，爸爸和媽媽有事情要談。你去那邊玩一下，不要過來。」席夢回來後，靜靜跟強納森說，「強，我不相信你說的。」

強納森聽得出來席夢的聲音在發抖。雖然金額真的嚇人一跳，但這不止是金額的問題而已，還包括他最近這一陣子一直偷偷——偷偷去德國。「呃——妳一定要相信我，」強納森說時，覺得身上的力氣回來一些了，便站起來。「真的是預付款，他們覺得我應該用不到，我沒時間了。但妳用得到。」

席夢對強納森臉上的笑沒反應。「錢是在你的名字下面——強，不管你在做什麼，你都沒跟我說實話。」席夢說到這裡就靜靜等強納森跟她說實話，等了好幾秒，但強納森沒開口。

席夢走出起居室。

午餐吃得像在盡義務，沒怎麼說話。強納森看得出來喬治滿肚子疑問。強納森也想得出來之後幾天會怎樣——席夢或許不會再拿這一件事來問他，但會很冷淡，等他自己跟她講實話，或作解釋——就看他怎麼解釋吧。屋裡有好長的時間都沒聲音，兩人在床上也不再有魚水之歡，不再有濃情蜜意或笑語琅琅。他一定要另外給個說法，更好一點的說法。但是，就算他說因為德國醫生那邊作的實驗療法可能會有喪命的風險，所以他們才給他那麼大一筆錢，這樣說得過去嗎？未必。強納森知道，他這一條命還沒那兩個黑手黨值錢。

16

禮拜五早上天氣清爽怡人，小雨和陽光每隔半小時左右換班露臉，湯姆暗歎，正合花園的需要呢。赫綠思開車到巴黎去了，因為法布街有一家精品店在辦女裝大拍賣，不過，湯姆覺得赫綠思回來時應該也會多一條「愛馬仕」的圍巾還是什麼別的。湯姆坐在大鍵琴前面彈〈郭德堡變奏曲〉（Golberg）的低音部，要把指法記在腦子和手上。他買下大鍵琴的同一天，也在巴黎買了幾本樂譜，湯姆知道這一首變奏曲聽起來應該要怎樣才對，因為他有蘭道芙絲卡（Landowska）的錄音。湯姆彈到第三或第四遍，才覺得自己有一點進步，電話鈴卻響了。

「喂？」湯姆接起電話。

「喂——啊——請問是哪一位？」男子的聲音，用的是法語。

湯姆還沒回過神來，遲疑了片刻才想到不太對。「你要找哪一位？」湯姆反問的口氣一樣很客氣。

「安奎廷先生在嗎？」

「不對，他不住這裡，」湯姆回答的話音剛落，便把話筒放回話機。

這男的法語腔調挑不出毛病——對吧？但義大利人他們也可以找一個法國人來幫忙打電話，

要不然也有義大利人的法語口音聽不出來外國腔的。——還是他太緊張？湯姆眉心一蹙，回頭面向大鍵琴和落地窗，雙手往屁股口袋一插。吉諾蒂家會不會已經在瑞夫斯落腳的旅館裡找到了他？這時候已經在拿他的通訊錄一一打電話查證？若是這樣的話，那打電話來的人聽到他的回答，絕對覺得事有蹊蹺。因為一般人接到打錯的電話，應該會說：「你打錯了，這裡是某某某家。」陽光從窗戶流洩進來，像液體穿過紅色的窗簾，灑落地毯，湯姆覺得流洩的陽光渾似琶音在他耳邊輕奏——這一次可能就是蕭邦的曲子。想到這裡，湯姆忽然發覺自己其實不太敢打電話到阿姆斯特丹去問瑞夫斯怎樣了。剛才那一通電話可不太像長途電話，不過這種事也很難說一定要怎樣。也可能是從巴黎打來的，阿姆斯特丹也可以，米蘭也可以。湯姆的電話沒有登記在電話簿裡。接線生不可能跟人講他的姓名和地址，但從電信局那裡——最前面的三個號碼四二四——倒很容易讓人找到他這一區，若對方真心要找的話。湯姆住的這一帶劃歸在楓丹白露區。湯姆知道黑手黨應該不會找不出湯姆・雷普利住在楓丹白露區，甚至能找出他就住在維勒佩斯這一座小村，因為德瓦特那一件事上過報，湯姆的照片也是，時間還不過是六個月前。只是，這一切當然大部分要看那另一個保鏢怎樣了，而他可還活得好好的，毫髮無傷，那一天在列車前前後後找他的老大和兄弟。這一個就很可能把坐在餐車裡的湯姆長相記得很清楚。

湯姆再回頭去練習〈郭德堡變奏曲〉，彈著彈著電話鈴又響了。湯姆想道，這比前一通要晚了十分鐘有。這一次他一定要說他這裡是羅伯・威爾森公館。他的美國口音又藏不住。

「喂？」湯姆接起電話用法語回答，口氣透著不耐。

「喂？」

「喔，喂。」湯姆聽出這是強納森‧崔凡尼。

「我有事要見你一下，」強納森說，「你有時間嗎？」

「有，沒問題——今天嗎？」

「你若方便的話，就今天。我沒辦法——午餐那一陣子我沒辦法，不好意思。今天晚一點可以嗎？」

「晚上七點左右？」

「六點半最好。你可以到楓丹白露來一趟嗎？」

湯姆和強納森約好在薩拉曼多酒吧見面。湯姆猜得出來是什麼事：強納森沒辦法跟他太太把錢的事情說清楚。強納森聽起來很擔心，但還沒有多焦急。

下午六點，湯姆開雷諾車上路，他的愛快羅密歐被赫緣思開出去還沒回來。赫緣思打過電話回來，說她要去找諾愛爾喝一杯雞尾酒，說不定晚餐也在諾愛爾那邊解決。還有，她在「愛馬仕」買了一個漂亮的行李箱，大減價嘛。赫緣思向來認為大減價的時候買得愈多，省得也就愈多，這樣才經濟實惠，是美德。

湯姆到了薩拉曼多時，看到強納森已經先到了，就站在櫃台旁邊喝黑啤酒——湯姆猜，說不定是惠布雷（Whitbread）的老牌淡啤酒。這一天晚上酒吧裡特別熱鬧、特別吵，所以，湯姆想他們待在櫃台旁邊講話應該不會有問題。湯姆朝強納森點頭打招呼，微笑示意，也幫自己點了一杯同牌子的黑啤酒。

強納森跟湯姆說明狀況。席夢看到瑞士存摺了。強納森跟席夢說錢是德國醫生給的預付款，因為他吃他們的藥不是沒有風險，這樣一筆錢等於是他的賣命錢。

「但她不太相信，」強納森笑了一下，「她甚至說我可能是到德國去假冒什麼身份幫一群黑道弄到一筆繼承來的錢——大概這意思吧——瑞士銀行的錢便是我分到的那一份。或我幫誰作偽證之類的。」強納森笑了一聲。講這一番話，他其實還要拉高音量用喊的，湯姆才聽得到，但他判斷附近應該不會有人聽得見他們在講什麼，就算聽到了，應該也聽不懂。酒保總共有三個，正在櫃台後面忙得昏頭轉向，保樂（Pernod）茴香酒和葡萄酒一杯杯倒個不停，還要用玻璃杯從啤酒桶的龍頭倒淡啤酒出來。

「我了解，」湯姆回答強納森，瞄一眼身邊的嘈雜喧囂。湯姆心裡還念著早上接到的那一通不明電話，下午後倒還都沒再接到過。湯姆下午六點開車出門時，還在麗影和維勒佩斯四下繞了繞，巡視一番，看看有沒有陌生人在街上徘徊。說也奇怪，一旦村子裡的人全都認識，遠遠瞧見人影就知道是誰，這時候只要沒見過的人一出現，眼睛馬上就會抓到。湯姆先前啟動他那一輛雷諾的引擎時，心頭甚至還有一點怕，因為在汽車引擎上面裝炸彈是黑手黨最愛的整人手法。「我們要好好想一想！」湯姆拉高音量喊回去，口氣很認真。

強納森點頭表示了解，一口氣乾掉他的啤酒。「還很好笑呢，她什麼都猜，就差沒猜到我去當殺手！」

湯姆一腳踩在吧檯的鐵腳架上，頂著周遭喧嘩的人聲笑語，想要理清楚思緒。湯姆注意到強納森身上那一件很舊的燈芯絨外套，有一個口袋破過，但補得很整齊，應該是席夢的手藝。湯姆忽然起了一股豁出去的衝動，便說，「我不懂，你就乾脆全都跟她說清楚又會怎樣？畢竟這些黑手黨，這些害蟲——」

強納森搖頭說道，「我不是沒想過。但席夢她——她是天主教徒，所以——」固定吃試驗的藥，已經是席夢作的大讓步了。強納森知道天主教徒讓步走得都很慢：就算這裡、那裡都在作讓步，卻怎樣就是不喜歡被人看作是吃了敗仗。喬治的教育也是天主教徒的教育，既然生在法國，便屬難免。但強納森也特別注意要讓喬治知道，天主教不是這世上唯一的信仰，讓喬治理解等他再長大一點也有權利自行選擇他要信仰的宗教；只是，強納森這一番心血，到目前還過不了席夢那一關。「那樣的事對她會很不一樣，」強納森大聲吼道，他這時已經習慣酒吧裡吵成這樣，甚至覺得是很好的保護牆。「她一定會非常震驚——她沒辦法原諒這樣的事，你知道吧。人命關天，等等等。」

「人命——哈哈！」

「所以說，」強納森再往下說，神色也比較嚴肅，「幾乎等於是我的婚姻，我是說，等於是我的婚姻都會全賠進去。」強納森看向湯姆，湯姆在想辦法聽清楚他說的話。「談正事挑這地方還真是見鬼！」強納森看來心意已決，「所以，講簡單一點的話，我和席夢的關係大概沒辦法回到以前那樣了。而且，我也不覺得有好轉的可能。我只是希望你能幫我想一想——想一想我可以怎麼說或怎麼做。不過，話說回來，我也看不出來你有什麼責任非要幫我不可。到底這是我自己的問題。」

湯姆在想是不是要找個安靜一點的地方再聊才好，或者到他車裡。但安靜一點的地方就真的想得出來好一點的主意嗎？「我會幫你想一想！」湯姆大喊。為什麼這天下人——現在連強納森也是——都覺得他可以幫他們想出更好的主意？湯姆常常覺得要幫他自己找出路，就已經夠傷腦筋的了。他自己的利益可是常常要絞盡腦汁才護得住，不過，他是常在沖澡或在花園裡忙的時候靈光一閃，就想出了妙點子可以解決難題沒錯。但是，這樣的天賜大禮，也要先經他絞盡腦汁、苦思良久，才要得到。所以，湯姆想，他也只有一個人的腦力，還要把別人的麻煩事加進來一起想，再要他有同等優異的表現也難啊。接著湯姆又想，這時候他自己的利益是和強納森綁在一起沒錯，所以，強納森若是撐不住——不過，湯姆也不覺得強納森會把他跑到那一班火車上，還出手幫了強納森的大忙，去跟任何人說。有什麼必要跟人去說？而且，強納森就道義而言，也絕對不會講出去。所以，問題在於怎麼有人會忽然有九萬兩千美元的進帳？這才是席夢在問強納森的問題。

「我們看看有沒有辦法拆成兩部分來講。」湯姆終於開口說了。

「你的意思是——」

「在醫生付的錢之外再加進別的。——賭，你說怎樣？德國那邊的醫生在相互打賭，兩人還都把錢寄放在你那裡，像是信託之類的吧——我是說託你保管。這樣就可以有——就說五萬美元吧，還是你要用法郎來算？呃——那就是二十五萬法郎不止囉，我看。」

強納森笑了一下，虧他想得出來這樣的主意，只是，有一點像餿主意。「要不要再一杯？」

「好啊，」湯姆應了一聲，再點起一根高盧菸。「那，你看要不要跟席夢說——因為那兩個醫生打賭的事情實在很無聊，或很殘忍吧，隨便你講，所以你不想跟她明講，到底人家是在拿你的命在賭。一個醫生賭你——熬得過這一關，可以壽終正寢，諸如此類。這就只剩下二十萬法郎再多一點是你和席夢的了——啊，但願你們已經開始享受財富！」

碰！碰！手忙腳亂的酒保把湯姆的乾淨杯子和一瓶啤酒放在他們面前。強納森喝的已經是第二杯了。

「我們已經買了一組長沙發——本來就有需要，」強納森說，「買一架電視應該也可以。有你提的說法，總比我黔驢技窮要好。謝謝你。」

一名年約六十的男子走來和強納森打招呼，握一下手就往吧檯後面走去，沒看湯姆一眼。湯姆的眼光則是落在兩名金髮女孩身上，兩名女孩正在和三名男孩講話，三名男孩都穿喇叭褲，靠在女孩的桌邊。一頭不倒翁一樣的圓滾滾老狗，四條腿卻瘦得像竹竿，可憐兮兮盯著湯姆看，脖子拴了狗鍊，就等主人把手上那一杯派迪特羅杰（Petit Rouge）紅葡萄酒喝完。

「最近瑞夫斯有和你聯絡嗎？」湯姆問強納森。

「最近是有——但這一個月內沒有，我想是一個月了吧。」

那強納森就還不知道瑞夫斯的公寓被炸，不過，湯姆也不覺得有必要跟強納森說。說了也只是打擊他的士氣而已。

「那你呢？他那邊都還好吧？」

湯姆信口回答一般，「我也不是很清楚，」說得像這瑞夫斯本來就不愛打電話或寫信。湯姆忽然覺得渾身都不對勁，好像不知多少雙眼睛都盯在他身上。「我們走吧，好嗎？」湯姆伸手朝酒保作手勢，再掏出兩張十元的法郎鈔票，不過強納森也已經掏出錢來了。「我的車就停在外面右邊。」

兩人走到外面的人行道，強納森侷促開口說道，「你自己也覺得都還好嗎？沒有事情要擔心的嗎？」

兩人已經走到湯姆的車旁。「我可是杞人憂天那一型的呢，你大概怎樣也想不到吧？對不對？但我是搶在最壞的狀況發生前就先去想到會有怎樣的最壞狀況，和悲觀不太一樣。」湯姆微微一笑，「你是要回家嗎？我送你回去。」

強納森鑽進車裡。

湯姆也坐進車裡，關上門，馬上就有了隱密安穩的感覺，好像回到自己家裡的房間。只是，他自己的家還能安全多久？湯姆心頭浮現不快的景象，無所不在的黑手黨像漆黑的蟑螂，從四面八方蜂擁而至，到處亂竄、亂爬。就算他先一步把赫絲思和安奈特太太送走或帶著她們一起逃走，黑手黨逮不到他，一樣會放火一把燒了麗影。湯姆想到他新買的大鍵琴陷入火海燒得精光，或被炸彈炸得粉碎——唉，湯姆承認他實在很愛麗影，很愛他在這裡的家，而且，這樣的愛往往還只有女人家會有。

「我的危險其實比你要大——像是，萬一那另一個保鏢記得我的長相的話。報上登過幾次我的照片，所以，很麻煩。」湯姆跟強納森說。

強納森心裡也知道。「不好意思今天約你出來見面，我只是太擔心我太太那邊的事。因為——我和她的關係，是我生命最重要的大事。這是我第一次有事情要騙她，你知道吧。而且，我還騙得不好——所以對我的打擊才會這麼大。不過——幸好有你幫忙。謝謝你。」

「沒關係，像這次這樣哪有問題，」湯姆答得很輕鬆，他是指這一天晚上兩人見面的事。「但我忽然想到——」湯姆打開車上的置物櫃，拿出那一把義大利槍。「我覺得你應該把這放在手邊備用。像是放在店裡。」

「真的要嗎？——我跟你老實說，只怕真遇到槍戰，我這人可是一點用也沒有。」

「聊勝於無吧。若有人跑到你店裡，樣子不太對勁——你的櫃台裡面不是有抽屜嗎？」

強納森的脊梁忽然一陣寒顫，因為幾天前的晚上他作過一場夢，夢裡就是這樣的場面：黑手黨派了一名槍手闖進他的店裡朝他臉上就是一槍。「你為什麼覺得我手邊需要有槍？應該是有原因的吧，對不對？」

湯姆忽然想到，何不把實情跟強納森講清楚？說不定可以刺激他提高警覺也好。但湯姆又想到，這時候提高警覺又不能怎樣。湯姆再又想到，強納森帶著妻小出門旅行一趟，說不定才真的比較安全。「是有事，我今天接到一通電話讓我很擔心。一個男的，聽起來是法國本地人，但口音怎樣不代表什麼。他打來要找的人是法國名字，這一樣不代表什麼。這樣的電話可能也沒什麼，但我沒辦法打包票。由於我這人一開口，別人就知道我是美國人，他打來很可能只是要求證──」湯姆頓了一下，「再告訴你一件事好了，瑞夫斯漢堡的住處被人扔炸彈──我記得是四月中旬的事吧。」

「他的公寓！我的天！他受傷了嗎？」

「那時沒人在公寓裡面。但瑞夫斯就這樣匆匆跑到阿姆斯特丹去了。他還在那裡，據我所知，用的是化名。」

強納森心頭浮現有人在查瑞夫斯公寓的地址、電話，在查他的地址和電話，說不定連湯姆．雷普利的地址和電話一併都被查了出來。「那他們那邊知道多少？」

「喔，瑞夫斯說他的重要文件都在他手中，沒有問題。他們是抓到了佛立茲──我想你知道佛立茲是誰吧──打了他一頓，逼供，但瑞夫斯說佛立茲這人是條漢子。他跟對方說了你的長相──就是瑞夫斯雇的那個殺手──但描述完全相反。」湯姆嘆一口氣，「我想他們懷疑的對象是瑞夫斯和漢堡那邊幾個搞賭場的──應該就只是這樣而已。」湯姆看一眼強納森睜得斗大的眼睛，強納森那樣子以嚇一跳居多，倒沒多害怕。

「我的天！」強納森輕聲低語，「那你想他們已經拿到我的住址囉？──或我們兩個的住址？」

「沒有，」湯姆笑笑回答，「不然，他們早就殺到這裡來了，我可以跟你保證。」湯姆想回家了，發動引擎，想把車子切進大街的車流。

「那——假如打電話給你的人是他們那邊的，那他是怎麼拿到你的電話號碼的呢？」

「現在我們就只能靠猜的了，」湯姆說時，車子也終於切進車流可以上路。湯姆臉上的笑始終沒有褪去。沒錯，是很危險，而且，這一次他還分文未得，甚至還不是為了保住他的錢。上一次德瓦特的事差一點砸鍋，起碼還是為了保住他的錢。「說不定是瑞夫斯笨到從阿姆斯特丹打電話找我吧。我是在猜有沒有這個可能性，也就是黑手黨他們追他追到阿姆斯特丹去了，因為別的不講，他居然要他的管家幫他把東西寄到阿姆斯特丹去給他。很笨，動得太早。」湯姆像在作補充，「我在想，你也知道，要是——瑞夫斯沒再住在那一家阿姆斯特丹的旅館了，黑手黨他們不會去查他打過的電話嗎？那他們不就看到他打到我家的電話號碼了嗎？還有，他應該沒打電話找你吧？我想不會，我是說他在阿姆斯特丹的時候。你確定他不是在阿姆斯特丹打的電話？」

「我上一次接到他的電話，他是在漢堡，我確定。」強納森記得瑞夫斯的口氣很開心，跟他說他的錢，剩下的全部酬勞，馬上就會存進瑞士的銀行。強納森擔心的是塞在他口袋裡鼓鼓的那一把槍。「不好意思，但我還是先回店裡把槍放好好了。你就隨便在這裡找個地方讓我下車吧。」

湯姆把車子停在人行道邊。「你不要緊張，你若真的覺得——覺得有事情不對勁，儘管打電話給我，不要客氣。我是說真的。」

強納森笑了笑，有一點不好意思，因為他真的在害怕。「你那邊若有事情要我幫忙——你也一樣不要客氣。」

湯姆驅車離開。

強納森朝他的店走回去，一隻手插在口袋裡面抓住槍，不讓槍往下沉。他把槍放在現金抽屜裡面，現金抽屜就在厚重的櫃台下面。湯姆說的沒錯，有槍總是聊勝於無。強納森知道他還另有一項優勢：他不在乎他這一條命。他不像湯姆・雷普利，雷普利若中槍或是怎樣，正當盛年就這樣丟了性命，那真的是冤枉，可惜了；但他就不一樣。

所以，若真有人走進他的店裡，舉槍要置他於死地，而他竟然命大，搶先打中了來人，那事情也一樣到此結束。強納森心裡有數，不需要湯姆・雷普利來跟他說。槍聲一響，一定引來人群，還有警方；死者的身份會被查出來，他也要接受盤問，「黑手黨為什麼要朝強納森・崔凡尼開槍？」那一趟火車之行，也就會跟著曝光，因為警方一定會要查問他前幾個禮拜的行蹤，也要看一下他的護照。總而言之，這樣他就完了。

強納森鎖上店門，朝聖梅希路走去。他在想瑞夫斯的公寓被人丟炸彈的事。他那些書，唱片，畫。強納森在想佛立茲帶他找到目標，那個打手，叫薩瓦多・畢安卡的打手。想佛立茲慘遭毒打逼供，卻沒供出他來。

已經快到晚上七點半了，席夢在廚房裡忙。「晚安！」強納森帶笑打招呼。

「好啊，」席夢回答，彎腰把爐火關掉，再站直，脫下圍裙。「今天晚上你跟雷普利先生在一起做什麼？」

強納森臉上略微抽了一下。她是在哪裡看到他們兩個的？他從湯姆的車裡出來的時候嗎？

「他來找我談裱畫的事，」強納森回答席夢，「兩人順便喝一杯啤酒，那時已經快打烊了。」

「喔？」席夢看向強納森，沒動。「原來如此。」

強納森把外套掛在玄關的鉤子上。喬治從樓梯走下來，迎向父親，跟爸爸說他的氣墊船怎樣怎樣。喬治正在把強納森買給他的模型玩具組合起來，這樣的玩具對他算是偏難。強納森把孩子一把抱起，扛在肩頭。「我們吃過晚餐一起去弄，好不好？」

氣氛不見改善。他們吃的是可口的蔬菜濃湯，用強納森剛以六百法郎買回來的攪拌機做的，攪拌機除了可以打果汁，還幾乎沒東西打不碎的，連雞骨頭也可以。強納森想提別的話題，但沒效果。席夢有本事馬上就要話題戛然而止。又不是不可能，強納森想，湯姆・雷普利找他幫忙裱一裱什麼，又不是什麼不可能的事。湯姆不就自己說過他愛畫畫的嗎？強納森便說：

「雷普利有些東西想要裱起來。我可能要到他家裡去看一看。」

「喔？」還是那口氣，但緊接著席夢又對喬治開心說了幾句。

席夢每次一這樣子，強納森就覺得她討厭，但又討厭自己覺得她討厭。他差一點就要開口好好作一下解釋——用德國醫生拿他的病情打賭的說法——為瑞士銀行的那一筆錢找個講得過去的名目，但這一天，他就是開不了口。

17

湯姆讓強納森下車後，忽然一股衝動，就衝下車找了一家酒吧餐廳打電話回家。他急著想知道家裡好嗎？赫絲思在家嗎？還好是赫絲思接的電話，湯姆懸著的一顆心才放下來。

「是，寶貝，我才到家。你在哪裡？沒有，我只和諾愛爾小小喝了一杯。」

「赫絲思啊小心肝，我們今天晚上好好聚一聚吧，說不定葛瑞家或貝特林他們有空……我知道現在才約人家吃晚餐有一點太晚，但晚餐後還是可以聚一聚，說不定克雷格他們……對，我就是想和朋友聚一聚嘛。」湯姆說他再十五分鐘就到家。

湯姆把車子開得很快，但很小心。他對晚上回到家後的事，卻怪怪的有一點忐忑不安。不知道他出門後安奈特太太會不會接到什麼電話？

雖然暮色尚未完全暗下來，但麗影前廊的燈已經開了，不是赫絲思就是安奈特太太開的。湯姆的車才要轉進前院的大門，一輛大型的雪鐵龍就慢慢從湯姆的車邊開過去。湯姆注意了一下：暗藍色，在不太平的路面走得有一點笨重，車牌的尾數是七五，巴黎的車。裡面坐了至少兩個人。這一輛車是來麗影探路的嗎？可能他太緊張了。

「嗨，湯姆！克雷格他們可以過來喝一杯，但不會待很久。葛瑞家可以來吃晚餐，安東今天沒回巴黎。這樣你滿意了吧？」赫綠思親一下湯姆的臉頰，「你到哪裡去了？你看我買的行李箱！——我知道不是很大——」

湯姆看一看深紫色行李箱，四面鑲了紅色的帆布邊，搭釦和鎖好像是黃銅做的。紫色的皮革看起來像小山羊皮——說不定真是小山羊皮。「是很漂亮。」看起來真的很漂亮，像他們的大鍵琴，或像他放在樓上的船櫃。

「還有，你看——裡面。」赫綠思打開行李箱，「真的很老（牢）——」這一句她用的是英語。

湯姆停住腳，親一下赫綠思的髮絲，「親愛的，真的很漂亮，我們就慶祝妳買了新的行李箱——還有新買的大鍵琴！克雷格和葛瑞他們都還沒看過大鍵琴，對不對？沒有嘛……那諾愛爾呢？」

「湯姆，你有事情在緊張。」赫綠思壓低聲音跟丈夫說，生怕安奈特太太就在附近。

「沒事，」湯姆回答，「我只是想和朋友聚一聚。我今天過得很平靜，啊，安奈特太太，妳好啊！今天晚上有客人，兩個來晚餐，妳有辦法嗎？」

安奈特太太才剛推著飲料推車過來，「當然好啊，湯姆先生，但恐怕只能將就吃家常菜了，但我可以加一道蔬菜燉肉——我的諾曼第菜式，您記得吧？我……」

湯姆沒在聽安奈特太太細數她要用的材料——牛肉、小牛肉、腰子，她這一天傍晚正好到肉舖子去了一趟。不過，安奈特太太做出來的東西怎樣吃也不會像家常菜，湯姆有信心。不過，湯姆還是耐心等安奈特太太說完，才說，「還有，安奈特太太，我六點出門後有人打電話來嗎？」

「沒有，湯姆先生。」安奈特太太把一小瓶香檳的瓶塞拔出來，手法老練。

「一通也沒有？連打錯的也沒有？」

「沒。湯姆先生。」安奈特太太仔細將香檳為赫綠思倒入廣口杯。

赫綠思盯著湯姆的臉色看，但湯姆決定還是要講下去，不想改到廚房去私下問安奈特太太——還是他其實應該進廚房私下問安奈特太太才對？對啊，這還不簡單。安奈特太太回廚房後，湯姆就跟赫綠思說，「我想喝啤酒。」安奈特太太留著湯姆的酒給湯姆自己去弄；湯姆向來喜歡自己弄。

安奈特太太在廚房裡正忙得不可開交，蔬菜已經洗好、切好，爐子上也有東西在滾了。「安奈特太太，」湯姆說，「這一件事很重要——今天的事。今天真的沒人打電話來嗎？連不知是誰——連打錯的電話也沒有嗎？」

這樣一問好像喚回了安奈特太太的記憶，湯姆神色一緊。「啊！對了，大概六點半的時候，有一個男的說要找——找那什麼名字，我想不起來了，湯姆先生。後來他就掛掉了。打錯的，湯姆先生。」

「那妳怎麼跟他說的？」

「我說他要找的人不住這裡。」

「那妳跟他說我們這裡是雷普利公館囉？」

「喔，沒有欸，湯姆先生，我只說他的號碼不對。我想這樣子講才好。」

湯姆看著安奈特太太，笑開了臉。這樣子講才好，沒錯。湯姆原本一直在心裡痛罵自己六點出門時怎麼沒交代安奈特太太，無論如何都別跟人說他們這裡住的是哪一戶人家，結果，安奈特太太還是有辦法靠自己就把什麼事都辦得順順當當。「太好了，確實是要這樣子講才好，」湯姆的口氣透著激賞，「所以，我才沒把電話號碼登記在電話號碼簿，多少保住一點隱私嘛，妳說是不是？」

「當然是。」安奈特太太回答，好像覺得這不是天經地義的嗎？

湯姆回到起居室，根本忘了原本進廚房是要拿啤酒。湯姆幫自己倒了一杯蘇格蘭威士忌，不過心情倒未必有多放心。若打電話來的人真的是黑手黨的人在找他，那麼，那個人這下子一定備加懷疑這裡住的就是他，因為這屋子裡有兩個人同都不肯透露屋主是誰。湯姆猜這時候可能有人正在米蘭、阿姆斯特丹、說不定漢堡那裡，四下打探消息。湯姆・雷普利住在維勒佩斯嗎？四二四是不是維勒佩斯的區碼？沒錯，是維勒佩斯的區碼，楓丹白露的號碼是四二二開頭，但四二四那一區就要再往南一點，維勒佩斯就在那一帶。

「你在擔心什麼？湯姆？」赫綠思問道。

「沒事，親愛的——妳的遊輪計劃怎樣？看中喜歡的沒有？」

「啊，有啊！不是那種走到腳痛、拿來炫耀的旅程，而是簡單又舒服的那種。從威尼斯繞行地中海一圈，土耳其也在行程之內。總共十五天——晚餐還不用穿得很正式。你看，聽起來不錯吧？湯姆？五月和六月每三個禮拜就有一艘出發。」

「這時候我還沒有那樣的心情，妳問問看諾愛爾要不要跟妳去吧，妳出去玩一趟也好。」

湯姆上樓進了他的臥室，打開大一點的那個五斗櫃最下層的抽屜。最上面就擺著他要送赫綠思的那一件薩爾斯堡綠色外套。但在同一格抽屜最底下靠裡面的一角，藏了一把魯格槍，湯姆三個月前才從瑞夫斯那裡買下來。說也奇怪，他不是直接向瑞夫斯買的，而是在他去巴黎向一名送東西給他的男子拿東西時，順便把槍弄到手；那東西瑞夫斯要他代管一個月後，才幫他找門路銷贓。而這一次的人情債——其實應該說是幫瑞夫斯銷贓的酬勞——湯姆要求瑞夫斯就拿一把魯格槍來抵好了，所以，那一趟巴黎之行，他也拿到了一把槍——七點六五釐米——外加兩小盒的子彈。湯姆查看一下槍膛，確認已經裝好子彈，便再到他的壁櫥去看他那一把法製獵槍。獵槍也已裝好子彈，保險栓扣得好好的。湯姆暗想，萬一今天晚上或明天、明天晚上有麻煩的話，他需要的還是魯格槍。湯姆在他臥室的兩扇窗口朝外查看一下。兩扇窗座落的方位不同。湯姆要看是不是有車子打暗車燈在附近慢慢繞圈子，但他什麼車也沒看到。天已經全黑。

一輛車從左邊開來，勇往直前的氣派：這是老朋友克雷格夫婦他們，無害。他們的車子俐落穿過麗影的大門。湯姆下樓去歡迎他們。

克雷格夫婦——霍華，年過五十，英國人，太太露絲瑪麗也是英國人——只過來喝兩杯，稍後葛瑞夫婦也來了。克雷格是退休的律師，那麼早就退休是因為心臟不好，只不過生龍活虎的模樣卻不輸任何人。花白的頭髮剪得很帥氣，有歲月痕跡的斜紋軟呢外套和灰色法蘭絨長褲，散發湯姆渴望的安穩鄉居氣息。克雷格站在正面窗口前，後背抵在窗口拉下來的窗簾，手上一杯蘇格蘭威士忌，正在跟大家講一件趣事——這晚上能有什麼事來打破這般鄉居的歡宴？湯姆把他臥室裡的燈開著沒關，也把赫綠思臥室的床頭燈先行打開。兩對客人的兩輛車子隨便停在碎石子路上，湯姆就是要他的屋子呈現歡宴的畫面，比實際還要熱鬧的畫面。倒不是說這樣就擋得掉黑手黨的殺手；黑手黨他們萬一真的要扔炸彈，湯姆知道，他這樣反而可能害自己的朋友身陷險境。但湯姆覺得黑手黨他們真要動手，也應該會用安靜一點的手法來除掉他：像是趁他落單的時候動手，說不定還不用槍，而是猝不及防出手重毆將他活活打死。他們甚至可以在維勒佩斯的街頭動手，而且，還能趕在鎮上的人發現出事之前就先逃之夭夭。

露絲瑪麗・克雷格是苗條的中年美婦，正在跟赫綠思說要送一株她和霍華剛從英格蘭帶回來的植物到麗影來。

「你今年夏天打算放火燒林子嗎？」安東・葛瑞戲問湯姆。

「這倒沒什麼胃口，」湯姆笑著說，「我們的溫室快蓋好了，要不要到外面去看一看？」

湯姆和安東從落地窗走出去，走下台階來到草坪，湯姆還帶了一支手電筒。地基已經打好水泥，一根根鋼材堆在旁邊，對草坪可是有害無益。工人已經一個禮拜不見人影。村子裡有人事先就警告過湯姆，這一組人馬這夏天接的活兒太多了，結果這邊、那邊跳來跳去的做，說是誰也不想得罪，結果卻好像是故意搞得一堆人騎虎難下。

「還算有進度吧，我看。」安東終於說了。

湯姆問過安東哪一型的溫室好，也付了他諮詢費，安東另也幫他以批發價拿到建材，反正比泥水匠開的價格要低就是了。湯姆忍不住朝安東背後看過去，安東背後有一片樹林子，裡面有小路。那邊沒一絲燈火，自然也沒車燈。

不過，到了晚上十一點，吃過晚餐，四人正在喝咖啡和法國廊酒，湯姆還是拿定主意，明天就要把赫綠思和安奈特太太送走。赫綠思的情況比較好辦，湯姆就勸她到諾愛爾家去叨擾幾天就可以了——諾愛爾和她先生在尼耶利（Neuilly）的公寓很大——要不然回娘家去住個幾天也行。安奈特太太有姊姊在里昂（Lyon），幸好她那姊姊家裡有電話，所以應該還是很快就安排得好。但是，要用什麼說法呢？湯姆不想裝作怪脾氣發作看誰都不順眼，例如「我要自己一個人安靜個幾天，」但若他表示留在麗影有危險，赫綠思和安奈特太太一定會緊張，說不定還會去報警。

湯姆那一天晚上和赫綠思正各自準備上床就寢，湯姆走到赫綠思的寢室跟赫綠思說，「親愛的，」湯姆用英語說，「我有不祥的感覺，覺得麗影這裡會出事，我覺得妳不要待在這裡比較好。事關妳的安危。還有，我也想要安奈特太太明天就先到外地去待個幾天——所以，親愛的，妳能不能幫我去勸她到她姊姊那裡住幾天？」

赫綠思正靠坐在淡藍色的大枕頭上，一聽眉心就皺了起來，她放下吃到一半的優格。「會有什麼不好的事？——湯姆，你要跟我說清楚。」

「沒什麼事，」湯姆搖一下頭，再輕聲笑了一下，「說不定我是緊張過了頭，說不定什麼事也沒有。但妳們離開幾天求個安全，又不會怎樣，對不對？」

「你不要跟我長篇大論，湯姆，出了什麼事？和瑞夫斯有關係，對不對？是瑞夫斯，對不對？」

「也算是吧。」扯出瑞夫斯總比說出黑手黨要好。

「那他人在哪裡？」

「喔，阿姆斯特丹吧，我想。」

「他不是住在德國嗎？」

「對，但他在阿姆斯特丹有事情處理。」

「那還有誰也被扯進去？你到底在擔心什麼？——出了什麼事？湯姆？」

「唉呀，也沒什麼，親愛的！」遇到這情況湯姆的標準答案就是這一句。他也不覺得不好意思。

「所以，你是在保護瑞夫斯囉？」

「他也幫過我好幾次忙啊。但我現在要保護的人是妳——是我們，還有麗影，倒不是瑞夫斯。所以，妳一定要跟我配合一下，親愛的。」

「還有麗影？」

湯姆笑了一下，平靜說道，「我可不想要麗影出什麼亂子，我可見不得麗影這裡有什麼破掉，連一塊玻璃也不可以。妳一定要相信我，我這樣子只是不想讓這裡有什麼暴力的事——或危險的事。」

赫綠思眨一下眼睛，略有一點賭氣。「那就好吧，湯姆。」

湯姆知道赫綠思不會再多問什麼——除非警方提出什麼指控，或有黑手黨的屍體需要他向她解釋。幾分鐘過後，兩人已經同都面露微笑，湯姆那一晚就睡在赫綠思的房裡。強納森・崔凡尼那邊的情況絕對比他還要糟糕得多，湯姆想道——不僅席夢感覺好像很難纏，不是打破砂鍋問到底的性子太重，就是太神經質了點，連強納森自己也不太習慣做一些超出常軌的事，連撒個善意的小謊好像也沒辦法。強納森說的應該不假，他太太若開始不信任他，那他的人生就真的毀了。而且，有那一筆錢，席夢一定往壞的方面去想，一定往醜事去想，往強納森沒辦法承認的可恥事情去想。

早上，赫綠思和湯姆兩人一起和安奈特太太談。赫綠思在樓上已經先喝過安奈特太太送上去的茶了，湯姆則是在起居室喝第二杯咖啡。

「湯姆先生說他想一個人靜一靜，想一些事情，畫幾幅畫，幾天就好。」赫綠思跟安奈特太太說。

他們兩人商量過了，認為還是以這說法最好。「而且，妳去度幾天假，也不壞，安奈特太太；像是在八月的長假前先放個小假。」湯姆加進來，不過依安奈特太太那麼壯，始終精神奕奕，那樣子絕對還在精力的巔峰。

「先生和夫人若覺得這樣子好，當然就沒有問題。事情很重要，是吧？」安奈特太太雖然臉上帶笑，但眼睛倒不像以前那樣會發亮，不過她這人很隨和。

安奈特太太馬上同意打電話給她住在里昂的姊姊瑪麗奧蒂。

信在早上九點半送來。白色的正方形信封，瑞士郵票，大寫字寫的地址——湯姆覺得很像是瑞夫斯的字跡——但沒附回郵地址。湯姆原本在起居室就要拆信，但赫綠思正在和安奈特太太商量開車送她到巴黎去搭火車往里昂的事，所以湯姆上樓進他房裡拆信。

親愛的湯姆：

我人在瑞士的阿斯科納，不得不離開阿姆斯特丹，因為住旅館時出了事，千鈞一髮，不過已經先把東西弄來阿姆斯特丹收好了。天哪！真希望他們見好就收！我在很漂亮的小鎮裡，名字是勞夫．普拉特，住在山丘上一個叫「三隻小熊」的小旅舍——舒服嗎？起碼夠偏僻，民宿風。祝你和赫綠思一切都好。

永遠的朋友，R.

五月十一日

湯姆把信揉成一團，撕碎扔進字紙簍。果然跟湯姆想的一樣糟：黑手黨在阿姆斯特丹找到了瑞夫斯，所以也一定一一查過瑞夫斯打過的電話，而查到了湯姆的電話號碼。只是，不曉得瑞夫斯說旅館裡面千鈞一髮的事是什麼？湯姆在心裡暗自發誓，以前他就發過的誓——以後絕對不要再和這個瑞夫斯．米諾有任何牽扯。像這一次的事，他不過是幫瑞夫斯出了個主意。出主意又不會害到人，而且也沒真的害到誰啊。湯姆這時忽然懂了，他若有錯，那就錯在不該強出頭去幫強納森・崔凡尼。瑞夫斯當然不知道，否則他才不會笨到打電話到麗影來找他。

所以，雖然湯姆知道強納森禮拜六也要開店，但他還是急著要強納森・崔凡尼這一天晚上就到麗影來一趟，下午可以的話更好。真要出事的話，兩個人應付起來總比一個人要強；例如兩人一前一後分別守住房子，因為單靠一個人不可能照顧得到所有地方。而他除了強納森還能找誰？強納森不像有好身手可以跟人打鬥，但是遇到緊急狀況，他的反應都還不錯，像那一天在火車上。他從頭到尾表現得都還不錯。而且，湯姆記得，強納森還在他就要摔下火車時一把硬是把他拽了回來。所以，這一天晚上，他希望強納森可以留在麗影，而且湯姆還要去接他才可以，因為這裡沒有公車會到。衡諸晚上可能會有的狀況，湯姆也不要強納森自己一人搭計程車過來，免得多留一個計程車司機作人證，記得他載過一名男子從楓丹白露坐到維勒佩斯，不太有人坐這麼遠的。

「你今天晚上會打電話給我嗎？湯姆？」赫綠思在問湯姆，她正在她的房裡收拾行李，準備先回娘家一趟。

「對，親愛的，約七點半好嗎？」他知道赫綠思她父母每天晚上準八點吃晚餐。「我就打電話給妳說一聲『一切都好很』，可能這樣子就好。」

「你擔心的只是今天晚上而已？」

當然不是，但湯姆不想說出口。「應該是吧。」

早上十一點，赫綠思和安奈特太太準備要出門了，湯姆先進車庫，連幫她們兩個提行李都沒有。只不過安奈特太太有法國老派的觀念，因為她是僕人的身份，所以赫綠思和她自己的行李都應該由她來搬，分幾次也行。湯姆掀開愛快羅密歐的車頭蓋檢查一下，看起來金屬、線圈之類的是老樣子沒異狀。湯姆再發動引擎看看。沒爆炸。湯姆前一天晚上晚餐前，還特地出來把車庫的門加上掛鎖，但湯姆覺得黑手黨什麼事做不出來。他們當然有辦法把鎖撬開之後再重新鎖上。

「我們保持聯絡，安奈特太太，」湯姆親一下安奈特太太的臉頰。「妳去開心度假，好吧？」

「拜拜，湯姆！今天晚上一定要打電話給我喲！你自己小心！」赫綠思朝湯姆喊道。

湯姆揮手向她們兩人道別，咧嘴擺出笑容。看得出來赫綠思也沒多擔心。這樣最好。

接著湯姆趕忙進屋裡打電話給強納森。

18

這一天早上強納森不太好過。席夢主動開口跟強納森說話，口氣還相當愉快，因為她正在幫喬治穿套頭毛衣。「我看我們兩個也不能一直這樣下去，你說對不對？強？」

席夢和喬治再過一、兩分鐘就要出門，到喬治的幼稚園去。已經快要到八點十五分了。

「我看也是，這樣不對。瑞士銀行那一筆錢——」強納森決定乾脆就趁這時候快刀斬亂麻的好。他講得很快，希望這樣喬治會不太聽得懂。「妳一定要知道的話，那些錢是他們在打賭的賭金，他們兩個把錢寄放在我這裡，這樣——」

「誰啊？」席夢的氣惱和不解更甚於以往。

「兩個醫生嘛，」強納森回答，「他們在試新療法——一個在試新療法——另一個就拿錢賭新療法沒效。另一個醫生。我是怕妳會覺得這樣的事情太可怕了，所以一直瞞著妳。因此，那裡面的錢也只有二十萬真的是我們的；現在已經不到二十萬了。他們付我這一筆錢，我是說漢堡那邊的醫生，是要謝謝我幫他們試驗新藥。」

強納森看得出來席夢是很想要相信，但就是沒辦法相信。「很荒唐欸！」席夢說，「那麼多錢，強！全都是打賭的錢？」

喬治抬頭看向媽媽。

強納森低頭看一眼兒子，舔一下嘴唇。

「你知道我怎麼想的嗎？我才不管喬治會不會聽到！我覺得你這一筆錢是在幫——幫那個不乾不淨的傢伙，湯姆・雷普利，幫他保管他弄來的不乾不淨的錢。他當然會分你一點，你幫他的忙他當然要分你一點！」

強納森注意到自己在發抖，便把他那一碗咖啡歐蕾*擱在廚房桌上。他和席夢這時同都站著。「雷普利難道不可以自己去瑞士藏錢嗎？」強納森有一股衝動，很想走過去一把抓住席夢的肩膀，要她相信他就是。但強納森也很清楚，他一靠過去準會被她推回來。所以，強納森只是站得更挺，說道，「妳不相信我也沒有辦法，事情就是這樣。」強納森前一禮拜一下午又去做過一次輸血，就是他昏倒的那一天。席夢陪他一起去醫院，之後他再自己到培里耶醫生的診所去，他前一天原本打過電話到培里耶醫生的診所，約好了要去作輸血。培里耶醫生先前便希望強納森定期回他的診所看診。但強納森跟席夢說，培里耶醫生開給他不少漢堡醫生寄來的藥。不過漢堡的醫生，溫澤爾，並沒有寄藥過來，而是他推薦的藥在巴黎就買得到，所以強納森這時候家裡已經有藥備用。而強納森也想好了，就由漢堡的醫生賭他過得了這一劫，慕尼黑的醫生賭他過不了。但強納森還沒跟席夢講到這麼多。

* 譯注：一碗咖啡歐蕾：咖啡歐蕾（café au lait），也可以叫作法式拿鐵，用的是很像小碗的大杯子裝，喝的時候一邊倒咖啡一邊加牛奶。

「但我就是沒辦法相信，」席夢回答強納森，聲音輕柔但也透著譏誚，「來吧，喬治，我們該出門了。」

強納森閉一下眼睛，眼睜睜看著席夢牽著喬治走進門廳朝前門走去。喬治拿起他的書包，也可能是被父母激烈的爭執嚇到了，竟然忘了跟強納森道再見，強納森自己也沒吭聲。

由於是禮拜六，強納森的店裡很忙。電話也響過好幾次。早上約十一點的這一通，電話另一頭的聲音是湯姆・雷普利。

「我們今天要見個面才好，相當重要，」湯姆跟強納森說，「你現在方便說話嗎？」

「不太方便。」櫃台前正有一名男子站在強納森面前，等著付帳，他那一幅畫已經包好擺在兩人中間。

「不好意思禮拜六還來麻煩你，但我在想你是不是可以及早到我家裡來一趟——晚上就留在我家，可好？」

強納森嚇了一跳。那就要打烊，還要通知席夢。但要跟她說什麼呢？「當然可以，沒問題。」

「你多久可以到？我開車去接你。若說中午十二點，可以嗎？還是這時間太早？」

「不會，我可以。」

「那我到你的店去接你，或你先在街邊等。還有一件事——那一把槍要帶過來。」湯姆掛掉電話。

強納森馬上去招呼店裡的顧客，雖然後來店裡還有一個人，但強納森還是先去把「打烊」的牌子掛上。強納森忍不住想，昨天見過面後，湯姆・雷普利是出了什麼事？席夢這一天早上在家，但禮拜六早上她一般還是以出門的時候為多，因為採買或是處理雜事等等，如送衣服去乾洗店，都要在禮拜六早上處理才好。強納森決定寫一張字條留給席夢，從前門的送信口塞進去就好。強納森在早上十一點四十分寫好字條，揣著字條沿教區路往上走，這是最快的捷徑，運氣好的話，有一半的機會碰到席夢。但強納森沒碰到席夢。強納森把字條塞進前門的送信口，就再快步循原路往回走。強納森的字條寫的是：

親愛的：

午餐和晚餐不回來吃，店也先打烊了。可能接得到大型的工作，地點比較遠，有人開車來接。

強

講得不清不楚，根本不像是他寫的。只是，這一天早上都已經那個樣子了，還有什麼比這還要糟的？

強納森再走回他的店裡，一把抓起他那件很舊的風衣，再把那一把義大利槍塞進大衣口袋。待他一從店裡出來走到人行道上，湯姆的綠色雷諾車已經朝他開了過來。湯姆打開車門，沒讓車子完全停住，強納森一頭鑽進車裡。

「早啊！」湯姆打招呼。「事情怎樣了？」

「你是說家裡嗎？」強納森雖然不想四下張望，卻還是忍不住看了一下，看席夢會不會正好也在這一帶的街上。「我看是不太好啊。」

怎麼個不好，湯姆可以想像。「但你身體還好吧？」

「還可以，謝謝。」

湯姆在普利祖尼那邊右轉轉進大街，「我又接到一通電話了，」湯姆說，「應該說是我那管家接到的。跟前一通一樣，打錯電話。但她沒跟對方說我們那裡是誰家。但也夠讓我緊張的了。還有，我已經把我太太和管家送走。我有預感可能會出事，所以才會打電話找你一起應付一下緊急狀況。我沒有別人可以找。我也不敢請警察幫我注意。若跟他們說是要在我家那一帶找一、兩名黑手黨的人，他們準會問一些不太妙的問題，像他們為什麼要跑到這裡來，一定會被問到。」

強納森當然知道。

「還沒開到我家，」湯姆的車這時候開過紀念碑，上了朝維勒佩斯去的路，「你要反悔還來得及，我絕對樂意回頭送你回去，你不想到我家去，我也絕不怪你。可能會有危險，也可能沒有。只是，兩個人一起留意總比一人容易。」

「對。」強納森不知怎麼覺得自己全身癱軟。

「我只是不想扔下家裡不管，自己跑掉。」湯姆車子開得很快，「我不想讓我家被人放火燒掉或像瑞夫斯那裡那樣被人炸掉。還有，瑞夫斯現在躲到阿斯科納去了。他們追到他在阿姆斯特丹的住處，他不躲不行。」

「喔？」強納森有幾秒忽然覺得異常驚慌，覺得噁心，彷彿天要塌下來了。「你——你在你家附近看到什麼怪事了嗎？」

「也沒真的怎樣。」湯姆的口氣冷冷的，香菸叼在嘴角往上翹，頗為瀟灑。

強納森在想，他是可以臨陣退出沒錯。趁現在。只要跟湯姆說他覺得沒辦法，說他緊要關頭說不定會一頭栽下去昏倒。他大可以回家去，這就安全了。強納森作了個深呼吸，把車窗再往下搖一點。但他若幹這樣的事，就是混蛋、膽小鬼、禽獸不如了。起碼他也要試試看才好，這是他欠湯姆·雷普利的。而且，他幹嘛這麼在乎他自己的安危？幹嘛這時候忽然在乎起來了？強納森臉上微微一笑，心情好了一點。「我跟席夢說醫生拿我的命作賭注的事了，沒什麼效果。」

「她說什麼？」

「同樣的老話。她不相信就是不相信。還更慘，她昨天看到我跟你在一起——不知在哪裡看到的。所以她現在認定我是在幫你保管錢——用我的名字在保管你的錢。骯髒錢，你知道吧。」

「我了解。」湯姆了解強納森的處境。只是比起麗影、比起他自己、甚至連強納森可能會出的事，可都不算重要。「我這人絕對不是什麼英雄，你知道吧，」湯姆忽然天外飛來一句，「若是黑手黨他們抓到了我，嚴刑拷問，逼我說一些事，我可不覺得我有辦法像佛立茲那麼硬頸。」

強納森沒作聲。他感覺得出來湯姆其實和他幾秒鐘前一樣緊張。

這一天的天氣特別好，空氣透著夏季的涼爽，陽光燦爛。這樣的好天氣竟然有事情要忙，真可惜，要像席夢一樣待在室內了，她今天下午還要上班。她其實可以不要再上班了，強納森過去這幾個禮拜一直想跟席夢提這一件事。

強納森和湯姆的車已經開進維勒佩斯，很幽靜的小村，這樣的小村一般說不定只有一家肉舖子、一家糕餅店。

「麗影就在那裡，」湯姆點頭指向一座圓頂高塔，高塔聳立在一叢白楊樹頂。

兩人的車從村子又再往前開了可能有半公里，路旁的房子隔得都很寬，一棟棟都很大。麗影簡直像小型的城堡，線條古典，造型穩健，但由四個角的圓拱形角樓軟化了些許陽剛之氣，角樓由上一路往下直到草坪。院子前有大鐵門，湯姆從置物箱拿出一把很大的鑰匙先把門打開，車子再慢慢滑過碎石子路往車庫前去。

「好漂亮的地方！」強納森讚歎一句。

湯姆略一點頭，笑了笑說，「這要算是我岳父母送的結婚禮物吧，最近這一陣子我回家看到屋子完好如初就很高興。請進，請進！」

屋子的前面大門一樣要由湯姆拿鑰匙開門。

「以前都不上鎖的，」湯姆說，「一般我那管家都會在家。」

強納森走進麗影的大玄關，玄關鋪的是白色的大理石，由玄關再往裡面便是正方形的起居室——兩張大地毯，一面大壁爐，一組看起來很舒適的黃色緞面大沙發。大大的落地窗前擺了一具大鍵琴。家具的質感都很好，強納森看得出來，保養得很不錯。

「大衣脫下來吧，」湯姆跟強納森說，心頭的大石暫時放了下來——麗影很安靜，先前在村子裡看不出來有何異狀。湯姆走到走廊的玄關桌邊，從抽屜拿出他那一把魯格槍。強納森看著湯姆把槍拿出來，湯姆朝他笑了一下。「對，這一把槍我現在都要隨時帶在身上，所以才會穿這一身舊褲子。口袋大嘛。這下子我知道為什麼有人喜歡用肩帶把槍掛在身上了。」湯姆把槍塞他長褲的口袋。「你方便的話，也請把槍塞進口袋。」

強納森照他說的去做。

湯姆也想起他放在樓上的步槍。這麼快就要開始辦正事，湯姆也覺得不好意思，但說不定這樣子最好。「來吧，我有東西要給你看。」

兩人順著樓梯往上爬，由湯姆領頭，帶強納森走進他的臥室。強納森一進門就看到那個船櫃，馬上湊近過去看個清楚。

「我太太最近送我的——你看——」湯姆已經把步槍拿在手裡，「還有這一把，長距離用的。相當準，但終究比不上軍隊的步槍。你看一下這邊朝前的窗戶。」

強納森走過去看了看。路對面有一棟十九世紀的三層樓房，隔得相當遠，也被樹林遮掉一半。路的兩旁沿邊都是樹，但種得漫無章法。強納森想到若是有車停在麗影大門外面的路邊——湯姆講的就是這一件事：這時候用步槍會比手槍來得準。

「當然要看他們會怎麼做，」湯姆說，「他們若是扔汽油彈，舉例吧，步槍就派得上用場了。當然後面也有窗戶，側面也有。這邊請。」

湯姆把強納森帶到赫綠思的房間，赫綠思的房間有一扇窗面朝後院的草坪。草坪再過去的樹林比較密，草坪右邊也有一叢白楊。

「這些樹林子裡都有一條小路，你往左邊看應該看得到大概。我的畫室——」湯姆走到走廊打開左邊另一扇門。這房間裡的幾扇窗便都是面朝後院的草坪，看過去是往維勒佩斯村的方向，但只看得到一叢叢柏樹、白楊和幾棟小屋的屋瓦。「我們可能房子兩邊都要守住，倒不是說要一直黏在窗戶旁邊，但——另還有一件事也很重要，我要他們以為這屋子裡只有我一個人在。所以，你若是——」

電話鈴響了，湯姆原本不想接，但又想到接了說不定可以抓一抓狀況，便走進他的房間去接。

「喂？」

「雷普利先生嗎？」法國女人的口音，「呃，我是崔凡尼太太，我先生有沒有在你家那邊？」口氣聽起來很緊張。

「妳先生？沒有欸，太太！」湯姆用驚訝的口氣回答。

「謝謝，先生，不好意思。」席夢說完便掛斷電話。

湯姆長嘆一聲。強納森還真的有大麻煩。

強納森站在門口。「我太太？」

「對，」湯姆回答，「對不起。我說你不在這裡。你覺得有必要的話，可以發一封氣壓快遞*

的信回去給她。要不然打電話也可以。說不定她就在你的店裡。」

「不用，不用，我看不會。」但席夢是有可能就在他的店裡。她有鑰匙，才下午一點過一刻。湯姆想道，席夢若不是在強納森的店裡，從強納森留下來的紀錄看到他的電話號碼，她怎麼會知道要打到這裡來找人？「你若想回去，我可以開車送你回楓丹白露，全由你決定，強納森。」

「不用，」強納森說，「謝謝你。」算了吧，強納森心想，席夢也已經知道湯姆在撒謊。

「對不起，剛才對你太太撒謊。你可以全怪在我頭上，反正我在你太太心裡的評價應該是低到不能再低了。」湯姆這時哪管得了那麼多，才沒有那閒工夫也沒有閒情逸致去同情席夢的感受。強納森也沒說什麼。「我們下樓看看廚房裡有什麼好吃的吧。」

湯姆把他房裡的窗簾拉起來，拉到像是全闔起來，但又留一條縫，不必掀動窗簾就可以看得到外面的動靜。湯姆走進赫絲思的房間，一樣這樣子拉起窗簾，樓下起居室的窗簾也一樣。安奈特太太住的房間他就決定不用管了。他們已經有窗口看得到小路和後面的草坪。

安奈特太太前一晚做的可口蔬菜燉肉還剩下不少，廚房洗滌槽上的窗戶沒有窗簾，湯姆要強納森坐在窗口看不到的廚房桌邊，幫他倒了一杯威士忌加水。

「真可惜這樣的下午不能進花園閒逛一下，」湯姆在洗滌槽洗萵苣時跟強納森說。一有車子開過去，湯姆就忍不住要朝窗外看。過去十分鐘，只有兩輛車開過去。

＊ 譯注：pneu，指藉空氣壓縮管送出的快速信件。

強納森注意到兩間車庫的門同都洞開，湯姆的車停在屋子前面的碎石子路上。四下好安靜，強納森想，碎石子路上一有腳步聲，應該馬上就聽得到。

「我沒辦法開音響，免得一有聲音反而被音樂蓋掉。還真無聊。」湯姆說。

兩人雖然都吃得不多，但在起居室的用餐桌邊耗了很久的時間，湯姆還幫兩人煮了咖啡。由於屋裡實在沒什麼好東西可以當晚餐，湯姆還打電話給維勒佩斯的肉舖請老闆送來兩人份的上好牛排。

「喔，安奈特太太放幾天假，」看來是肉舖老闆問了問題，湯姆作出回答。雷普利家向來是他們那邊最好的顧客，湯姆自然也請肉舖老闆順便幫他到隔壁的雜貨舖帶一點萵苣和新鮮蔬菜過來。

過了半小時，汽車輪胎輾在碎石子路上吱吱嘎嘎，聽得十分清楚，表示肉舖老闆的小貨車到了。湯姆一個骨碌跳起來，付錢給肉舖老闆的兒子，這孩子態度親切，身上還套著沾血的圍裙；湯姆也給了小費。強納森這時正在屋裡翻一些講家具的書看，看起來滿愜意的，湯姆便上樓進他的畫室整理東西，他的畫室從來不准安奈特太太進去。

快五點時，來了一通電話，像厲聲尖叫劃破屋裡的寂靜，但在湯姆聽起來像摀住嘴的尖叫，因為湯姆這時已經大膽走出屋外，在花園裡拿著園藝剪刀這裡修修、那裡剪剪。湯姆雖然知道強納森不會去接電話，但還是快步跑回屋裡。強納森正靠坐在長沙發上，身邊放得都是書。

電話是赫綠思打來的。她很開心，因為她打電話給諾愛爾，結果諾愛爾有個朋友，如勒・葛里佛德，他是室內設計師，在瑞士買了一棟小木屋，他邀諾愛爾和赫綠思開車過去那邊住上一個禮拜左右，他要佈置這新買的房子。

「鄉村風景真美，」赫綠思說，「我們也可以幫他……」

湯姆才覺得無聊透頂呢，但是赫綠思高興，這才重要。湯姆早就知道赫綠思才不會真的跑去搭遊輪繞著亞得里亞海跑，那是庸俗的觀光客才會做的事。

「你還好吧？親愛的？……你都在幹嘛啊？」

「喔——整理了一下花園……對，一切都很平靜。」

19

晚上七點半左右，湯姆正站在起居室朝前的窗口，就看到一輛暗藍色的雪鐵龍——他覺得就是他早上看到的那同一輛——開過麗影，這一次的速度比早上要快一點，但還是比一般的車速要慢一點。真的是同一輛嗎？那麼暗的天色，顏色會騙人的——暗藍和深綠就看不出差別。不過，這一輛是敞篷車，白色的上緣有一點髒，跟早上看到的一樣。湯姆朝麗影的大門看過去，他原本留了一條縫沒關緊，但肉舖送貨的孩子把大門關起來了。湯姆決定就還是關著好了，但不要鎖。外面那一道大門開的時候會「咿呀」一下。

「什麼事？」強納森問湯姆。強納森正在喝咖啡，他不愛喝茶。湯姆有一點緊張，搞得他也緊張起來。而且，到這時候為止，強納森一直沒發現湯姆有什麼理由需要這麼緊張。

「我覺得我看到我今天早上看過的那同一輛車，暗藍色的雪鐵龍。早上我看到的那一輛掛的是巴黎的車牌。這一帶的車我大部分都認得，只有兩、三個人的車是巴黎的車牌。」

「你現在看得到車牌嗎？」強納森覺得外面好暗，他身邊正好有一盞燈。

「看不到——我去拿步槍。」湯姆飛也似的跑上樓，馬上就又下樓，手上拿了那一柄步槍。他把樓上的燈都關了。湯姆跟強納森說，「我是能不用槍就不用，因為聲音會很大。現在不是打獵季，有槍聲一定會把鄰居——或是誰——吸引過來查看。強納森——」

強納森站了起來。「怎樣？」

「你若要拿槍打人，就要這樣，像揮棍子。」湯姆作示範，這樣槍柄最重的部分，槍托，打下去才會有最大的效果。「你看，開槍要這樣，萬一不開槍不行的話。保險栓是扣住的。」湯姆再示範給強納森看。

但他們又不在這裡，強納森心想，覺得很怪，不太真實，像先前他在漢堡和慕尼黑有過的感覺，而且，那時候他還已經知道他的目標是真真實實的人，會以真面目出現在他面前。

湯姆則在心裡計算，雪鐵龍以這麼慢的速度把繞到村子後面的彎路走過一回會需要多少時間？他們當然可以在中途看方便轉回頭再直接開回麗影這一帶來。「假如有人到了門口，」湯姆又說，「我覺得我一去開門就會吃子彈。這樣子做，對他們最簡單，你知道吧，然後開槍的人馬上就會往回跑衝進等在一旁接應的車子，連忙開走。」

湯姆好像太緊張了，強納森暗想，但還是專心聽湯姆說話。

「另一種可能性是從窗口扔炸彈進來，」湯姆再說，還朝前面的窗戶作一下手勢，「跟瑞夫斯的公寓一樣。所以，你若——呃——可以的話，不好意思，我不太習慣跟人商量計劃。一般我做事都靠隨機應變，但你若可以的話，能不能請你躲在門口右邊的灌木叢裡？——右邊那裡比較密——有誰走過來要按門鈴，你就先發制人，把他打倒。他們也未必會來按門鈴，但我會在屋裡準備好魯格槍，注意是不是有人要丟炸彈。來人一走到門口，你就要趕快把他打倒，因為他的動作一定會很快。他的口袋一定會有槍，他只要一看清楚是我就會開槍。」湯姆朝壁爐走去，他原本要點起柴火的，但後來忘了，這時他再從柴籃拿起一截短木柴。湯姆把木柴放在前門右邊的地板上。這一截木柴不會比門邊木頭櫃子上的紫晶花瓶重，但比花瓶要好用。

「那這樣子嘛，」強納森說，「由我去開門，怎樣？他們若跟你講的一樣，知道你長的樣子，那我去開，他們發現我不是你——」

「不行，」湯姆沒想到強納森會提出這麼勇敢的提議，很驚訝。「首先，他們未必會真的把人看清楚才動手，而是看見人影就開槍。而且，就算他們真的把你看清楚，而你說我不住這裡或我不在家，他們的反應就是把你推開，硬要進來查看或是——」湯姆講到這裡講不下去了，輕笑一聲，腦子裡浮現黑手黨一拳就朝強納森的肚子打下去還順勢把他推進屋裡。「我覺得你還是現在就去大門旁邊藏好比較好——你若願意的話。我不知道你在那裡要躲多久，但我隨時可以幫你送點心過去。」

「沒問題。」強納森從湯姆手上接過步槍，走出門去。屋前的路很安靜。強納森站在屋子的暗影裡面，拿步槍練了練打人的動作，槍還要拉高，這樣才打得到站在門口的人的頭。

「很好，」湯姆說，「你要不要這時候就喝一杯威士忌？杯子放在灌木叢裡就好，打破了也沒關係。」

強納森微微一笑。「不用了，謝謝你。」他跪地鑽進灌木叢，看起來像柏樹的灌木叢，四呎高而已，也有月桂夾在中間。強納森藏身的地方很黑，讓他覺得藏得很徹底。湯姆關上前門。

強納森坐在地上，膝頭抵在下巴，步槍就搭在他右手邊。他忍不住想這樣子會不會要一小時？還是更久？甚至根本就是雷普利在玩把戲？強納森不相信雷普利會玩這樣的把戲。湯姆又不是神經病，他覺得這一天晚上可能會出事，就算機會不大，預作防備也才聰明。才想到這裡，就聽到有車子開過來，強納森也跟著真的開始怕起來了，很想一骨碌爬起來衝進屋裡。車子疾駛而過。強納森隔著灌木叢和前院大門，連瞄一下車子也來不及。他把一邊的肩膀靠在一株細細的樹幹上面，開始有一點要打瞌睡。五分鐘過後，強納森已經躺平在地上，不過人倒還維持清醒，也開始覺得地上的寒氣透過肩胛骨在往上竄。若是電話再響，很可能就是席夢。強納森想到，席夢會不會拗脾氣一上來就自己搭計程車跑到湯姆家來找人？或者是打電話給她在內穆爾的哥哥傑哈德，要傑哈德開車送她過來？這還比較可能一點。強納森就此打住，不再往這一條路上去想，因為真是這樣就會慘之又慘了。太好笑了嘛！不可思議！就算他把步槍藏好，但他要怎麼解釋他為什麼會躺在屋外的灌木叢裡？

強納森聽到屋子的前門打開。他已經在打盹了。

「這一條毛毯給你，」湯姆低聲跟強納森說道。屋前的路上啥也沒看到，湯姆拿來一條小蓋毯交給強納森。「墊在下面，地上一定很冷。」湯姆聽自己低聲耳語，才忽然想到，黑手黨他們也很可能徒步過來，偷偷逼進。之前他倒沒想到這一點。湯姆走回屋裡，沒多跟強納森說什麼。

湯姆走到樓上，在黑裡透過窗簾的細縫查看外面的情況，前後都看過一回。都很平靜。一盞街燈照得亮晃晃的，但照不了多遠，燈光落在左邊一百碼外往村子去的那一條路上。街燈照不到麗影前面來，湯姆本來就很清楚。四下異常安靜，但在這裡全屬平常。湯姆想，就算有人走在路上，麗影屋裡透過緊閉的窗戶也聽得到聲音。他好希望可以放一點音樂來聽。湯姆才要轉身離開窗口，就聽到很輕的咔嚓、咔嚓，有人走在泥巴路上，接著湯姆看到一絲微弱的手電筒光線，從右邊朝麗影過來。湯姆覺得這人不像要轉彎朝麗影這邊過來，果然不是，這人往前直走還沒走到街燈那邊就看不到人影了。是男是女，湯姆看不出來。

強納森可能餓了，這沒人有辦法。湯姆自己也餓了。怎麼沒辦法？湯姆走下樓，還是摸黑行動，手指頭搭在樓梯欄杆一路摸下去，走進了廚房——起居室和廚房倒都開著燈——自己動手做了些魚子醬冷盤小吃。魚子醬是前一晚吃剩的，裝罐放在冰箱裡，所以做起來很快。湯姆端著盤子正要把東西送去給強納森，卻聽到有車子引擎的低鳴。一輛車，從左往右開過麗影大門前門，然後停住。接著是車門一聲咔達，車門沒完全關好就是這聲音。湯姆把盤子放在門邊的木頭櫃上，掏出身上的槍。

咔嚓、咔嚓的腳步聲很穩，步伐聽起來溫文有禮，先是在外面的路上，接著是屋前的碎石子路。湯姆想，這一個不是來扔炸彈的。再來，門鈴響了。湯姆等了幾秒才用法語問道，「誰啊？」

「我想問路，不好意思。」男性的嗓音，一口標準的法語。

強納森一聽到有腳步聲走近，就已經拿著步槍蹲在一旁等著，這時他聽到湯姆拉開門栓，便倏地從灌木叢往外竄。那人離強納森有兩階台階，但是強納森站起來的高度卻還和他差不多。強納森使盡全身的力氣，拿步槍槍柄就朝這人的腦袋用力打下——這人正略微轉頭要朝強納森這邊看過來，因為他一定聽到強納森衝出來。強納森往前揮的槍柄正中這人左邊耳後，就在帽沿下方。對方應聲歪向一邊，撞在大門的左側門框，然後倒地。

湯姆打開門，抓住這人的雙腳把人拖進屋內。強納森趕緊幫忙，抓住這人的肩膀和湯姆一起把人弄進去，強納森再回頭撿起步槍，走進屋內，湯姆馬上輕聲關門，再回頭拿起那一截短木柴用力朝這人金髮的腦袋打下去。這人的帽子掉了，翻過來掉在地板上。湯姆伸手跟強納森要步槍，強納森馬上把槍遞過去，湯姆拿步槍的金屬槍托朝倒地這人的太陽穴用力打下去。

強納森不敢相信眼前的這一幕，鮮血流到了白色的大理石板上面。倒地的這人是火車上的另一個保鏢，一頭金色鬈髮、身材高大的那一個，那一天他在火車上找人找得氣急敗壞。

「逮到這混蛋了！」湯姆低聲說了一句，頗為滿意，「就是那另一個保鏢，你看那槍！」

這人外套的右邊口袋已經掉出一把槍。

「再弄進起居室那裡，」湯姆說完，便和強納森一起把這人又拖又推的從地板上弄過去。「小心血不要沾到地毯！」湯姆伸腳把地毯踢開。「下一個人絕對下一分鐘就會到了，準會有兩個，搞不好三個。」

湯姆從這人胸前的口袋掏出一條手帕——淡藍紫色，繡了姓名縮寫——擦掉門口地板上的一塊血跡。湯姆伸腳一踢，把這人的帽子踢飛過他的身體，掉在走廊邊的廚房門口。湯姆再把大門栓好，左手小心搭在門栓上面，免得發出聲響。「下一個就沒那麼好對付了。」湯姆低聲說了一句。

碎石子路上又有了腳步聲，然後門鈴響了——連響兩次，感覺相當著急。

湯姆沒出聲笑了一下，就掏出他的魯格槍。湯姆朝強納森作手勢要他也把身上的手槍拿出來。但這時湯姆忽然有大笑的衝動，趕緊彎下腰，壓下笑意，才再直起身子，朝強納森咧了咧嘴，伸手抹掉眼角笑出來的淚。

強納森沒笑。

門鈴又響了一次，這一次又長又大聲。

強納森看到湯姆的臉色忽然一變，皺眉，瞇眼，好像一時不知如何是好。

「別用槍，」湯姆低聲吩咐，「非不得已不要開槍。」湯姆的左手已經前伸要去開門。

湯姆準是要一開門就開槍，強納森心想，或者是用槍抵住來人。

這時又傳來腳步聲，外面那人改向強納森身後的窗戶走過去，這一扇窗的窗簾這時候已經拉下蓋得滿密的。強納森悄悄從窗前挪開。

「安吉？——安吉！」外面的男子輕聲叫喚。

「你到門邊問他有什麼事，」湯姆輕聲跟強納森說，「用英語——裝作是管家。然後讓他進來，我再用槍抵住他。——你可以嗎？」

強納森才沒那力氣去想他可以嗎？這時候傳來敲在門上的聲音，接著又是門鈴。「請問哪一位啊？」強納森朝門外喊。

「我——呃，想要問，嗯，路，麻煩你。」法語的發音不怎麼好。

湯姆忍不住竊笑。

「請問您要找誰？先生？」強納森再問。

「問路——麻煩你！」門外用喊的了。已經透出著急。

湯姆和強納森互換一下眼神，湯姆跟強納森打手勢要他開門，接著馬上閃到門的左側，這樣門外不管站了有誰，門一開對方都看不到他。

強納森把門栓拉開，轉動門把的自動鎖，把大門打開一半，也在心底認定馬上就會有一顆子彈命中他的腹部，但他還是站得直挺挺的，右手搭在外套口袋裡的槍上。

矮一點的這個義大利人跟前一人一樣戴了帽子，手也一樣伸在口袋裡面，看到眼前出現的是一名高大的男子，穿著普通，面露驚訝。

「先生？」強納森注意到這人的左手袖子裡面空空的。

這人才往門內踏一步，湯姆就已經拿著魯格槍抵住這人的腰側。

「把槍給我！」湯姆用義大利話下令。

強納森的槍也已經瞄準在這人身上。這人插在口袋裡的手往上舉，好像要開槍。湯姆馬上用左手往他的臉上推。但這人沒開槍。這個義大利佬發現湯姆・雷普利赫然近在眼前，嚇得失神，愣在原地。

「黎普利！」義大利佬驚呼一聲，口氣透著恐懼、驚訝，說不定還有得意。

「別管了，槍給我！」湯姆這時改用英語，再把槍朝這人的肋骨戳，同時伸腳把門踢上。

義大利佬終於搞清楚湯姆的意思，看湯姆朝他作手勢要他把槍丟到地上，便依命照做。這時他也看到了他那兄弟躺在地板上，離他有幾碼，吃了一驚，眼睛睜得斗大。

「栓上門，」湯姆跟強納森說完，便再改用義大利話問義大利佬，「還有人嗎？」

義大利佬用力搖頭，湯姆想，這算表示沒有吧，接著就注意到他有一條手臂罩在外套裡，還掛著吊帶。果真是報上寫的那樣。

「你幫我瞄準他！」湯姆叮嚀強納森，便開始搜這人。「外套脫掉！」湯姆把這人的帽子摘下來，朝安吉的方向扔過去。

義大利佬任由身上的外套往下滑，掉在地上。他肩膀上的槍套是空的，口袋裡也沒找到別的槍。

「安吉——」義大利佬又問了。

「安吉死啦，」湯姆回答，「你也差不多了，你不乖乖照我的話做，就跟他一樣。你想跟他一樣嗎？你叫什麼？——你叫什麼？」

「利波，腓利波。」

「好，利波。手舉起來，不准動。你的手。站到那邊去。」湯姆朝利波作手勢，要他站到死去的同夥身邊。波利舉起他好的那一隻右手。「抵住他，強，我去看一下他們的車。」

湯姆拿著他那一把魯格槍，走出屋外，右轉，朝院子外的泥巴路走去，小心走向義大利佬的車。湯姆聽得到引擎沒有熄火。車子停在路邊，打著停車燈。湯姆停住腳步，閉上眼睛幾秒才再睜開，眼睛睜得斗大，細看車子兩邊或是後車窗後面有沒有動靜。湯姆慢慢朝前逼近，一步一步踩得十分穩定，原以為車裡會有人朝他開槍。但是，悄然無聲。他們該不會只派了這兩個人來吧？湯姆緊張之餘，忘了帶手電筒。湯姆拿槍瞄準前座，以防有人躲在前座朝他開槍，打開前座的左邊車門，車裡的燈便亮了，但車裡沒人。湯姆用力關上車門，車裡的燈跟著熄滅，湯姆壓低身子，仔細聽四下的聲響。沒聽到絲毫動靜。湯姆快步往屋子跑，打開麗影的前院大門，再跑回車子那邊，倒車開回前院的碎石子路。這時一輛車正好開過來，從小村裡來的，沿著泥巴路往前去。湯姆關掉引擎和停車燈，轉身回前門敲了敲，讓強納森知道是他回來了。

「看起來是只有他們兩個。」湯姆跟強納森說。

強納森還站在湯姆出去前他站的原地沒動，手裡的槍也還指著利波，利波這時已經把好的那一隻手放下來了，垂在身側略往外靠。

湯姆朝強納森微笑示意，再對利波說，「剩你一個人而已，利波？你若騙我，那你就完了，懂吧？」

黑手黨的自尊好像重回利波身上，他沒作聲，只是瞇起眼睛向看湯姆。

「回答啊，你……！」

「是！」利波應了一聲，既生氣又害怕。

「累了嗎？強納森？坐吧。」湯姆幫強納森拉來一張黃色襯墊的椅子。「你要坐也可以，」湯姆跟利波說，「你坐到你那兄弟旁邊去。」湯姆跟利波說的是義大利話，他的義大利黑話慢慢回來了。

但利波還是站著沒動。他看起來過了三十歲有，湯姆猜道，一百八十公分高吧，肩膀圓但結實，啤酒肚已經跑出來了，笨到家，不是當頭目的料。一頭黑色的直髮，淡褐色的臉這時候微微發青。

「記得火車上你見過我沒有？想起一點了嗎？」湯姆帶笑問利波，再瞄一眼癱在地板的金髮大個子，「你若聽話，利波，就不會落得安吉這樣的下場。好吧？」湯姆雙手插腰，笑著對強納森說，「來一杯琴湯尼提振軍心如何？你還好嗎？強納森？」湯姆看出強納森的臉色漸漸恢復正常。

強納森點頭，擠出一絲緊張的笑。「對！」

湯姆走進廚房，正在把製冰盤從冰箱拿出來，電話鈴響。「別管電話，強納森！」

「好！」強納森直覺是席夢又打來了。已經晚上九點四十五分了。

湯姆在想不知該用什麼辦法逼利波要他那一夥人別再追他。電話鈴響了八聲，就停了。湯姆下意識裡在數鈴響的次數。湯姆回到起居室，手上捧著托盤，放了兩只玻璃杯，一碗冰塊，和一瓶打開的通寧水。餐桌附近的飲料推車上已經有杜松子酒。

湯姆把調好的酒遞給強納森，說，「乾杯！」再轉向利波，「你們的老巢是在哪裡？利波，米蘭？」

利波滿臉不屑，不吭聲。氣死人，這個利波還真是欠揍那一型。湯姆瞄一眼安吉頭部下面一灘凝固的血跡，臉上滿是嫌惡，把手上的玻璃杯放在門邊的木頭桌，就走回廚房。等他再回來，手上多了一條厚實的擦地抹布——安奈特太太叫作拖把——擦掉鑲花木頭地板上的血跡，這可是安奈特太太辛勤打過蠟的。湯姆用腳把安吉的頭挪開，再把抹布塞在安吉的頭下。湯姆想，應該不會再有血了，緊跟著心生一計，就把安吉身上的口袋再好好搜過一遍，長褲、外套的口袋一一搜個徹底。找到了菸，打火機，小額零錢。胸前口袋有錢包，湯姆留著沒動。臀部口袋還有一條揉成一團的手帕，湯姆把手帕拉出來，一條絞繩跟著掉了出來。「你看！」湯姆跟強納森說，「我就在找這個！啊，這些黑手黨的念珠！」湯姆把絞繩拎起來，笑得很開心，「專門為你準備的呢，利波，你不乖乖聽話的話，就用得上。」湯姆這時候又改用義大利話，「畢竟我們可不想用槍，會吵到人，對不對？」

湯姆懶懶朝利波走過去時，強納森低頭看著地板有好幾秒，湯姆還把絞繩繞在一根手指頭上不住打圈圈。

「你是大名鼎鼎的吉諾蒂家的人吧，對不對啊，利波？」

利波猶豫了一下，但時間很短，好像不想承認的念頭在他腦中只是一閃即逝。「是。」利波答的口氣十分堅定，但微帶一絲羞愧。

湯姆看了不禁莞爾，黑手黨家族以數大取勝，以團結取勝。像利波這樣落單一人，就一臉慘白，甚至發青。湯姆對利波的手有一點不好意思，但他可還沒開始折磨他呢。湯姆很清楚黑手黨要不到錢或要不到人情，會使出怎樣的手段來對付別人——硬生生拔掉腳趾甲或牙齒，拿菸頭燙，諸如此類。「你殺過多少人？利波？」

「半個也沒有！」利波怒聲回答。

「沒有！」湯姆轉頭跟強納森說，「哈哈！」湯姆走到前門對面的小洗手間去洗一把手，等他回來，先把他那一杯酒喝完，再拿起前門旁邊那一截木柴，朝利波走過去。「利波，今天晚上你要打電話給你們老大，說不定就是你的新頭目，啊？他今天晚上人在哪裡？米蘭？巴伐利亞摩納哥*？」湯姆拿那一截木柴朝利波打下去，警告利波他可沒有開玩笑的意思。不過，湯姆這一記打得很重，因為他有一點緊張。

「不要打了！」利波大喊一聲，搖晃一下差一點跌倒，一隻手遮住頭，樣子有幾分可憐。

「我只是一隻手的傢伙！」利波尖聲大叫，這時候講起話來就露出本性了，那不勒斯出身的義大利貧民窟小混混，湯姆又想，但也可能是米蘭吧，反正湯姆也不是這方面的專家。

「是喲！還兩個打一個！」湯姆頂回去，「不公平，對不對？啊？你要抗議？」湯姆又再罵他幾句不堪入耳的髒話，才立定轉身去拿菸。「你幹嘛不向你的聖母瑪利亞祈禱就好？」湯姆側過臉跟利波說，「還有，」湯姆改用英語跟利波說，「不准再叫，要不然你的腦袋瓜準又馬上再吃一記！」湯姆舉起木柴在空中一揮——咻！——讓利波知道他是說真的。「安吉就是這麼死的。」

利波閉一下眼睛，嘴唇微張，呼吸很淺，很大聲。

強納森已經把手上的酒喝完了，手裡的槍始終指著利波，這時也改用兩隻手一起抓著，因為這一把小槍變得有一點重了。強納森不知道真要他開槍的話，他打得中利波嗎？但又怎樣？反正湯姆老是擋在他和利波中間。這時候湯姆已經揪住義大利佬的皮帶用力搖他，強納森聽不懂湯姆在說什麼，有些字是連珠砲般簡短的義大利話，有的就又是法語、英語。湯姆大部分時候像是喃喃自語，但腔調最後還是氣得拉高，把義大利佬一把朝後推，兀自轉身。義大利佬從頭到尾幾乎都沒吭聲。

湯姆走到收音機旁，按下兩個按鈕，一曲大提琴的協奏曲就流洩滿室。湯姆把音量調到中等，再去查看窗簾是不是拉得沒一絲縫。「很討厭，對吧？」湯姆這是跟強納森說的，有道歉的意思。「下流。他不肯跟我說他老大人在哪裡，所以不打他幾下不行。他是怕我，但一樣怕他老大。」湯姆朝強納森笑了笑，但一閃即逝，隨即回頭去換音樂，找了一些流行音樂，就再拿起那一截木柴，而且意態十分堅決。

湯姆打下去的第一記被利波伸手擋掉，但是湯姆馬上反手再打中利波的太陽穴。利波先是喊了一聲，接著大喊，「不要！不要！不要打我！」

「你們老大的電話號碼！」湯姆大罵。

咔啦！這一記打在利波的腰上，打中了利波的手，他伸手護住腰。有玻璃碎片掉在地板上。利波的錶戴在右手腕上，錶一定被打碎了，利波痛得一隻手摀在肚子上，低頭看向地板的玻璃碎

＊譯注：巴伐利亞摩納哥（Monaco di Bavaria），義大利文的慕尼黑。

片，張口喘氣。

湯姆等他回答，木柴也已經擺在打擊的定位。

「米蘭！」利波回答。

「好，那你就要——」強納森沒聽清楚後來的話。

湯姆先指向電話，然後走向前面窗戶旁邊的桌上電話。湯姆問義大利佬米蘭的電話號碼。

利波給了電話號碼，湯姆寫下來。

接下來湯姆講的話就比較長了，講完後湯姆轉向強納森說，「我跟這傢伙說他不打電話給他老大說我要他說的話，那就絞繩伺候。」湯姆把絞繩調整好，然後轉身面向利波，這時屋外傳來車子開過來的聲音，車在前院的大門外面。

強納森站起來，心想，要嘛是義大利佬的援軍來了，要嘛是席夢坐老哥傑哈德的車來了。強納森不知道前者還是後者才比較慘，反正兩者這時候在他都是死路一條。

湯姆沒有意思要去窗邊查看。汽車引擎沒關。利波的臉色沒有一點變化，湯姆看不出他有鬆一口氣的樣子。

這時，汽車又再往前開了，向右。湯姆從窗簾縫朝外看。車子是走了沒錯，開得滿快的，看起來沒事——除非車上已經下來了幾個人，躲進灌木叢，準備朝窗子裡亂槍掃射。湯姆豎起耳朵聽了幾秒。說不定是葛瑞夫婦，湯姆心想，幾分鐘前那一通電話，也許就是葛瑞夫婦打的，說不定他們看到前院大門裡的碎石子路上有外人的車，就決定還是走了的好，心想雷普利家可能有別的客人在。

「好了，利波，」湯姆的口氣很平靜，「你現在就要打電話給我們這一位老大，我要在旁邊用這玩意兒作監聽。」湯姆拿起圓形耳機夾在電話後面。這是法國人用的助聽器，可以放大音量。「你們講的話我若有一點點不滿意，」湯姆這時候改用法語，他看得出來這義大利佬聽得懂，「我馬上就把這活結抽得緊緊的，你知道吧？」湯姆把活結套在自己的手腕上作示範，才再走到利波身邊把活結從利波的頭上套下去。

利波吃了一驚，略朝後仰，但被湯姆拉著絞繩硬扯回來，像牽小狗一樣拉到電話旁邊。湯姆把利波推到桌邊的椅子坐下，這樣抽絞繩時才容易施力。

「那，我幫你撥號，我看要對方付費了。你就說你在法國，你和安吉覺得被人盯住了。你說你找到湯姆・雷普利的人，安吉卻說你們要找的人不是他，懂嗎？懂不懂？有句子不對，像講密語、打暗號之類的，那就——這樣——」湯姆把絞繩抽緊，但沒真的勒進利波的脖子。

「是、是！」利波回答，嚇得睜著一雙滾圓的眼睛從湯姆看向電話。

湯姆撥號給接線生，表明要打長途電話，打到義大利的米蘭。接線生問湯姆家裡的電話號碼，法國的接線生一定會開口問，湯姆便說出家裡的號碼。

「請問是哪一位打的？」

「利波，就說利波就可以了，」湯姆回答接線生，再說出對方的號碼。接線生說接通後會再回電湯姆。湯姆便向利波說，「打過去的地方若是哪一家雜貨店或你藏在哪裡的老相好，我一樣馬上勒死你！懂嗎？」

利波扭了扭，像是急著要逃卻又不知道該怎麼辦——還不知道。

電話鈴響了。

湯姆向利波比手勢，要他接電話。湯姆拿起耳機豎起耳朵聽。接線生在說對方願意接這一通電話。

「可以了嗎？」另一頭傳來男人的聲音。

利波用右手把話筒湊在左耳。「可以了。我是利波，路奇嗎？」

「是！」對方回答。

「我跟你說，我——」利波的襯衫滲得都是汗，黏在他的背上。「我們看到——」

湯姆把手上的絞繩稍微一抽，催利波快講。

「你在法國，對不對？和安吉？」對方的聲音有一點不耐煩。「然後呢——怎麼回事？」

「沒事，我——我們看到那個人了。安吉說這人不對……不是……」

「你再說你覺得有人在盯你們，」湯姆輕聲吩咐利波，因為線路不太好，湯姆並不擔心米蘭那人聽得到他在講話。

「我們覺得——說不定被人盯上了。」

「被人盯上了？」米蘭那邊馬上厲聲質問。

「我不知道。所以，現在——我們接下來要怎樣？」利波問道，用的是流利的黑幫行話，但有一個字湯姆沒聽懂。利波這時候看起來是真的很怕。

湯姆硬憋住笑，繃得肋骨好緊，眼睛瞥了強納森一眼。強納森倒是一直盡忠職守，手上的槍始終瞄準利波。利波講的話，湯姆不是每一個字都聽得懂，但利波這樣子不像在耍什麼把戲。

「回去嗎？」利波再說。

「對，」路奇回答，「棄車！搭計程車到最近的機場！你們現在在哪裡？」

「跟他說你要掛電話了。」湯姆低聲下令，還作手勢。

「要掛電話了，來日再相會了，路奇。」利波說完掛掉電話，抬眼看向湯姆，眼神像可憐的小狗。

利波完了，他心裡有數，湯姆暗想，一時間對自己的名聲還頗為自豪。湯姆無意饒利波一命。利波他們那一幫也從來不饒人性命，不論什麼情況都不會。

「站起來，利波，」湯姆帶笑說道，「我們看看你口袋裡還有什麼寶貝吧。」

湯姆開始在利波身上搜，利波好的那一隻手朝後甩了一下，像是要打湯姆還是怎樣，但是湯姆才懶得躲。他緊張罷了，湯姆暗想。湯姆在利波口袋裡找到幾枚硬幣，一張揉得皺皺的小紙頭，仔細一看，才知道是義大利電車車票的舊票根，接著又在臀部口袋翻出一根絞繩，這一根就有一點花稍了，紅白二色的條紋，看得湯姆覺得很像理髮廳的旋轉招牌柱子，質地細得跟羊腸線一樣，湯姆想這應該就是羊腸線沒錯。

「你看看！又一條！」湯姆跟強納森說，把找到的絞繩舉起來，像是在海灘找到了漂亮的鵝卵石。

強納森正眼沒瞧那一根在湯姆手上不住晃動的絞繩一次，前一根絞繩還正套在利波的脖子上。強納森也沒去看地板上的死人，死者就躺在離他不到兩碼的地方，一隻腳的鞋子在磨得精亮的地板上朝內翻，很不自然，只不過強納森眼角餘光始終躲不掉躺在地板上的人影。

「我的天！」湯姆看錶輕呼一聲，沒想到竟然這麼晚了，已經過了十點。現在就一定要做個了斷，他和強納森還要開一小時的車去辦事，再在天亮前趕回來——可以的話最好如此。屍體一定要丟在維勒佩斯外面很遠的地方，往南去，當然是朝義大利那邊去。可能東南方吧。哪個方向也沒多重要，只是湯姆覺得東南方比較好。湯姆深吸一口氣，準備好要動手，但強納森就在眼前，擋得他下不了手。不管怎樣，強納森也看過處理屍體的場面了，沒時間再磨菇下去。湯姆拿起地板上的木柴。

利波見狀馬上閃躲，飛撲在地上，或者是絆住跌倒吧，但是湯姆還是用手中的木柴打中他的頭，緊接再補上一記重擊。但這時湯姆倒也沒有使出全身的力氣——因為他心底隱隱有聲音叮嚀他不要把安奈特太太擦得這麼亮的地板再染上更多血。

「他只是昏過去而已，」湯姆跟強納森說，「一定要解決掉才行，你若看不下去——就先進廚房去也好。」

強納森那時已經站了起來。他當然看不下去。

「你會開車嗎？」湯姆問強納森，「我是說我的車，那一輛雷諾。」

「會。」強納森回答。他以前和羅伊來法國時就拿有駕照；羅伊就是跟他到法國來創業的哥兒們。但是駕照放在家裡。

「我們今天晚上就要開車出門一趟。你先進廚房去吧。」湯姆跟強納森作手勢，要他避開，才再回頭彎腰緊緊勒住套在利波脖子上的絞繩。這可不是什麼美事——這老套的兩個字忽然從他腦子閃過——但有的人可是連昏過去這種慈悲的麻醉劑都無福消受呢！湯姆把絞繩扯得緊緊的，絞繩陷進利波的脖子裡面，湯姆在腦中拿維多・馬坎吉羅給自己打氣。馬坎吉羅在莫札特號特快車上不也是同樣的死法？那一次湯姆不就順利把事情處理完畢了嗎？所以，第二次應該可以熟能生巧。

湯姆聽見有車子駛近，在泥巴路上躊躇了一下，然後繞過來，停住，再來是拉起手剎車的聲音。

湯姆緊緊拽住絞繩的手片刻沒有放鬆。到底過了幾秒？四十五？沒超過一分鐘，真不巧！

「什麼聲音？」強納森已經從廚房出來輕聲問湯姆。

車子的引擎還在響。

湯姆搖頭表示不知道。

這時，兩人同都聽到碎石子路上有輕輕的腳步聲，接著門上傳來一聲輕扣。強納森忽然覺得全身癱軟，膝蓋好像要撐不住了。

「我覺得好像是席夢。」強納森說。

湯姆這時只能拼命祈禱利波快死吧。利波的臉色還只是暗粉色而已。可惡！

門上又敲了一下。「雷普利先生？——強！」

「若有人陪她過來，」湯姆跟強納森說，「你就要問她是誰陪她過來的，絕對不可以開門，跟她說我們有事在忙。」

「誰陪妳來？席夢？」強納森隔著緊閉的前門問道。

「沒人！——我要計程車司機在外面等我。什麼事啊？強？」

強納森看出湯姆聽到了席夢說的話。

「叫她把計程車打發走。」湯姆跟強納森說。

「妳去付錢給司機，席夢。」強納森隔著門喊。

「已經付過了！」

「那就叫他回去吧。」

席夢轉身沿著來時路去打發計程車。湯姆和強納森聽到計程車離開。席夢再走回來，走上台階，這一次她沒再敲門，而是靜靜站在門外等。

本來彎腰勒住利波的湯姆直起身來，絞繩就留在利波脖子上沒動。湯姆在想強納森有辦法出去支開席夢，跟她說今天晚上不好請她進這屋子裡來嗎？他們這裡還有其他人在嗎？他們可以幫席夢再叫一輛計程車過來把她接回去嗎？湯姆也在想，等一下計程車司機真的來了，不知會怎樣？這一個打發掉了還是比較好吧，免得讓外人看到明明屋裡有燈，至少有一個人在，卻好像不讓席夢進門。

「強！」席夢又喊，「你開門好嗎？我有話要跟你說。」

湯姆輕聲向強納森說，「你出去把她擋在外面，我在裡面打電話再叫一輛計程車來，好不好？你就跟她說我們和另兩個人有事情要商量。」

強納森點頭，但遲疑了一下才把門栓拉開。強納森沒把門打開多少，他擠得出去就好，但是席夢竟然用力把門撞開，撞進麗影的玄關裡來。

「強！對不起我——」席夢上氣不接下氣四下張望，像是要找湯姆・雷普利，麗影的男主人，席夢看到雷普利，但同時也看到躺在地板上的另兩個人。席夢發出短促的驚呼，手提包從指尖滑落，掉在地板上輕輕一聲「砰！」「我的天！——出了什麼事？」

強納森緊緊抓住她兩隻手，「妳別看！他們——」

席夢呆呆站在原地。

湯姆走向席夢。「晚安，太太，妳別害怕。這兩人是侵入民宅的惡徒，都只是昏過去而已。我們是有一點麻煩！——強納森，麻煩你帶席夢到廚房去。」

席夢沒動，身子略一搖晃，就靠在強納森身上，但一下過後卻又抬起頭來，雙眼圓睜瞪著湯姆。「他們那樣子像是死了！——殺人凶手！太可怕了！——強納森！我不敢相信你竟然也——在這裡！」

湯姆朝飲料推車走過去，「席夢喝白蘭地好嗎？你說？」湯姆這問的是強納森。

「可以。——我們進廚房去吧，席夢。」強納森準備擋在席夢和兩具屍體中間走過去，但席夢不肯動。

湯姆發現白蘭地比威士忌還要難開瓶，便拿飲料推車上的一只玻璃杯改倒威士忌。湯姆把那一杯威士忌遞給席夢，威士忌沒加水。「太太，我知道這場面很可怕。這些人是黑手黨——義大利。他們闖進我家裡來攻擊我們——攻擊我，隨便吧。」席夢接過酒小啜幾口，還稍微擠了一下眼睛，好像良藥苦口；湯姆看了略微放心了些。「是強納森幫我度過難關的，我對他十分感激。沒有他——」湯姆講到這裡停住，席夢的怒氣又浮上來了。

「沒有他？他在這裡幫你什麼？」

湯姆挺直身子，逕自走進廚房，因為他覺得這樣才有辦法把席夢弄進廚房。席夢和強納森真的跟著他進了廚房。「我今天晚上沒有時間跟妳好好說明，崔凡尼太太。現在沒辦法。我們要馬上離開這裡才好——把這兩個人弄走。所以，能否請妳——」湯姆在想，他們有沒有時間——他有沒有時間——開他那一輛雷諾車送席夢回楓丹白露，再回頭來和強納森一起處理這兩具屍體？沒有。湯姆才不想要浪費那麼多時間，這樣一個來回少說也是四十分鐘。「太太，能否讓我打電話叫一輛計程車來載妳回楓丹白露？」

「強納森不走我絕對不走，我要知道我丈夫在這裡搞些什麼名堂——和你這樣的垃圾在一起搞些什麼名堂！」

席夢的怒氣全是衝著湯姆來的，所以湯姆希望她能一次發作完畢，好好大爆發一次，一了百了。湯姆每次遇到女人大發脾氣就沒輒——倒不是說他常遇到這情況。只是，這在湯姆感覺像跳不出去的一團亂，走的是個循環的圓，像一個接一個連成一圈的小火堆，就算撲滅了這一堆，這女人家啊，馬上就會跳到下一堆。湯姆只好跟強納森說，「席夢若可以搭計程車回楓丹白露去的話——」

「我知道，我知道。席夢，妳回家去對大家都好。」

「那你跟我回去嗎？」席夢問強納森。

「我——我這時候沒辦法。」強納森答得很無奈。

「那就等於是你不想回去，你站在他那一邊。」

「妳可不可以之後再讓我跟妳好好解釋，親愛的——」

強納森再往下勸席夢，湯姆在一旁忽然想道，說不定強納森並不願意，或者是改變心意了。強納森講不動席夢。

湯姆插嘴道：「強納森，」湯姆朝強納森比一下手勢。「太太，您請見諒，我們兩個私下談一下。」湯姆和強納森挪到起居室低聲密談，「我們還有六小時的時間——或說是我有。我一定要把這兩具屍體弄出去處理掉——我要趕在天亮的時候甚至天亮之前就要回到這裡。你真的要幫忙嗎？」

強納森覺得一陣茫然，像是他很可能上陣就會陣亡。但他和席夢這一仗本來就已經輸了。這情況他再怎麼解釋也解釋不了的。這時候跟席夢回楓丹白露去也沒辦法幫他扭轉什麼。他其實已經失去席夢了，既然事已至此，他還剩什麼好再失去的呢？這一番思緒像一幕影像在強納森腦中閃過。「我幫你，沒問題。」

「那好——謝謝你。」湯姆這時笑得就有一點勉強了。「席夢當然不會願意待在這裡，但她要的話，也可以留在我太太的房間裡。說不定我找得到鎮定劑什麼的，但再怎樣，拜託，她絕對不可以跟著我們去。」

「不會。」席夢是強納森的責任，強納森卻覺得自己沒有能力勸得動她或指揮得了她。「我從來就沒辦法要她——」

「會有危險，」湯姆打斷強納森的話，但忽然住口。沒時間再這樣子講下去了。湯姆回走起居室，他覺得不看一下利波的狀況不行，利波的臉色這時已經發青——或湯姆自己覺得吧。無論如何，利波在地上癱成一團，是很像萬事皆休的已死模樣——連說像是在作夢或睡覺都不像，而是空空如也，意識已經永久離開他這一副軀殼了。席夢從廚房走出來，湯姆才正要走回去。席夢手上的酒已經空了。湯姆走到飲料推車把酒瓶拿來，再往席夢的杯子裡倒酒，不管席夢比手勢表示她不要喝了。「妳不想喝也沒關係，太太，」湯姆跟席夢說，「因為我們不走不行了，但我也要跟妳老實說，妳若留在我這屋子裡，可能會有危險。我不知道是不是還會有人再闖進來。」

「那我就跟你們一起去。我要跟我丈夫在一起！」

「不可以！太太。」湯姆的口氣十分堅定。

「你們要幹什麼？」

「我還不清楚，但我們一定要把這——這些髒東西處理掉！」湯姆比了一下，「髒東西！」湯姆再講一次。

「席夢，妳搭計程車回楓丹白露去吧。」強納森這時說了。

「不要！」

強納森一隻手抓住席夢一隻手腕，另一隻手順勢把席夢手上的杯子拿走，免得酒灑出來。

「妳一定要照我說的去做。這關係的是妳的命，關係的是我的命。我們沒辦法這樣一直吵下去！」

湯姆忽然衝上樓去，在樓上找了一分鐘，找到赫絲思的一個小瓶子，裡面是小劑量的苯巴比妥鎮定劑。赫絲思很少吃，塞在醫藥櫃最裡面。湯姆捏了兩顆鎮定劑衝下樓，裝作沒事一般扔進席夢用的杯子——他先前從強納森手上接了過來——再往杯子裡倒蘇打水。

席夢接過就喝下去。所以，這時候席夢坐在黃色的大沙發上，神色比較平靜，雖說藥劑要發揮效力還有一點太早。強納森已經在打電話。湯姆想他應該是在打電話叫計程車。薄薄的塞納—馬恩省的電話號碼簿攤在電話桌上。湯姆覺得有一點恍惚，跟席夢一樣。但席夢還有一點驚嚇過度而呆呆的。

「就說維勒佩斯的麗影，他們就知道了。」強納森看向湯姆，湯姆回答。

20

強納森和席夢在等計程車，兩人站在前門旁邊，同都安靜得可怕。湯姆從落地窗走進花園，到工具間拿家裡的備用汽油。湯姆有一點失望，四方形的油桶沒裝滿，但感覺應該還有四分之三吧。湯姆身上帶了手電筒，繞過屋角要往前門走回屋裡去時，聽到有車子開來。開得很慢，但願是計程車才好，湯姆心想。不過，湯姆沒把油桶放進雷諾車裡，而是先往月桂樹叢裡放，藏起來。湯姆在前門輕敲一下，強納森來應門。

「計程車好像到了。」湯姆說。

湯姆朝席夢道一聲晚安，就讓強納森送席夢上車，計程車停在前院的大門外。計程車開走後，強納森回屋裡來。

湯姆正在將落地窗重新關緊。「天哪！」湯姆唉了一聲，不知道還可以說什麼，而且，又只剩他和強納森兩人了，他也鬆了好大一口氣。「希望席夢不要太生氣，但她這麼氣也怪不得她。」

強納森聳一下肩膀，有一點失神，想要回話，但想不出來要講什麼。

湯姆了解強納森這時的心境，便像船長向信心渙散的船員下令一般，跟強納森說，「強納森，她會回頭的，你放心。」而且，席夢也不敢去報警，因為她若報警，就會牽連到她丈夫。這時，湯姆堅忍不拔的毅力和決心又回來了，湯姆走過強納森身邊時輕拍一下強納森的手臂。「我馬上就回來。」

湯姆把汽油桶從月桂樹叢拿出來，放進雷諾車的後車廂。湯姆再去開那兩個義大利佬的雪鐵龍車門，車門一開，車內燈就亮起，湯姆看到油箱指針指在一半略多一點。這樣應該夠了，他要開上兩小時多的路呢。湯姆知道他那雷諾車的油箱也只剩過半再多一點而已，而且兩具屍體也要放進車裡才行。他和強納森還沒吃晚餐，這可不太聰明。湯姆回屋裡去，說：「我們出發前還是要吃一點東西才好。」

強納森跟在湯姆後面走進廚房，很高興有機會避開起居室裡的那兩具屍體，片刻也好。他在廚房的洗滌槽裡洗了一把手和臉，湯姆微笑看向他。吃的，這才是當務之急——這時的當務之急。湯姆從冰箱拿出牛排，塞進燒紅的烤架，又再去找了一個盤子，兩把牛排刀，兩支叉子。兩人終於坐定，共用一個盤子，叉起切成小塊的牛肉就著一小碟鹽巴和另一碟ＨＰ醬將就著吃。牛排很棒。湯姆甚至從廚房流理檯的櫃子翻出半滿的一瓶波爾多紅葡萄酒。吃得比這一餐還慘的，湯姆才多著呢。

「吃一吃對你比較好。」湯姆把手上的刀叉往盤子上一扔，跟強納森說。

起居室的鐘噹了一聲，湯姆一聽就知道十一點半了。

「要不要喝咖啡？」湯姆問強納森，「有『雀巢』。」

「不用了，謝謝。」強納森和湯姆就著牛排狼吞虎嚥時都沒說話。這時強納森先開口問，「那我們要怎麼處理？」

「找個地方燒掉。放在車上連車一起燒，」湯姆回答，「未必一定要焚屍才可以，但這樣看起來才像黑手黨幹的。」

強納森看著湯姆站在洗滌槽前面沖洗保溫瓶，完全不管他現在就站在敞開的窗口前面。湯姆用熱水沖保溫瓶，再拿一瓶「雀巢咖啡」倒一些即溶咖啡粉進保溫瓶，然後在保溫瓶裡倒入滾燙的水。

「要加糖嗎？」湯姆問強納森，「我看可能會有需要。」

之後，強納森先幫湯姆把金髮保鏢弄出去，這保鏢的屍體已經開始僵硬。湯姆嘴上在講話，笑話吧，接著湯姆說他改變主意了：兩具屍體都塞進雪鐵龍好了。

「……雖然雷諾車，」湯姆趁喘氣的空檔說，「比較大。」

屋前這時候已經一片漆黑，遠處的街燈連一絲光線也送不到隔了這麼遠的麗影來。兩人把第二具屍體扔進雪鐵龍敞篷車的後座，疊在第一具屍體上面，湯姆見狀又笑了一下，因為利波的臉好像埋在安吉的脖子下面，但這一次湯姆克制住了，沒開口講話。湯姆在車底找到幾張報紙，便把報紙蓋在屍體上面，四角盡量塞緊。湯姆問清楚強納森真的會開雷諾車，也把轉彎的信號燈、頭燈、遠光燈都示範過一遍。

「好了，你發動引擎，我去關門。」湯姆跟強納森說完就跑回屋裡，留著起居室的一盞燈沒關，再出來，關上麗影的前門，加上雙重鎖。

湯姆先前已經跟強納森說過，他們的第一目標是桑斯（Sens），接著是特魯瓦（Troyes）。到了特魯瓦可能要再往東多走一點。湯姆車上有地圖，兩人先要在桑斯的火車站會合。湯姆把保溫瓶放進強納森開的車裡。

「你都還好吧？」湯姆問強納森，「想停下來喝一口咖啡，那就隨時停下來喝，沒有關係。」湯姆朝強納森揮手道別，相當開心。「你先走，我還要關大門。但我會超到你前面。」

所以，強納森先開車上路，湯姆在後面關大門，上掛鎖，但很快就超到強納森的車前往桑斯去；到桑斯的車程只要三十分鐘。強納森開那一輛雷諾看來很順利。湯姆在桑斯和強納森稍微講了講話。等再到了特魯瓦，兩人還是約在火車站會合。湯姆不認得特魯瓦這地方，只是一路上始終有兩輛車緊緊相隨很危險。不過，每一城鎮往火車站去的路線都標示得很清楚。

湯姆開到特魯瓦，已經將近半夜一點鐘。前半小時多，他一直沒看到強納森開的雷諾車跟在他後面。湯姆走進火車站的咖啡廳點了一杯咖啡，然後再續一杯，眼睛始終看向玻璃門外，看強納森那一輛雷諾車什麼時候開進火車站前。等來等去，湯姆終於付帳，走出去，朝他的車走過去時，強納森開著湯姆的雷諾車也沿著坡地朝停車場前來。湯姆朝強納森揮手，強納森看到他了。

「你還好吧？」湯姆問道。他覺得強納森看起來還不錯。「你若想喝一杯咖啡或上個廁所，最好自己一個人去。」

二者強納森都不需要。湯姆後來還是說動強納森再從保溫瓶裡喝幾口咖啡。湯姆注意了一下，沒人多看他們一眼。一班火車才剛進站，下來了十或十五名乘客，有的朝停在一邊的車子去，有的朝來接人的車子去。

「我們從這裡上十九號國道，」湯姆跟強納森說，「目標是巴爾——巴爾奧布（Bar-sur-Aube）——一樣是在火車站會合，可以嗎？」

湯姆先開車離開。公路的景象開闊起來，車子很少，除了兩、三輛特別笨重的大貨車，長方形的車尾有紅白二色的燈圍上一圈，這般移動的龐然大物說不定什麼都看不到，湯姆覺得，起碼看不到雪鐵龍後座蓋在報紙下的兩具屍體。和他們載的貨比起來，湯姆這車裡的，小巫見大巫。湯姆這時開得不是很快，沒超過九十公里的時速，也就是五十五英哩的時速。開到巴爾的火車站，他和強納森只把頭探出車外簡單聊幾句。

「汽油不夠了，我要開到蕭蒙（Chaumont）再過去，所以會在下一處加油站停下來加油，好嗎？你也去加一下油好了。」

「好。」強納森回答。

時間是凌晨兩點十五分。「還是沿著十九號國道走就好，待會兒在蕭蒙的火車站見。」

湯姆離開巴爾後，看到一家「道達爾」（Total）加油站，便拐進去加油，付帳時，強納森也從後面開了進來。湯姆點起一根菸，沒看向強納森。湯姆四下走了走，活動一下筋骨，接著再把車子往旁邊移一點，就進廁所去。開到這裡，離蕭蒙只剩四十二公里。

湯姆在凌晨兩點五十五分開到蕭蒙。火車站一輛計程車也沒看到，只停了幾輛車，都沒人。這半夜不會再有班車進站，車站裡的咖啡廳也已經打烊。強納森開到時，湯姆走向強納森開的雷諾車，跟強納森說：「你跟在我後面，我來看哪裡有偏僻的地方。」

強納森很累了，但累到這時候，疲乏也換到了另一檔：他這時候反而覺得還可以再開上好幾小時的車。雷諾車很好開，反應順暢又快速，不需要他費多少力氣。強納森對法國這一帶完全不熟，但沒影響。而且，這時候還更簡單了，他只要跟著前面那一輛雪鐵龍的紅色尾燈走就好。湯姆這時把速度放慢很多，還兩次在路邊的叉路停了停，看了一番才再上路。夜色很暗，看不到天上的星斗，起碼有儀表板的光在他面前閃所以他看不到。有一、兩輛車從他們旁邊開過去，走的都是反方向，另有一輛大卡車超過強納森的車。後來，強納森看到湯姆的右轉方向燈開始閃，湯姆開的雪鐵龍就沒入右邊去了。強納森趕緊跟上，開到時差一點就沒看出來漆黑的深谷是一條路，或說是小徑。泥巴路，一下子就拐進森林裡去。這條路很窄，未足以讓兩輛車一起進去。法國鄉間常見這樣的小路，以農人或樵夫走的居多。有灌木叢輕輕刮在車頭的擋泥板上，也不時會有坑洞。

湯姆的車子停下來了。兩人從大馬路岔出來大概開了兩百碼吧，繞了個大彎。湯姆關掉車燈，但一開車門車內燈就亮起。湯姆留著車門沒關，走向強納森開的車，朝他開心揮手。強納森這時才正在關掉車子引擎和車燈。湯姆身穿寬鬆長褲、綠色麂皮外套的身影，映在強納森的眼睛裡有好一陣子散不掉，好像湯姆這人是用光畫出來的。湯姆閉一下眼睛。

接下來，強納森看到湯姆已經來到他的車窗邊。「幾分鐘就好，你先把車倒回去約十五呎，你會倒車嗎？」

強納森再啟動引擎。這一輛雷諾有倒車燈。等強納森一停下車，湯姆就打開雷諾車的後門，拿出原先放進去的油桶，再拿出他的手電筒。

湯姆把汽油倒在蓋住兩具屍體的報紙，再倒在兩具屍體的衣服上，另也在車頂灑了一點汽油，前座的椅套上也是——可惜椅套是塑膠做的，不是布料。湯姆抬起頭，看見頭頂便有樹木的枝葉密合，小路上方幾乎全蓋在交接的枝葉下面——新生的嫩葉，離夏季的蒼翠還有一段距離。有些可能會有池魚之殃，也會被燒焦，但犧牲不是沒有代價。湯姆把最一後一滴汽油灑在車子底板，底板亂丟了一些垃圾，吃剩的三明治、舊地圖等等。

強納森慢慢朝他走來。

「這就動手吧。」湯姆輕輕跟強納森說了一聲，就擦起一根火柴。湯姆把雪鐵龍的前門留著沒關，他把手上點燃的火柴朝車子後座一扔，後座的報紙馬上燃起黃色的火苗。

湯姆往後退，卻一腳踩到路邊的坑洞滑了一下，趕緊抓住強納森的手。「回車裡去！」湯姆低聲說道，轉身小跑步回雷諾車。湯姆坐進駕駛座，臉上帶笑，雪鐵龍一下就燒了起來，車頂從正中央冒出一撮細細的黃色火焰，像蠟燭。

強納森鑽進駕駛座旁邊。

湯姆啟動雷諾車的引擎，呼吸有一點急促，但很快就換成了笑聲。「我看滿不錯的嘛。你說？我看真是好啊！」

雷諾車的車燈光束倏地往前竄，一時襯得兩人眼前的火勢削弱不少。湯姆倒車，速度還相當快，上身朝後扭，眼睛看向後車窗。

強納森愣愣盯著燃燒的雪鐵龍。湯姆沿著大彎路將車子倒出去，不多時雪鐵龍就看不到了。

一待車子開上大路，湯姆便坐正身體。

「從這裡看得到嗎？」湯姆問強納森，踩著油門朝前飛馳。

強納森透過樹林看得到一點火光，像螢火蟲，旋即消失。——還是全屬想像？「現在什麼都看不到了。看不到了。」有一剎那，強納森忽然覺得害怕，害怕他看不到燒起來的車——會不會是他們沒處理妥當，像是火熄滅之類的？但是，強納森知道火絕對沒熄。只是被樹林子蓋住了火勢，遮得看不到罷了。然而，到頭來不可能不被人發現。只是，什麼時候發現？又發現多少殘骸？

湯姆又笑了。「火在燒！全都在燒！我們沒事啦！」

強納森看到湯姆瞄一眼時速表，指針已經爬到一百三。湯姆便將車速放慢，回到一百。

湯姆嘴上吹起了口哨，一首那不勒斯的民謠。他覺得好痛快，一點也不累，連哈一根菸也不用。人生在世，可少有機會一饗黑手黨遭棄屍焚燬的至樂。只是——

「只是——」湯姆開心說道。

「只是？」

「處理掉這兩個還真不算什麼。像滿屋子都是蟑螂卻只踩死了兩隻。不過，我還是相信這一番小小的工夫還是值得的，到底給黑手黨一次教訓，讓他們知道有的時候別人也可以幹掉他們，也不錯啦。只可惜這一次他們會以為是另一支黑手黨的家族做掉他們的利波和安吉——至少我要他們朝這方向去想。」

強納森這時真的睏了，不得不力抗瞌睡蟲，硬逼自己坐直，用力攢住拳頭，指甲都掐在肉裡。天哪！強納森暗想，還要好幾小時才會到家——回他家或湯姆家。但是這個湯姆怎麼還是一副生龍活虎的樣子？這時候竟然唱起了義大利歌，先前他吹口哨時吹過。

爸爸不贊成
媽媽不同意
我們在一起
想要談愛情……

湯姆嘴裡又再絮絮叨叨講起話來，講他太太要在瑞士一棟小木屋和幾個朋友住上幾天。後來強納森清醒了一下，因為強納森聽到湯姆在跟他說：「你把頭往後靠沒關係，強納森，想睡就睡，不要硬撐。——我說，你都還好吧？」

強納森也不知道他自己好還是不好。他是覺得很虛，但他平常不時就會覺得很虛。強納森不敢回想剛才發生過的事，不敢回想這時候應該還沒結束的事——血肉之軀遭大火吞噬，之後還會再悶燒好幾小時才會完全熄滅。強納森忽然覺得有哀傷襲上心頭，像月蝕。但願過去幾小時的事他可以大筆一揮就全部勾銷，全都從記憶裡抹去。然而，他就在現場，實際一起動手，也真的幫了忙。強納森把頭往後靠，開始半睡半醒、迷迷糊糊。湯姆嘴上還是一個勁兒說個不停，開心又隨興，好像不知在和誰對話，而且對方不時也會回話。強納森還沒看過湯姆這麼興奮過，不禁想道，他是要怎麼跟席夢說去？光是想到有這問題橫在眼前，強納森就覺得筋疲力盡。

「彌撒曲用英文唱，」湯姆又再說了，「簡直不堪入耳。但是，講英語的人竟然真的相信自己嘴裡在講的話，真是不得不佩服他們一下；用英語主持彌撒……總讓人覺得唱詩班不是得了失心瘋就是一堆大騙子。你說是不是？約翰・史坦納爵士*……」

強納森醒過來是因為車子停了。湯姆把車停在路邊，一臉笑容，正在從保溫瓶倒咖啡喝。湯姆也幫強納森倒了一點，強納森喝了幾口。之後兩人才再上路。

「我們還有二十分鐘就到家囉！」湯姆興高采烈，大聲宣佈。

強納森低聲咕噥了幾個字，又再瞇起眼睛。這時湯姆嘴上已經講到了大鍵琴，他的大鍵琴。

「巴哈的妙處就在他的音樂馬上可以讓人文明起來，只要一段樂句……」

＊譯注：約翰・史坦納爵士（Sir John Stainer, 1840-1901），出身牛津大學的英國聖詩作曲家、清唱劇。

21

強納森睜開眼睛，覺得自己好像聽到大鍵琴的琴音。沒錯，沒在作夢。他也沒真的睡著。琴音是從樓下傳上來的。琴音會結巴，然後再重頭開始。說不定是薩拉邦德舞曲。強納森舉起手臂看錶，還是全身疲累。早上八點三十八分。席夢這時在做什麼呢？席夢又在想什麼呢？

疲憊吞沒了強納森的意志力。強納森靠回枕頭，往下陷得更深，很想就這麼算了。他已經洗過熱水澡，換上湯姆一定要他穿的睡衣。湯姆也幫他準備了全新的牙刷，說，「你就好好睡幾小時吧，時間還早。」那時的時間約是早上七點。但強納森覺得這時候他應該要起來了，席夢那邊他一定要想一想辦法，一定要和她談一談。只是，強納森只能躺在床上，渾身虛軟，聽著樓下大鍵琴有一搭沒一搭的單音。

湯姆這時在練的是不知哪一首曲子的低音部，聽起來沒錯，是大鍵琴彈得出來的最低音。還真像湯姆先前說的，馬上就可以讓人文明起來。強納森硬逼自己從床上爬起來，鑽出淡藍色的被單和暗藍色的羊毛毯。他的腳步有一點蹣跚，朝門口走去時要很努力才有辦法站直。強納森赤腳走下樓梯。

湯姆正在讀樂譜，樂譜架在他的眼前。高音部從這裡開始。陽光透過落地窗微開的窗簾灑落在湯姆的左肩，照得他那一件黑色的睡袍繡的金色圖案更亮。

「湯姆？」

湯姆馬上回頭，站起來。「什麼事？」

強納森看到湯姆吃驚的臉色，覺得更不對勁。接下來他知道的事，就是人躺在黃色的大沙發上，湯姆正在拿濕毛巾，一條擦盤子用的布，輕輕擦他的臉。

「要喝茶嗎？還是白蘭地？……你吃的藥有帶在身上嗎？」

強納森覺得很不對勁，知道出現這感覺，唯一的解藥就是輸血。離上一次輸血沒多久嘛。但這一次還更麻煩，因為他以前的感覺從來沒這麼糟過。難道是單單一晚沒睡的緣故嗎？

「怎麼了？」湯姆問強納森。

「我看我要上醫院一趟才行。」

「我們馬上就去，」湯姆說完就轉身走開，回來時手上多了一只高腳杯。「這是白蘭地加水，你想喝就喝一點。你躺著別動，我馬上就來。」

強納森閉上眼睛，把那一條濕毛巾從額頭往下抹到脖子，覺得比較清涼，但累到動不了。湯姆回來了，好像才一分鐘的樣子，就已經換好外出服。湯姆也把強納森的衣服拿了下來。

「其實你只要套上你的鞋子和我的大衣，根本就不用換衣服。」湯姆說。

強納森聽從湯姆的提議。兩人再坐進雷諾車朝楓丹白露開去，強納森的衣服摺得好好的放在兩人中間。湯姆問強納森知不知道等一下到了醫院應該要到哪一個部門，就能馬上進行輸血。

「我要先打電話給席夢。」強納森說。

「我們當然要打電話──會讓你打電話。你先別擔心這樣的事。」

「你可以去載她過來嗎？」

「沒問題，」湯姆答得很肯定。直到這一刻他才開始擔心起強納森的情況。席夢看到他一定會很氣，但她也一定會趕到醫院陪她丈夫，看是坐湯姆的車來呢還是自己過來。「你們家還是沒裝電話？」

「沒有。」

到了醫院，湯姆先找一名櫃台小姐說明情況，這一位櫃台小姐向強納森打招呼，像是認識強納森。湯姆還幫忙扶住強納森一隻手臂，免得他站不住。湯姆等到強納森終於交到了專科醫生手中有人好好照顧，便跟強納森說，「我去接席夢過來，強納森，你別擔心。」湯姆再對那一位穿著護士服的櫃台小姐說，「妳想他輸血過後就會好轉嗎？」

護士小姐點一點頭，神情親切，湯姆也就當作是肯定的意思，雖然他也不確定護士小姐到底知不知道這意思是什麼。湯姆覺得他剛才應該問醫生才對。湯姆坐進他的車，開到聖梅希街，在強納森家幾碼外的地方找到地方停車，便鑽出車外，走向強納森家前門有鐵欄杆的石階。他一直沒睡，也應該要刮一下鬍子，但起碼他捎來的口信崔凡尼太太應該會想要知道。湯姆按下門鈴。

沒人來應門。湯姆再按一次，還回頭在屋外的人行道張望，看看會不會看到席夢。這一天是禮拜天，楓丹白露不開市。但是在這早上九點五十的時候，席夢也很可能出門去買東西或帶喬治上教堂。

湯姆慢慢走下台階，才踏上人行道，就看到席夢朝他走來，喬治跟在她的身邊。席夢的手臂掛著購物袋。

「早安，太太，」湯姆打招呼，眼看席夢的敵意劍拔弩張，湯姆特別有禮。湯姆繼續說，「我是來跟妳說妳先生的事。——早安，喬治。」

「你的東西我不要，」席夢說，「你只要跟我說我先生現在人在哪裡。」

喬治盯著湯姆看，神情好奇但無邪，眼睛和眉毛長得還真像他爸爸。「他人還好，我想，太太，但他——」湯姆很不願意這樣子站在街邊講這些事。「他這時在醫院裡，可能是要輸血吧，我看。」

席夢登時火冒三丈——好像強納森會這樣全要怪湯姆。

「我們可不可以進屋裡去談？麻煩妳，太太，屋裡講會好一點。」

席夢猶豫了一下，同意進屋裡去，但是湯姆覺得席夢只是想要知道他還有什麼要說的。席夢從大衣口袋掏出鑰匙把門打開。湯姆注意到席夢這一身大衣不是新的。「他出了什麼事？」三人走進小小的玄關，席夢便問。

湯姆深吸一口氣，平靜說道，「我們兩個開了一整晚的車。我想他只是太累了，不過——我想妳應該會想要知道。我剛才已經送他到醫院了，他還能自己走路，我覺得他應該沒危險才對。」

「爸爸！我要去看爸爸！」喬治忽然像發脾氣一樣喊了起來，好像他前一晚就已經喊過了。

席夢放下手上的購物袋。「你是把他怎樣了？他變得跟以前不一樣了，根本就不是我認識的那個人——打從他認識你後就變了，先生！你若再纏著他，我就——我就——」

湯姆覺得大概是因為有兒子在身邊，她才沒說要殺了他！

席夢極力克制，但還是憤憤說道，「他怎麼會任你擺佈？」

「他從來就沒有任我擺佈，現在一樣沒有任我擺佈。我想事情這時候應該也都擺平了，」湯姆說，「現在這時候很難解釋得清楚。」

「什麼事情？」席夢問道。湯姆還沒開口，席夢又再問下去，「先生，你是騙子，你連其他的人也要帶壞！你是拿什麼要脅他？你又為什麼要要脅他？」

要脅——這法語是chantage——未免太偏了。湯姆開口回答時略有一點結巴。「太太，沒人在恐嚇強納森要拿錢出來，或拿任何東西出來。還正好相反。而且，他也絕對沒做什麼事變成別人手中的把柄可以去擺佈他。」湯姆說得義正辭嚴。他還非得義正辭嚴不可，因為席夢那模樣簡直是婦德的化身，正直不阿，美麗的眼睛炯炯有神，橫眉冷對眼前的這一個湯姆，威儀赫赫直逼薩莫色雷斯的「勝利女神」。「我們一整晚都忙著善後，」湯姆講出這一句，自覺很不光彩，原本相當流利的法語忽然棄他而去，這時從他嘴裡吐出來的語詞，完全不敵眼前站的這一位足以母儀天下的佳偶。

「善什麼後？」席夢站起來拿起購物袋。「先生，請你離開，我會感激不盡。謝謝你還跑來向我通報我丈夫的下落。」

湯姆點頭說道，「妳若願意的話，我可以開車送妳和喬治到醫院去。我的車就停在外面。」

「謝謝，不用。」席夢已經走到玄關走廊中間站住，回頭看向湯姆，等湯姆走人。「來吧，喬治。」

湯姆自己出了門，坐進他的車裡，心想是不是要回醫院看看強納森怎樣了，因為席夢不論是搭計程車還是走路，抵達醫院至少也要十分鐘。但是，湯姆還是決定回家打電話問就好了。他開車回家，一到家，卻又決定連電話也不用打了。這時席夢應該已經抵達醫院。強納森不是說過輸血一般都要好幾小時的嗎？湯姆只希望強納森這一次發病不算危險，不是大限已至的惡兆。

湯姆扭開收音機轉到「法國音樂廣播電台」和他作伴，再把窗簾拉開一點，迎進陽光，接著動手整理廚房。湯姆倒了一杯牛奶喝，上樓重新換上睡衣，上床。鬍子等他睡醒再刮不遲。

湯姆衷心期望強納森可以擺平他和席夢之間的問題。只是，還是那老問題：黑手黨是怎麼會牽扯進來的？他們又怎麼會和兩個德國醫生有瓜葛？

想這無解的難題，想得湯姆好睏。還有，瑞夫斯！躲到阿斯科納去的瑞夫斯怎麼了？這個莽撞的瑞夫斯！湯姆心底對他其實還保有一絲友情未去。瑞夫斯這人偶爾是會笨手笨腳沒錯，但再怎麼瘋，終歸不失善良。

席夢坐在放平的床邊，說是床還更像輪椅，強納森就躺在這樣的床上，由一根插在手上的管子作輸血。強納森這時跟平常一樣，盡量不去看那一大罐血。席夢的臉色很陰沉。她找護士在強納森聽不到的地方談過一次，強納森想他這一次的情況應該不算嚴重（假如席夢真的從護士口中問出什麼來的話），要不然，席夢對他的態度就會更關心一點、更好一點。強納森靠在枕頭上，一張白被單蓋到他的腰際作保暖。

「你還穿那個人的睡衣？」席夢問強納森。

「親愛的，我睡覺總得要穿衣服吧？我們回來都已經早上六點了——」強納森沒再講下去，覺得無助又疲累。席夢跟他說湯姆跑到家裡去跟她說他在哪裡，席夢的反應是生氣，強納森從沒見過她這麼陰沉的臉色。席夢實在討厭湯姆，簡直當他是蘭德魯還是斯文加利*。「喬治呢？」強納森問道。

「我打電話給傑哈德，他和伊鳳十點半會到家裡，喬治會開門讓他們進去。」

他們一定會在家裡等到席夢回去，強納森想，然後把席夢和喬治接到內穆爾一起吃禮拜天的午餐。「我知道他們好像要我至少待到三點才可以走，」強納森跟席夢說，「妳知道，還有檢查要做。」強納森知道席夢當然知道。他說不定還要再抽一次骨髓去作化驗，只需要五或十五分鐘就好，但怎樣都還是有檢查要做，像是驗尿、脾臟觸診等等。強納森還是覺得很虛，也不知道接下來會怎樣。席夢的冷淡惹得強納森更加不快。

「我不懂，我實在不懂，」席夢說，「強，你幹嘛和這樣的禽獸廝混？」

湯姆不算是禽獸吧。但強納森要怎樣解釋？強納森再下一次工夫。「妳知道昨天晚上——那兩個人都是黑道的殺手，身上都帶著槍，還有絞繩。妳懂嗎？絞繩。——他們闖進湯姆家裡。」

「你又為什麼剛好會在他家裡？」

幫湯姆裱畫的理由就別講了。哪有人會去幫人裱幾幅畫，卻落得要幫人殺人滅口還棄屍？而且，湯姆是給了強納森什麼好處讓他這麼合作？強納森閉上眼睛，集中精神，整理思緒。

「太太——」護士的聲音。

強納森聽到護士跟席夢說她最好多讓強納森休息。「我跟妳保證，席夢，我一定會好好跟妳解釋清楚。」

席夢這時已經站了起來，「我看你是沒辦法解釋清楚的。我覺得你不敢。這人困住你了——但為什麼呢？為了錢。他付你錢。但他為什麼要付你錢？——你要我也把你當作罪犯來看嗎？像那個禽獸一樣？」

護士已經走了，沒聽到他們兩人的對話。強納森透著半閉的眼簾看向席夢，一時啞口無言，無計可施，豎起白旗。只是，日後他還有沒有可能讓席夢看清楚世間的事不像她想的那樣非黑即白？強納森這時卻已經感覺到有恐懼罩得他脊背發涼，像是落敗的預兆，像死亡。

席夢要走了，走前像是留下最後的一句話——她的話，她的態度。席夢站在門口朝強納森送

＊譯注：蘭德魯（Henri Désiré Landru, 1869-1922），法國殺人魔，娶了十名女子為妻全都遭他殺害謀財，後來搬上銀幕拍成電影《藍鬍子》（*Bluebeard's Ten Honeymoons*），而以「藍鬍子」的諢名更為知名。斯文加利（Svengali），喬治・杜・莫里耶（George du Maurier, 1834-1896）一八九四年小說《軟帽子》（*Trilby*）裡的魔術師角色，擅催眠。

了個飛吻，但是隨隨便便的一個飛吻，像上教堂隨便屈膝做個樣子，敷衍了事，不假思索。席夢走了。接下來這一天在強納森眼前像是無盡的噩夢。院方也可能要留他在醫院裡過夜。強納森閉上眼睛，頭在枕頭上反側無法安定。

到了下午一點，檢查差不多要做完了。

「你最近有壓力，對不對，先生？」一名年輕醫生問強納森，「有做特別費力氣的事嗎？」沒想到這一位醫生笑了起來。「像搬家？在花園裡忙過了頭？」

強納森微笑回應，表示禮貌。只是他竟然覺得好過一點了，忽然強納森也笑出聲來，倒不是因為醫生講的話。強納森想，這會不會是大限已到的惡兆呢？他是指這一天早上自己昏倒的事。強納森一時頗為自得，因為他撐過來了，沒有嚇到喪膽。說不定哪一天他也能用同樣的精神真正去做一點好事。醫生讓他自己沿著走廊走去做最一項檢查：脾臟觸診。

「崔凡尼先生，有電話找你，」一名護士跟強納森說。「你正好走到這裡——」護士朝一張桌子上的電話比一下手勢，電話的話筒已經放在一旁。

強納森知道一定是湯姆。「喂？」

「強納森，喂，是我，湯姆，事情都還順利嗎？……既然都可以自己走路，那就不算太壞……那好。」強納森覺得湯姆的口氣真的是很為他高興。

「席夢來過了，謝謝你，」強納森說，「不過，她——」雖然兩人用的是英語，但是強納森就是沒辦法把話說出口。

「你這時候不太好過，我了解，」老套。湯姆在另一頭聽得出來強納森口氣裡的焦急，「今天早上我真的盡力了，但你要不要我再——再去跟她談一下？」

強納森舔一下嘴唇。「我也不知道。她倒還沒有——」強納森原本要說「威脅說要怎樣」，像是威脅說要帶著喬治離開強納森。「我不知道你出面又能怎樣。她太——」

湯姆了解，「反正試試看再說，我就再試一次吧。勇氣，強納森！你今天要回家嗎？」

「還不確定。我想會吧。還有，席夢今天要回內穆爾娘家吃午餐。」

湯姆說他會等到下午五點左右再過去找席夢。那時強納森若已經回到家了，那也好。

§

席夢沒有電話，這對湯姆是有一點討厭沒錯。但是，話說回來，若有電話，而湯姆打電話問可不可以去看她，席夢準會回他一個斬釘截鐵的「不行」。湯姆買了花，黃得有一點假的大理花，在楓丹白露的古堡附近一家小攤子買的，因為湯姆自己的花園還拿不出像樣的東西可以進貢。湯姆在下午五點二十分去按崔凡尼家的門鈴。

聽得到腳步聲，然後是席夢問道，「哪一位啊？」

「湯姆・雷普利。」

一陣子沒聲音。

接著席夢還是開了門，擺出一張冷冰冰的臭臉。

「午安——您好，我又來了，」湯姆跟席夢說，「我可以跟妳談一下嗎？幾分鐘就好，太太？強納森回來了嗎？」

「他七點的時候會到家。又做了一次輸血。」席夢回答湯姆。

「喔？」湯姆大膽往前踩上一步，進了屋裡，心裡抓不準席夢會不會忽然發火趕他出去。

「我帶了些花來，太太，」湯姆帶笑奉上花束，「還有，喬治，你好啊，喬治。」湯姆朝喬治伸手，喬治也伸手和湯姆握了握，仰著臉送給湯姆一臉笑。湯姆原本想要帶一點糖給喬治，但又怕這樣會做得太過火。

「你來有何貴幹？」席夢問湯姆。湯姆送的花，席夢給的也是冷冷的一句「謝謝」。

「我有責任過來解釋一下。我一定要把昨天晚上的事說清楚。所以才來叨擾妳，太太。」

「你是說——你對這些事有解釋？」

湯姆對席夢臉上譏誚的笑，回的是真摯、開朗的笑。「講到黑手黨應該沒有誰沒辦法解釋的吧。是啊，當然，現在再想一想，當初我拿錢打發掉他們不就好了——我看是吧。他們這些人要的不就是錢嗎？不過，這一次的事，我也說不準，因為他們對我特別懷恨。」

像是勾起了席夢往下聽的興致。但無減於她對湯姆的嫌惡，席夢往後退上一步。

「能否進起居室一談——方便嗎？」

席夢在前面領路，喬治跟在他們兩個後面，一雙眼睛定定盯著湯姆。席夢作手勢請湯姆坐進大沙發。湯姆坐進席夢和強納森新買的大沙發，輕輕拍一下黑色的皮面，想要開口向席夢稱讚一下沙發，最後還是沒開口。

「對，他們對我特別懷恨，」湯姆接下話題往下說，「我——妳知道吧，我正好——正好和妳先生搭同一班火車，就是他最近到慕尼黑去的那一次，妳記得吧？」

「記得。」

「繆尼黑！」喬治插嘴，兩眼發亮，好像在等大人說故事。

湯姆朝喬治笑了笑。「繆尼黑！——所以，在那一班車上——完全是我自己這邊的緣故——我也不用避諱了，太太，我不妨跟妳直說，有的時候我是會像黑手黨一樣也自己當起執法的人。但我不像黑手黨，我從來不會藉事藉端向清白的老百姓搞勒索，我從來不會向人拿保護費，一般人真需要付保護費來防的對象應該是黑手黨才對呢。」講得太抽象了，湯姆相信喬治絕對聽不懂；喬治就在一旁專心盯著湯姆聽他說話。

「你到底要說什麼？」席夢問。

「我要說的是我在火車上殺了黑手黨一名禽獸，差一點也解決掉另一名——把他推出去——強納森那時正好經過，看到了我。妳知道——」湯姆講到這裡只略因為席夢母子兩人的反應而猶疑了一下；因為席夢的表情先是驚駭，就馬上轉頭瞥了喬治一眼，喬治卻聽得津津有味，可能以為湯姆說的「禽獸」不知是哪一種動物，或湯姆一路都在自己編故事。「所以，妳看，我還有一點時間跟強納森說清楚當時的狀況，我們那時正好就在平台上——火車還一路往前開。強納森好心幫我把風，他只幫我這樣。但我真的很感激他。他幫了我好大的忙。我也希望妳看得出來，崔凡尼太太，他做的是好事。妳看看法國警方在馬賽是怎麼應付黑手黨，就知道了，馬賽那邊的黑手黨都是毒販。妳再看看大家是怎麼在應付黑手黨，妳就知道了！至少盡力而為。但這樣也一定逃不掉黑手黨的可怕報復，這妳應該也知道。所以，昨天晚上就是這樣一回事。我——」是湯姆主動要強納森幫忙的，而湯姆可有膽子說出來？有！「強納森會在我家，全都要怪我，因為是我問他能不能再幫我一次。」

席夢的臉上浮現不解，而且不太相信。「反正有錢可以拿嘛。」

湯姆也想得到她會講出這樣的話來，所以還是一派平靜。「不是，太太，不是。」這關係的可是榮譽大事，湯姆才要說出口，卻又覺得這樣子說也不太說得通，連他自己都沒辦法接受。那就是為了朋友的道義吧，但席夢不會喜歡聽到這一句。「這全是因為強納森心腸太好，心腸太好又有勇氣。還請妳不要苛責於他。」

席夢慢慢搖頭，不相信湯姆這一番說辭。「我丈夫又不是警探什麼的人，先生。你何不跟我說實話就好？」

「但我說的就是實話。」湯姆簡單回了這一句，還雙手一攤。

席夢坐在扶手椅內，全身緊繃，雙手也已經絞在一起。「沒多久前，」席夢說，「我丈夫剛收到一筆金額不小的錢。所以，你這是在說這一筆錢跟你沒有一點關係？」

湯姆在沙發上往後一靠，腳踝交叉。他這一趟過來特地挑了他最舊、幾乎穿到破的沙漠靴。

「啊，這一件事啊，他大概跟我提過一點。」湯姆說時臉上帶笑，「說是德國那邊的醫生在打賭，也把賭金寄放在強納森那裡。是不是這樣？我還以為他跟妳說過呢。」

席夢靜靜聽湯姆說話，等著看他會再怎麼說。

「還有，強納森也跟我說他們要給他吃紅——或說是彩金吧。畢竟他們是拿他在作試驗品。」

「他也跟我說不致會有確實的——確實的危險，也就是他吃的那些實驗用的藥。既然這樣，他們又何必付他錢？」席夢搖頭，還輕笑一聲。「不對吧？先生？」

湯姆沒有吭聲，臉上浮現失望，也要席夢看清楚他臉上的失望。「這世上比這還怪的事才多呢，太太，我只是把強納森跟我說的話轉述給妳聽。在我這邊是找不到理由不相信強納森的話的。」

到此為止。席夢在椅子裡動了動，有一點焦躁，接著猛地站起來。她長得很可愛，清澈、有神的雙眼，俊朗的秀眉，聰明伶俐的嘴可以溫柔、可以嚴厲。但這時候是嚴厲。席夢朝湯姆一笑，維持禮貌。「那你知道高席耶先生為什麼會被人撞死的嗎？知不知道一點蛛絲馬跡呢？我聽說你常到他的店裡去買東西。」

湯姆這時已經站了起來。至於席夢這時提起的這一件事，於他，至少對得起良心。「我知道他被人開車撞了，被輾過去，太太，肇事逃逸的案子。」

「你真的只知道這些？」席夢的腔調往上拉高一點，還微微發抖。

「我知道他被撞是車禍的意外事故，」湯姆好希望他可以不要用法語來講這些事。他覺得他的嘴一講起法語就變得很鈍。「出那樣的意外真沒有天理。但妳若猜我——我和他被撞有任何關係，太太——那還麻煩妳說明一下原因是什麼。真的，太太——」湯姆朝喬治看過去，喬治這時正在地板上面伸手拿他的玩具。高席耶之死像古希臘的悲劇。不對，古希臘的悲劇一概事出有因。

席夢的嘴角撇了一下，有一點刻薄。「我想你以後應該用不著強納森了吧？」

「就算有需要也絕對不會再麻煩到他，」湯姆的口氣還是很和氣。「那——」

「我才想，」席夢打斷湯姆的話，「你應該去麻煩的，不應該是警察才對嗎？你說？還是你本來就是祕密警察的身份？美國的祕密警察，我想是吧？」

席夢話裡的譏誚、諷刺，有根深柢固的來由，湯姆這下子懂了。湯姆知道他絕對講不動席夢。湯姆雖然心裡有一點不是滋味，但還是微微一笑。反正他活到這年紀，又不是沒聽過比這更刻薄的話。只是，這一次實在遺憾，因為他真的很想說動席夢相信他和強納森的說辭。「不是，我不是祕密警察，我有的時候在他們那邊還有糾紛呢，我想妳也知道。」

「對，我知道。」

「糾紛？什麼東西是糾紛？」喬治忽然插進來，拉高聲音問他們兩個，眼睛從湯姆轉向他媽媽。喬治已經從地板上爬起來，站得離他們兩個大人不遠。

湯姆用的法文是 pétrins 這個字（揉麵機）——他還想了一下才抓到這個詞。

「噓，喬治。」喬治的媽媽回了喬治的問句。

「反正這一件事，妳應該也知道對付黑手黨不算多壞的事。」妳到底站誰那一邊？湯姆好想問席夢，但這樣只像是踩人痛腳。

「雷普利先生，你還真是壞到骨子裡的貨色，我只確定這一件事。你若離我和我先生遠一點，小女子我感激不盡。」

湯姆送的花還放在玄關桌上，沒插在水裡。

「那強納森現在還好吧？」湯姆在玄關裡問席夢，「我衷心希望他的病情會好轉。」湯姆甚至還不敢說他希望強納森今天晚上就可以出院回家，怕席夢當作是要再利用強納森。

「我看他還好吧——應該有比較好。再見，雷普利先生。」

「再見，謝謝妳，」湯姆回答，「再見囉，喬治。」湯姆拍拍小男孩的頭頂，喬治回了甜甜一笑。

湯姆走向他的車。高席耶！熟悉的人，街坊鄰居都很熟悉的人，這時候已經不在人世。席夢竟然覺得他和高席耶的死有關係，是他買凶撞死高席耶的，湯姆想起來就氣，雖然幾天前強納森就已經跟湯姆說過席夢有這般的想法。我的天，這樣的污點！唉，是啊，他身上是有這樣的污點沒錯。不止，他也真的殺過人。沒錯，狄奇・格林里。那一件事便是他洗刷不掉的污點，是確鑿的罪行。年輕時血氣方剛犯下的錯。胡扯！是貪婪，是嫉妒，是討厭狄奇。當然狄奇的死——應該說是狄奇遇害吧——又逼得湯姆不得不連那個美國懶鬼也殺掉，那個叫佛雷迪・邁爾斯的傢伙。這些是很久以前的往事了，但他確實做過，沒錯。執法單位也懷疑過他，但沒辦法證明。流言也在社會上面亂竄，在社會大眾的心裡亂爬，像墨水滲進吸墨紙。湯姆覺得慚愧。年輕時犯下這般可怕的錯，有人可能還會覺得是葬送一生的錯。但是，偏偏湯姆這人後來運氣卻好得不得了。逃過一劫，實際講來確實如此。而且，後來他又——又再殺人，像是殺害莫奇森那一件事，那大部分就為了保護別人和他自己了。

前一天晚上席夢走進麗影看到地板上躺了兩具屍體，受到極大的驚駭——哪一個女子不會？但是，湯姆做這樣的事，難道不是為了保護她丈夫還有他自己？若是黑手黨逮到他，對他嚴刑逼供，他難道不會供出強納森・崔凡尼的名字和住址？

想到這裡，湯姆就想起了瑞夫斯・米諾。他這時候怎樣了呢？湯姆想到他應該打一通電話給他才是。湯姆這時才注意到自己竟然站在車門旁邊蹙著眉心盯著門把發呆。他的車門根本沒鎖。他的鑰匙，還是他的老習慣，晃悠悠掛在儀表板上。

22

禮拜天下午醫生幫強納森作的骨髓化驗，結果不是很好，便要強納森在醫院多留一晚，幫他作換血的治療，也就是把全身的血液全都換掉，強納森以前做過。

席夢在晚上七點剛過的時候來醫院看強納森。醫院的人跟強納森說過席夢先前打過電話，但是不管接到席夢電話的人是誰，看來都沒跟席夢說強納森要住院一晚，所以席夢聽到了很驚訝。

「那——明天，」席夢說到這裡像是語塞，講不下去。

強納森躺在床上，頭部由枕頭略微墊高，身上的睡衣已經換成醫院寬鬆的病人袍，兩隻手臂都插著管子。強納森覺得他和席夢的距離好遠、好遠——還是全都是他在胡思亂想？「明天早上就好了吧，我想，妳不用特別跑來了，親愛的，我自己叫計程車。——妳這下午怎樣？妳家裡的人都好吧？」

席夢沒理強納森問的問題。「你那朋友雷普利先生下午來找過我。」

「喔，那——」

「他那人——滿嘴都是謊話，連要挑裡面是不是有一絲絲真的也挑不出來。說不定真連一絲也沒有。」席夢朝後看了一下，但她身後沒人。強納森住的病房有很多張病床，但不是每一張床都有人。不過，強納森兩旁的病床倒都有人在，一人還有來探病的訪客。

所以，兩人講話不是很方便。

「你今天晚上要住院，喬治會很失望，」席夢勉強跟強納森說了這一句。

之後席夢便走了。

強納森第二天早上回到家，禮拜一，約十點。席夢在家裡，正在幫喬治燙衣服。

「你覺得好嗎？……你在醫院吃過早餐了嗎？……要不要喝咖啡？還是喝茶？」

強納森是覺得好多了——但強納森也知道，作過換血向來都會覺得好轉許多，但到後來還是會再病發，又再破壞掉血球，就又不行了。強納森只想好好洗個澡。他先去洗澡，換一身衣服，一條很舊的米黃燈芯絨長褲，兩件毛衣，因為這早上很冷，或者是他覺得家裡比以前要冷。席夢在燙一件短袖的羊毛連身裙。早報《費加洛報》摺得好好的放在廚房桌上，頭版跟平常一樣摺在最外面，但摺得比較鬆，顯示席夢應該已經看過。

強納森拿起報紙，席夢一直在燙衣服，始終沒抬起眼來，強納森便逕自走進起居室。強納森在二版最下面的角落看到一則兩欄的新聞。

棄車雙屍遇焚

日期欄是五月十四日於蕭蒙。一名農夫，惹內・高爾特，五十五歲，於禮拜天一早發現一輛還在冒煙的雪鐵龍，馬上報警。警方於死者身上找到皮夾，內有未遭焚燬的證件，指明死者為安吉羅‧黎帕里，三十三歲，土木包商，腓利波‧圖洛利，三十一歲，推銷員，兩人都是米蘭人。黎帕里死於頭骨斷裂，圖洛利死因不明，據信於車子遇焚之時昏迷不醒或已告死亡。目前尚無線索，警方正積極調查。

絞繩已經燒得一絲不剩了，強納森猜，而且，看來利波焚燬的情況應該很嚴重，所以連絞繩的痕跡也看不出來。

席夢捧著摺好的衣物走到起居室門口。「怎樣？我也看到了。那兩個義大利人的事。」

「對。」

「而且還是由你幫著那個雷普利先生幹下這樣一件事。你們還說這叫『善後』。」

強納森沒回話，只是長嘆一聲，往新買的長沙發一坐，沙發發出很大一聲「吱——」！不過，強納森坐得挺直，免得讓席夢以為他又拿虛弱作藉口要避開這問題。「總得要處理他們兩個。」

「所以，你也總得要幫他一下，」席夢說，「強——喬治這時候不在這裡——我想我們應該把這一件事講個清楚。」席夢把衣物放在門邊高可及腰的書架上面，也坐進一張扶手椅的邊緣。「你沒跟我說實話，雷普利先生也是。所以，我不禁猜你還會要再幫他去做什麼。」說到最後一句，席夢的聲音陡地拉高，十分激動。

「不會再做什麼了，」這一點強納森倒是有十足的把握。就算湯姆又再開口要麻煩他去做什麼，他也一定一口回絕。這時候，一切在強納森看起來都變得很簡單。他這時候只想把席夢留住，不計代價。她比湯姆・雷普利更重要，她比雷普利能給的任何東西都重要。

「我真的搞不懂。你應該知道你在做什麼——我是說昨天晚上。你出手幫忙雷普利殺掉那兩個人，有沒有？」席夢的聲音愈來愈小，還略微發抖。

「那也是要保住——保住先前的事不要曝光。」

「啊，是，雷普利先生解釋過了。你是正好和他坐到同一班火車，從慕尼黑回來的火車。對不對？然後你就——你就幫他——幫他殺掉兩個人？」

「黑手黨。」強納森回答。湯姆到底是怎麼跟她講的？

「你——一個普通的火車乘客，竟然不明不白跑去幫一個殺人凶手？你以為我會信？啊？強？」

強納森沒作聲，想理清楚思緒，百般掙扎。答案當然是沒辦法相信。妳怎麼就是搞不懂，他們是黑手黨，強納森很想再講一遍這一句話。他們要殺湯姆・雷普利。又一句謊話，起碼在火車那一次不是真的。強納森緊咬住嘴唇，靠向大沙發的靠背。「我也不指望妳真相信什麼。我只有兩件事要說，這一件事到此為止，我們殺掉的那兩人本身就是黑道，是殺人凶手。這一點妳不承認也不行。」

「你是空閒時間跑去當祕密警察是吧？——為什麼你做這樣的事還有錢拿？強？你——變成了殺人凶手了！」席夢站起來，兩隻手絞在一起。「我根本不認識你了，我這時候才真的看清楚你是怎樣的人！」

「唉，席夢。」強納森也站了起來。

「我沒辦法再喜歡你，我沒辦法再愛你。」

強納森緊閉一下雙眼，席夢這一句用的是英語。

席夢再改回法語說：「你一定還有什麼事沒說出來，我知道，但我現在再也不想知道了。你懂嗎？一定和湯姆・雷普利有關，和那個卑鄙可恨的東西有可怕的關係——真不知道會什麼事！」席夢的譏誚口氣又出來了，「絕對是很可怕的事，你才不敢跟我說，我還猜個什麼猜！你一定還幫他遮掩了不知什麼醜事，就是因為這樣，他才付你錢，就是因為這樣，你才會任他擺佈。好啊，我才不要——」

「我從來就沒有任他擺佈，妳等著看就知道了！」

「我已經看夠了！」席夢拿起書架上的衣物走出去，爬樓梯上樓。

等到了午餐時間，席夢說她不餓。強納森自己弄了一份水煮蛋。之後，強納森進店裡去，門上「打烊」的牌子沒拿下來，因為禮拜一他向來不開門營業。從上禮拜六中午到這時候，店裡什麼都沒變過。強納森看得出來席夢根本就沒來過。強納森忽然想起那一把義大利槍，原本藏他櫃台的抽屜裡，這時候已經在湯姆・雷普利的手上。強納森切了一幅畫框，切了裱框用的玻璃，但到了要釘釘子的時候，就不想做了。席夢那邊他到底該怎麼辦才好？他若把事情全都跟席夢說清楚呢？一五一十全都吐實！只是，強納森也知道，他這時候對抗的是天主教徒對於取人性命的價值觀！更別提席夢聽到瑞夫斯一開始說給他聽的提議，一定會怒斥「太怪異了！——太可怕了！」怪的是義大利黑手黨還百分之百都是天主教徒呢！卻對取人性命沒有一絲顧忌。但他，席夢的丈夫，就不一樣。他，席夢的丈夫，就不可以取人性命。強納森若跟席夢坦承他「做錯了事」，很後悔——沒用！首先，他自己都不覺得這是錯事，所以，何必又再撒一次謊？

強納森回到工作桌邊重拾裱框的活兒，意志變得比較堅定。他把畫框該黏的、該釘的全都弄好，再用牛皮紙仔細封住畫框後面，再把貨主的名字卡片夾在掛畫的鐵絲上。接下來，強納森看一遍他的裱框訂單，再多做了一幅畫框，這一幅和前一幅一樣不需要襯卡。強納森一直工作到傍晚六點，然後打烊，買了麵包和葡萄酒，再在一家熟食店買幾片火腿，準備萬一席夢沒出去買菜，他們一家三人還有的吃。

席夢一見他就說，「我怕得要死，就怕不知道什麼時候警察會找上門來，說要見你。」

強納森正在擺餐具，幾秒鐘都沒回話，後來才說，「不會。他們為什麼會找到這裡來？」

「天下哪有找不到一絲線索這樣的事，他們一定會找到雷普利先生，那雷普利就一定會跟警方供出你來。」

強納森知道席夢一定一整天都沒吃。他在冰箱裡找到一點吃剩的馬鈴薯——馬鈴薯泥，就開始動手自己弄晚餐。喬治從他樓上的房間走下來。

「在醫院裡他們都對你做什麼啊？爸爸？」

「我全身的血都是新的了，」強納森回答兒子的問題，臉上帶著笑，還伸了伸兩條手臂。「你看，全身都是全新的血——喔，最少也有八公升。」

「八公升是多少？」喬治跟著爸爸也伸了手臂。

「八個這樣的瓶子，」強納森回答，「所以才要在醫院睡一個晚上。」

強納森費盡了力氣還是沒辦法驅散家裡的陰霾，沒辦法要席夢開口。席夢拿著叉子在盤子上戳戳弄弄，什麼話也不說。喬治搞不懂怎麼回事。強納森一直下工夫卻都沒效，覺得臉上掛不住，到了餐後喝咖啡時，他也變得不太吭聲，連逗兒子講話的興致也沒有。

強納森猜席夢不知有沒有和她哥哥傑哈德講過什麼。強納森把喬治支開，要他到起居室去看電視。電視幾天前才剛送來，節目——還只有兩家頻道——這時候不是給小孩子看的，但強納森希望喬治至少找到一家的節目看得下去，一下子也好。

「妳有沒有跟傑哈德提過這些事？」強納森壓不下心頭的疑問，還是開口問了席夢。

「我哪敢！你以為這樣——這樣的事——我說得出口？」席夢點了一根菸在抽，席夢很少抽菸的。她朝門口看了一眼，確定喬治不會跑回來，才說，「強——我看我們還是要準備一下，分居好了。」

電視上有一名法國的政界人物在講職業社團——也就是工會——的問題。

強納森再坐回他的椅子。「親愛的，我了解。——這樣的事妳受不了。妳要不要過幾天再看看？我相信妳後來一定還是有辦法理解我為什麼會做這樣的事。真的。」強納森說得情真意切，但心裡也知道他自己才沒把握，一點把握也沒有。這跟求生的本能一樣，強納森想，他不抓住席夢這一根浮木不行。

「是，你當然會這樣子想。但我對我自己還有一點了解。我不是被感情沖昏頭的小女孩了，你知道嗎？」席夢雙眼直視強納森，這時已經看不出憤怒，只有決心和疏遠。「你那一筆錢怎麼來的，我現在一點也不想知道，我一毛錢也不想要。我靠自己還活得下去——連喬治一起。」

「喔，喬治！——我的天，席夢，喬治我絕對會負起責任！」強納森不敢相信他們兩個竟然講到這樣的事去。他站起來，把席夢從她坐的椅子拉起來，還略有一點粗魯，席夢杯裡的咖啡灑了一點在咖啡碟上。強納森把席夢摟在懷裡，想吻她，但席夢扭了扭掙脫開來。

「不要！」席夢摁熄她手上的菸，開始清餐桌。「很抱歉要跟你說這樣的話，但我實在沒辦法再和你睡在同一張床上。」

「嗯，是啊，我想也是，」強納森在心裡暗道，明天妳還會上教堂去為我的靈魂祈禱！「席夢，妳一定要稍過一陣子再說。現在不要一時衝動講一些事後會後悔的話。」

「我不會改變主意。你去問雷普利先生就知道，我想他心裡清楚。」

喬治回來了，電視被他扔到腦後，一個勁兒睜著一雙困惑的大眼盯著爸爸、媽媽。

強納森走出廚房，經過喬治身邊時用指尖輕輕摸一下兒子的頭頂。強納森原想要上樓回臥室——但那已經不再是他和席夢的臥室了，而且，他回臥室去要幹嘛？電視還在播，強納森在玄關繞了一圈，就穿上風衣、套上圍巾，出門了。強納森走下法蘭西路，左轉，走到街底，拐進轉角的酒吧咖啡廳。他想打電話給湯姆・雷普利。他還記得號碼。

「喂？」湯姆接的電話。

「是我，強納森。」

「你好嗎？……我打過醫院那邊，聽說你在醫院多留了一晚，你出院了？」

「對，今天早上出院的。我——」強納森張嘴講不下去。

「什麼事？」

「我們可以見一下面嗎？幾分鐘就好——你若覺得沒問題的話。我——我可以叫計程車過去。這沒問題。」

「你在哪裡？」

「街角的酒吧——開在黑鷹旅館附近那一家新的。」

「我可以去接你，好不好？」湯姆猜強納森應該和席夢搞得很不愉快。

「那我就走到紀念碑那邊好了。我想走一走。我在那裡等你。」

強納森一講完，心情就好一點了。當然是假相，只是把席夢的問題暫時壓後。但是，像這樣的時刻，又有什麼關係？強納森覺得像是身受酷刑的人暫時解脫一下，雖然也只是這麼一下，但強納森也幾乎要感激涕零了。強納森點起一根菸，慢慢往前走，因為湯姆到這裡也要十五分鐘。強納森走進黑鷹旅館過去一點的那一家運動酒吧，點了一杯啤酒。強納森盡量什麼也不去想。接著，腦子卻自動冒出來一句話：席夢會回心轉意的。但只要他開始去想這一句話，就好害怕席夢再也不會回心轉意。他這時候真的是孑然一身了。強納森知道他是孑然一身，連喬治和他的父子情也好像被砍掉一半，因為席夢一定會把喬治帶走，但強納森也知道他自己對於這一現實還懵懵懂懂，還需要幾天時間才有辦法落在意識裡面真切感覺得到。感覺比思考的速度要慢——有的時候是比較慢。

湯姆那一輛暗色的雷諾夾在稀疏的車流裡面從樹林的暗影進入方尖碑周圍的亮光，這裡就是強納森說的紀念碑。時間是晚上八點過幾分。強納森站在角落裡，在馬路的左邊，也就是湯姆車子的右邊。湯姆若要往回家的路上開，就還要再繞個大圓圈——若他們要回湯姆的家的話。強納森寧願到湯姆他家，不想待在酒吧。湯姆停住車，打開車門的鎖。

「晚安！」湯姆跟強納森說。

「晚安，」強納森回答，把車門關上，湯姆馬上又再上路。「可以到你家去談嗎？這時候我不想進人多的酒吧。」

「沒問題。」

「今天晚上真糟糕。恐怕白天也是。」

「這我想得到。席夢那邊嗎？」

「看起來她和我是完了，但也不能怪她，對不對？」強納森覺得很尷尬，想要點菸，卻覺得連抽菸也沒意思，便及時縮手。

「我真的盡力了。」湯姆說。他集中精神開車，能開多快就開多快，但以不招來交通警察為先，有的交警會躲在路邊不知哪裡的樹林子裡。

「唉，錢的事——屍體的事，天哪！那一筆錢，我說是我幫德國醫生代為保管的，你也知道。」講到這裡，強納森忽然覺得好滑稽！錢的事，賭注的事，好滑稽！錢是很具體，摸得到，很有用，但卻怎樣也沒有席夢親眼目睹的那兩具屍首來得真切、有影響。湯姆的車開得相當快，但強納森這時才不在乎會撞到樹還是會翻車。「總而言之，」強納森再往下說，「還是那兩個死人的關係，加上我出手幫忙——或一起動手。我看她是不會回頭了。」何益之有*？——強納森差一點笑了出來。他既未贏得全世界，也沒有失去生命。反正強納森自己也不相信靈魂、生命什麼的。說是自尊心，可能還比較接近。而他也沒失去他的自尊——只是失去了席夢。然而，席夢也等於他的精神支柱，所以精神支柱等不等於自尊呢？

湯姆這邊也不覺得席夢對強納森有回心轉意的一天，但他一聲不吭。說不定到家後可以說一點什麼吧，但他還有什麼好說的呢？幾句安慰的話？幾句打氣的話？幾句妥協的話？只是這些話他自己又不相信！而且，有誰搞得懂女人家？有的時候女人的道德觀是比男人要強很多，但有的時候——尤其是那些政治騙子，政治豬玀，她們不也願意下嫁？——所以啊，湯姆覺得女人家只是比男人要靈活，比男人要有辦法用雙重標準來思考。只是不巧這時候遇到了個席夢，竟然一副剛正不阿的樣子。強納森不是說過席夢固定上教堂作禮拜？不過，湯姆這時的心思擺在瑞夫斯．

* 譯注：何益之有（what profiteth it a man）——出自西洋俗語："What profiteth it a man if he gain the whole world and lose his own soul?" 這一句俗語是出自基督教聖經："For what is a man profited, if he shall gain the whole world, and lose his own soul? or what shall a man give in exchange for his soul?" 人若賺得全世界，賠上自己的生命，有什麼益處呢？人還能拿什麼換生命呢？〈馬太福音〉（Matthew）第十六章第二十六節。

米諾那邊的也不少。瑞夫斯好緊張，湯姆看不出多少理由需要這麼緊張。拐進維勒佩斯的岔路口忽然出現在湯姆面前，湯姆就慢慢把車子開進熟悉、幽靜的街道。

麗影聳立在高高的白楊樹後，前門的門廊開了一盞燈——全都完好如初。

湯姆才剛煮了一壺咖啡，強納森說他也想喝一杯。湯姆熱了熱咖啡，再將一整壺咖啡和一瓶白蘭地一起端到咖啡桌上。

「講到麻煩啊，」湯姆說，「瑞夫斯想到法國來。我今天在桑斯打電話給他，他躲在阿斯科納，住在一家小旅館，叫『三隻小熊』。」

「這我記得。」強納森回答。

「他老覺得有人在監視他——街上的人全都在監視他。我勸過他——我們的敵人才不會浪費時間搞這花樣。他也清楚嘛。我連他說想到巴黎來都極力勸阻。要來我這裡更是不可能。我才不會說麗影這裡是全世界最安全的地方，你說是吧？想當然囉，禮拜六晚上那一檔子事我更是半個字也不敢露口風，說不定他聽了反而放心，更是要來。我是說，我們至少還除掉了兩個在火車上見過我們的人。真不知目前這般的平靜、安穩可以撐多久。」湯姆上半身忽然往前一伸，手肘抵在膝頭，朝寂靜無聲的窗口看。「禮拜六晚上的事，瑞夫斯一丁點兒也不知道，或至少一個字也沒吭聲。說不定還根本沒把這兩件事搭起來——若他看到報紙的話。我想你今天應該看到報紙上登的了？」

「對。」強納森回答。

「沒一絲線索。晚上的收音機新聞也沒報出什麼。不過，電視新聞倒是擠進去了幾句，一樣沒有線索。」湯姆笑了笑，伸手去拿他的小雪茄，也把盒子遞到強納森面前，但強納森搖頭。「鎮上這裡也沒人在問什麼，一樣是大好的消息。我今天去買麵包時也到肉舖子去轉了一圈——安步當車，輕鬆自在——只是去瞧瞧。晚上約七點半時，霍華・克雷格來了一趟，他是我一個鄰居，幫我送來一大塑膠袋的馬糞給我當肥料，是他一個農夫朋友給的，克雷格常跟他買兔子。」湯姆噴了一口雪茄的煙，輕笑一聲，很放鬆。「禮拜六晚上在大門外面停過一下的車，你記得嗎？就是霍華的車，他以為我們屋裡有客人，赫絲思和我在請客；在那樣的當口送馬糞過來，不怎麼好。」湯姆兀自叨叨唸唸往下說，想辦法消磨時間，希望強納森趁這時間多少也可以稍微放鬆下來，不要那麼緊張。「我跟他說赫絲思出去玩幾天，還說我那天晚上是在招待巴黎來的幾個朋友，所以外面停的車才會是巴黎的車牌。我想這樣說應該合情合理。」

壁爐上的鐘敲了九下，鐘聲清脆澄淨。

「好了，回頭說這瑞夫斯，」湯姆再說，「我想過要寫信給他，說我這邊有理由相信情況應該已經好轉，但後來被兩件事打消。一來他在阿斯科納應該待不了多久了，二來那些義大利佬若還是要逮到他的話，他的情況其實並沒有好轉。他這時候用的名字是勞夫・普拉特，但他們知道他的真名，也知道他的長相。黑手黨若是沒抓到他誓不干休，那他也只有躲到巴西去才行了。不過，就算躲到巴西——」湯姆笑了一下，但不是開心的笑。

「但他應該也習慣了嘛，對不對？」強納森問。

「習慣這樣？哪會——應該沒幾個人吧，我想，沒幾個人有辦法習慣被義大利黑手黨追殺還能談笑風生。是有可能捱得過不丟性命吧，但絕對快活不起來。」

只是，瑞夫斯會這樣也是活該，強納森心想，而且，瑞夫斯還把他給拖下水。不對，應該說是他自己主動往前走去蹚這一潭渾水的，是他自己被人說得動了心——是他自己放不下那一筆錢。而且，幫他要到這一筆錢的，便是湯姆．雷普利——雖說一開始出這餿主意，弄出這麼一場玩命遊戲的人，也就是湯姆．雷普利。莫札特號特快車從慕尼黑往史特拉斯堡飛馳途中的那幾分鐘，在強納森的腦中飛快重現。

「席夢的事，我真的很抱歉，」湯姆跟強納森說。強納森頎長、畏縮的身軀，彎腰駝背握住他那一杯咖啡，在湯姆眼裡像是失意的寫照，代表失敗的雕像。「那她要怎樣？」

「喔——」強納森聳一下肩膀。「她講到要分居。當然要把喬治帶走。她有個哥哥，傑哈德，住在內穆爾。我不知道她會怎麼跟她哥哥說——或怎麼跟她家人說。她真的是嚇死了，你也知道。也覺得很難堪。」

「這我懂。」赫絲思也會覺得很難堪，湯姆想道，只是赫絲思比較有辦法用雙重標準來看。赫絲思知道他和一些殺人、犯法的事情也不是完全清白——唔，真的算犯法嗎？起碼最近的事情，像德瓦特的事，還有義大利這些十惡不赦的黑手黨，是嗎？湯姆把道德問題暫時撇開不去管它，低頭一看，才發現自己一隻手在把膝蓋上的菸灰撣掉。那強納森這時候要怎麼辦呢？沒有了席夢，他就沒有了精神的支柱。湯姆思索他是不是應該再去找席夢談一談？但前一天和席夢見面的過程，澆熄了湯姆的勇氣。湯姆不想再作大頭夢去找席夢再談一次。

「唉，我完了。」強納森忽然說。

湯姆才要開口講話，強納森就搶在前面：「你也知道，我和席夢是完了——或說是她和我完了。再下來就是我還能活多久的老問題了，幹嘛這樣老牛拖破車苟延殘喘？所以，湯姆——」強納森站起來，「若有可以效勞的地方，即使會送命，你儘管吩咐。」

湯姆笑了笑。「白蘭地？」

「好，一點就好，謝謝。」

湯姆幫強納森倒酒。「前幾分鐘我是在想要解釋為什麼我覺得——我覺得我們應該已經挺過最艱難的部分。也就是黑手黨那一幫混蛋的事。他們若逮到瑞夫斯——對他嚴刑逼供的話——我們當然就不算脫離險境。若是那樣的話，他會把我們兩個都招出來。」

強納森已經想過這一件事。只是對他實在不怎麼重要了——但對湯姆倒還是很重要。湯姆可還想多活幾年。「那有什麼我可以幫你做的嗎？像是當誘餌之類的？或乾脆犧牲掉我？」強納森笑了笑。

「我不需要誘餌。」湯姆回答。

「你不是說過黑手黨要的就是血債血還？」

湯姆當然想過這一件事，不過他真的說過這樣的話嗎？他也不太確定。「我們若是按兵不動——他們是很可能逮到瑞夫斯，解決他，」湯姆說，「這叫作順其自然。瑞夫斯那主意——殺幾個黑手黨——不是我塞進他腦子裡的，當然也不是你。」

湯姆冷靜的態度，削弱了不少強納森慷慨就義的豪氣。強納森坐下來。「那佛立茲他呢？有消息嗎？佛立茲我還記得很清楚。」強納森微微一笑，像是回想起以前的太平日子，佛立茲到瑞夫斯在漢堡的公寓，帽子拿在手上，臉上是和氣的笑，給他一把小小的、效率也很好的槍。

至於湯姆就還要想一下佛立茲是哪一位了：原來是那個跑腿的，那個在漢堡開計程車兼送信的。「沒有，我們也只能祈禱佛立茲已經回到鄉下老家避風頭，真像瑞夫斯說的。希望佛立茲就先待在那裡別動。但他們說不定已經解決佛立茲了。」湯姆站起來。「強納森，你今晚還是要回家面對問題。」

「我知道。」不過和湯姆聊了這麼些，說也奇怪，他真的好多了。湯姆這人很務實，在席夢這一件事也是。「很好笑呢，現在的問題竟然不是黑手黨，而是席夢——我是說我這邊的問題。」

湯姆怎麼會不懂。「若你願意的話，我可以陪你回去。再和她談一談。」

強納森又再聳肩，他已經站了起來，有一點焦躁，看一眼壁爐牆上的畫，湯姆跟他說過是德瓦特畫的《椅中男子》。他想起了瑞夫斯的公寓，那裡的壁爐上也有一幅德瓦特的畫，說不定這時候已經毀了。「我想我今天晚上睡定了長沙發——不管結果如何。」強納森說。

湯姆想要聽新聞，但時間不對，應該聽不到什麼，連義大利那邊的也應該沒辦法。「你覺得呢？席夢可以一直賞我閉門羹吃啊。還是你覺得情況還不夠糟，所以要我陪在你身邊。」

「都已經這樣了，還能糟到哪裡去？——好吧，我要你陪我一起回去，對，就這樣。但我們要說什麼？」

湯姆兩隻手往他很舊的灰色法蘭絨長褲口袋一插，右邊口袋還塞著那一把小小的義大利槍，就是強納森在火車上用的那一把。打從禮拜六晚上起，湯姆連睡覺都把槍壓在枕頭下面。沒錯，要說什麼？湯姆做事一般靠的就是靈機一動，隨機應變，只是，他在席夢那邊不已經江郎才盡了嗎？這問題他還想得出什麼燦爛的光明面來要她看得目眩神馳，甘願和他們一樣來看事情？「唯一能做啊，」湯姆沉吟說道，「就是想辦法要她相信現在一切都不會怎樣——目前這時候。我承認很難，簡直就像整晚一具又一具的屍體應接不暇。但是她的問題主要在擔憂，你知道吧。」

「嗯——那真的都不會怎樣嗎？」強納森問道。「這問題，我們也沒辦法打包票，是吧？——關鍵在瑞夫斯吧，我想。」

23

晚上十點，兩人到了楓丹白露，由強納森領頭往屋前台階走去，先敲門，再拿鑰匙開門，但門從裡面上了門拴。

「誰啊？」席夢在門裡問。

「強。」

席夢拉開門栓，「喔，強——我擔心死了。」

聽起來還有一點希望，湯姆才在想。

下一秒，席夢看見湯姆也在，臉色倏地大變。

「欸——湯姆送我回來的，我們可以進來嗎？」

席夢那樣子像是「不可以」就要脫口而出，但她終究退後一步，只是渾身僵硬。強納森和湯姆走進屋內。

「晚安。」湯姆向席夢問好。

到了起居室，電視開著，黑色的皮沙發上擱著女紅——看起來像是在補一件大衣的襯裡，喬治在地板上玩一輛小卡車。湯姆想道，好一幅家居和樂的景象；也跟喬治打招呼。

「請坐，湯姆。」強納森跟湯姆說。

但是湯姆沒坐，因為席夢那樣子不像要就座。

「你這次來又有何貴幹？」席夢問湯姆。

「太太，我——」湯姆結巴起來，「我來是要向妳請罪，跟妳表示一切責任在我，也希望妳能聽我一句話——請妳對妳先生寬容一點。」

「所以，你來是要跟我說我先生——」席夢忽然想起喬治就在旁邊，一時生氣又慌張，一把牽起喬治的手。「喬治，你上樓去。聽到沒有？你上樓去，好不好？小寶貝？」

喬治走向起居室門口，回頭看了一下，才轉身走進走廊，沿著樓梯往上爬，但很不甘願。

「快啊！」席夢大聲喊喬治，再一把關上起居室的門。「所以，你是在說，」席夢把話接下去講，「我丈夫對你這些——事——一無所知，他純粹是不小心撞見的。而他那一大筆髒錢也是醫生打賭的賭金！」

湯姆深吸一口氣。「要怪就真的要全怪我。說不定——強若有錯，錯也在他不應該答應幫我。但是幫人一把，難道就罪無可赦嗎？他到底是妳丈夫——」

「他已經淪為罪犯。說不定你的魅力就是在這裡，但無論如何，他變成這樣也是事實，你說是不是？」

強納森坐進一張扶手椅。

湯姆決定坐在長沙發的一頭——坐到席夢下逐客令為止。湯姆鼓起勇氣又再開口。「強今天晚上去找我，就是要商量這一件事，太太，他很苦惱。婚姻——是很神聖的事，這一點妳也很清楚。他的生命，他的勇氣，一失去了妳的愛，可能就毀於一旦。妳當然也清楚這一點。而且，妳也應該替兒子想一想，孩子需要爸爸。」

湯姆的話好像讓席夢有一點動搖，但她還是回答，「對，他是需要爸爸。這我知道，但他需要的是可以尊敬的爸爸。」

這時，湯姆聽到前門外的石砌台階有腳步聲，馬上抬眼看向強納森。

「妳有在等誰嗎？」強納森問席夢。心想，說不定席夢打電話找傑哈德過來一趟。

席夢搖頭。「沒有。」

湯姆和強納森馬上從椅子上跳起來。

「去把門拴上，」湯姆用英語低聲跟強納森說，「然後問是誰。」

鄰居吧，強納森朝前門走去時心想。他把門拴悄悄拴上，沒發出一點聲響。「請問是哪一位？」

「崔凡尼先生嗎？」

強納森不認得這人的聲音，側過臉看向站在走廊的湯姆。

湯姆心想，來人應該不止一個。

「現在又是怎麼了？」席夢問道。

湯姆伸出一根手指搭在唇上。之後，湯姆不管席夢會作何反應，逕自沿著走廊走進廚房，廚房裡的燈亮著。席夢跟在湯姆後面也進了廚房。湯姆在廚房四下搜尋，要找沉一點的東西。他後面的長褲口袋裡還有一根絞繩，但若來人真的是鄰居，自然就用不到。

「你在幹嘛？」席夢再問。

湯姆正在開一扇很窄的黃色的門，門在廚房的角落。是工具間，湯姆看到裡面有他大概用得到的東西，一把榔頭，還有鑿子，另外幾把拖把和掃帚大概就傷不了人。「我待在這裡可能還有用一點。」湯姆說時拿起那一把榔頭。湯姆在等對方一槍射穿前門，然後可能就是前門被人用肩膀從外面撞開！但是湯姆卻聽到有人輕輕在拉門栓——拉開。強納森瘋啦？

席夢馬上壯膽朝走廊走回去，緊接著湯姆就聽到席夢倒抽一口氣。走廊有雜沓的聲音，腳步拖在地板上，接著門砰一聲重重關上。

「崔凡尼太太？」男人的聲音。

席夢才要張口呼喊就被摀住。走廊裡的聲音這時朝廚房過來。

席夢的身影進了廚房，雙腳的鞋跟拖在地板上，身後有一名壯漢押著她往前走，壯漢穿了一身深色的西裝，一隻手摀在席夢的嘴上。壯漢走進廚房時，湯姆就躲在壯漢的左側，這時一個大步上來就用榔頭用力朝壯漢後頸帽沿的部位敲。壯漢當然沒被這一敲就敲昏了，但至少手一鬆，放了席夢，才略直起一點身子，湯姆就趁勢朝壯漢的鼻子一榔頭敲下去，緊接著湯姆——這時壯漢的帽子已經掉了——又是一記重重打在壯漢的額頭，直截了當重擊到底，好像當這壯漢是屠宰場裡的牛。壯漢雙腿一軟，癱倒在湯姆面前。

席夢也從地上站起來，湯姆趕忙抓住她將她朝工具間的角落裡塞，從走廊看不到這一角。以湯姆所知，席夢家裡只剩另一名男人，但這時屋裡鴉雀無聲，湯姆就想到了絞繩。湯姆拿著榔頭走向門廊，朝前門去。雖然他躡手躡腳，不想發出一點聲音，但還是被起居室的義大利人發現，那義大利人正把強納森壓在地板上。確實像湯姆想的，又是見面好幾次的絞繩。湯姆舉起手上的榔頭朝那義大利人衝過去。湯姆這一記打中義大利的顴骨，義大利人──一身灰衣、灰帽──馬上鬆開手上的絞繩，從肩套抽出槍。只是湯姆手上的榔頭揮起來比網球拍還準！這人還沒來得及站起來就又朝前倒下去，湯姆趁勢用左手把他的帽子掀掉，同時右手的榔頭就再用力敲下。

咔！這個小利維坦*的深色眼睛一閉，粉紅色的嘴唇鬆開，砰一聲摔到地板上去。

湯姆跪在強納森身邊，尼龍繩已經陷入強納森脖子。湯姆把強納森的頭一下往這邊轉、一下往那邊轉，想要拉出那一條絞繩把繩結鬆開。強納森的牙已經外露，自己也伸手想要解開繩結，卻使不出力。

席夢忽然竄到他們倆身邊，手上有一把像拆信刀什麼的東西，席夢把尖的那一頭插進強納森的脖子側邊，繩子鬆開了。

湯姆一屁股摔倒，坐在地板上，但馬上就又彈起來，一骨碌衝到前面的窗口把窗簾拉好，原本有六吋寬的縫。湯姆想了一下，從第一個義大利人進來到這時候也過了一分鐘半。湯姆便再從地板上拿起榔頭，衝到前門再把門拴拴上。沒聽到外面有聲音，只聽到有人走過人行道，腳步聲聽起來沒有異狀，另外就是車子開過去的低鳴。

「強。」席夢喊強納森。

強納森咳了咳，再揉他的脖子，想站起來。

灰色西裝的壯漢躺在地上動也不動，頭正好倚在一張扶手椅的椅腳。湯姆握緊手上的榔頭，才要再給這人一記，忽又遲疑，因為地毯已經染上血了。不過，湯姆覺得這人還沒死。

「豬！」湯姆低聲怒斥，揪住這人的襯衫前襟和俗豔的領帶把他往上略微提高，就用榔頭朝他左邊的太陽穴重重打下。

喬治站在起居室門口，睜大了眼睛。

席夢幫強納森倒了一杯水，正跪在強納森身邊。「你走開，喬治！」席夢喝斥兒子，「爸爸沒事！你走開——到樓上去，喬治！」

喬治不肯，站在那裡，被眼前這一幕牢牢抓住，電視上面演的可能還沒這好看。但也因為如此，他看這一幕也沒當真。眼睛睜得斗大，看得目不轉睛，但不害怕。

強納森由湯姆和席夢扶著坐進了沙發。強納森倒還坐得住，席夢拿了一條濕毛巾給他擦臉。「我真的沒事。」強納森咕噥一聲。

湯姆還在聽屋外的動靜，前前後後來回查看。什麼時候不好來！湯姆心裡暗恨，偏偏挑這時候，他才要給席夢一切平安無事的印象呢！「太太，花園的門鎖住了嗎？」

＊ 譯注：利維坦（Leviathan），舊約聖經裡的海中怪物。

「鎖住了。」席夢回答。

湯姆這就想起了花園鐵柵門的上緣，用的是裝飾用的牆頭釘。湯姆用英語跟強納森說，「可能還有至少一人待在外面的車上。」湯姆猜席夢應該聽得懂這一句，但從席夢臉上看不出來。她只顧著照顧強納森，看強納森好像應該沒事，便再轉向喬治，喬治還站在起居室的門口。

「喬治！你——！」席夢再趕喬治上樓，還把喬治抓到樓梯中段，然後拍他屁股一下。「進你的房間去，把門關好。」

席夢真厲害！湯姆暗自嘆道。大概沒幾秒，下一個人就要進來，跟麗影那一天的事一樣，湯姆猜，應該也是直接走到前門來。湯姆想了想坐在車裡的人這時會想些什麼：沒聽到打鬥，沒聽到尖叫，沒聽到槍聲，等在車裡的那一個——或多個——人可能會以為一切都按計劃順利進行，也一定在想他們這兩個兄弟隨時會從門口走出來，達成使命，崔凡尼一家不是橫遭勒斃就是被活活打死。一定是瑞夫斯全都招了。湯姆想，一定是瑞夫斯跟他們說強納森的姓名和地址。湯姆忽然突發奇想，假如他和強納森戴上這兩個義大利人的帽子，從前門衝出去衝到義大利人的車邊，出其不意對他們來個奇襲，如何？——用他藏在身上的那一把小槍。但他沒辦法要強納森去做這樣的事。

「強納森，我最好要早一點衝出去，免得來不及。」湯姆說。

「來不及？——什麼來不及？」強納森已經用濕毛巾擦過臉了，前額有幾綹金髮豎了起來。

「免得他們衝到前門來。他們等不到兄弟回去，一定會起疑。」湯姆想道，等在外面的義大利人若看到屋子裡是這情況，準會拿槍轟掉他們三個，再坐車揚長而去。湯姆走到窗邊，彎下腰，從窗沿的細縫朝外看。湯姆在聽附近哪裡是不是有汽車引擎空轉，在看附近有沒有車停在路邊卻開著燈。今天對街的那一邊可以停車。湯姆看到了——說不定是吧——靠左那邊，斜向約十二碼外的地方。那一輛大車的燈亮著，但湯姆不確定引擎也開著嗎？因為街上的聲音相當嘈雜，什麼噪音都有。

強納森已經站起來，朝湯姆走過來。

「我想我看到他們在哪裡了。」湯姆跟強納森說。

「那我們要怎麼辦？」

湯姆在想，只有他一個人的話，事情還好辦，他就待在屋裡，有誰敢闖進來，來一個就殺一個。「屋子裡還有席夢和喬治要考慮，不能在屋裡打。我看我們要朝他們衝過去才行——要在外面解決。要不然就會是他們朝我們這裡衝過來，他們衝進來，就要用槍了。——我來就可以，強。」

強納森忽然一股怒氣直衝腦門，只想出力捍衛他的房子，他的家。「好——我們兩個一起衝出去！」

「你要幹什麼？強？」席夢問。

「我們是想他們那邊應該還有幾個人在外面——隨時會進來，」強納森用法語跟席夢說。

湯姆走進廚房，從油氈布地板把掉在死去那人附近的帽子撿起來，戴在自己頭上，帽子太大，蓋住了他的耳朵。這時湯姆忽然想起來，這些義大利人，兩個都是，應該都戴了肩帶，裡面有槍！湯姆把地板這人肩帶裡的槍拿出來，回到起居室，「有槍可用！」湯姆一邊說一邊伸手去拿地板那人的槍。這人的槍藏在他的外套裡，湯姆一樣拿了這人的帽子，發現這一頂比較合他的頭，便把廚房那人的帽子遞給強納森。「你戴戴看，假如可以裝作是他們兩個沒被識破，只要裝得到街上，我們這邊就略佔一點優勢。你不要過來，強，我一個人去也一樣。我只是要把他們逼走！」

「那我就跟你去！」強納森說。他知道他該做什麼：嚇跑他們，可以的話，說不定先開槍打中一個，搶在自己中槍前先打中對方。

湯姆交了一把槍給席夢，那一把小的義大利槍。「可能會有用處，太太。」但席夢好像不太敢拿，湯姆便把槍放在沙發上面，保險栓已經先拿下來了。

強納森把他手上的槍的保險栓推下來。「你看得出來車裡有多少人嗎？」

「什麼也看不到，」話才剛落，湯姆就聽到有人走到前門的台階來了，走得很小心，躡手躡腳盡量不出聲。湯姆看向強納森把頭一歪。「我們出去後馬上把門拴上，太太。」湯姆低聲交代席夢。

湯姆和強納森兩人這時都戴上了帽子，走向走廊，湯姆把門拴輕輕拉開，當著站在門外那人的面忽然把門打開，緊接著就撲向那人，一把拽住那人的手臂，押住那人反向沿著台階往下走。強納森這時也抓住這人另一隻手臂。猛地一看，幾乎漆黑一片的夜色裡，湯姆和強納森那樣子還很像是這人先前進屋的那兩個兄弟，但是湯姆知道他們扮出來的假相不出一、兩秒就會被識破。

「左邊！」湯姆跟強納森說，被他們押住的人想要掙扎，但沒出聲喊叫，只是扭動掙扎的力道扯得湯姆幾乎腳不著地。

強納森先前已經看到那一輛亮著停車燈的車，這時車子忽然燈光全亮，引擎也開始加速，車子略往後退一點。

「甩掉他！」湯姆一聲令下，和強納森兩人便像事前練過一樣把這人用力往前推，推得他的頭撞在一輛開得很慢的車子側邊。湯姆聽到義大利人的槍掉到街上，一聲咔達。那一輛車停住，正對著湯姆的車門開了：顯然黑手黨他們要把自己的兄弟弄回去。湯姆把他的槍從長褲口袋拿出來，瞄準開車的人，開槍。開車的人和後面另一人一起，想要把被撞暈的兄弟弄回前座。湯姆不想開第二槍，因為有兩個人正從法蘭西街朝他們跑步過來。附近一棟屋子也有一扇窗戶打開。湯姆看到——或以為他看到——車子後座另一邊的門開了，有人從裡面往外竄。

車子後面開了一槍，然後，第二槍，這時強納森正好走在湯姆前面或是絆了一下。車子開走了。

湯姆看到強納森朝前彎腰下去，湯姆還沒來得及扶住強納森，強納森就倒在剛才那一輛車停車的地方。可惡，湯姆暗罵，他若打中駕駛的話，應該也只打中那人的手臂，車子已經不見蹤影。

一名年輕男子，接著一男一女小跑步朝他們過來。

「什麼事？」

「他中槍了？」

「報警！」這是年輕女子在喊。

「強！」湯姆還以為強納森只是絆了一下，但強納森沒站起來，而且沒怎麼在動。湯姆由年輕男子協助，扶起強納森，挪到人行道邊，只是強納森全身癱軟。

胸部中彈吧，強納森自己心裡想，但他只覺得麻麻的；像是被震了一下。強納森快要昏過去了，說不定還會比昏過去更嚴重。有不少人衝過來圍住他，大喊大叫。

一直到這時候，湯姆才認出人行道上那一個人影是誰——瑞夫斯！瑞夫斯縮成一團，看起來像是喘不過氣來在調整呼吸。

「……救護車！」一名法國女子在說，「一定要叫救護車！」

「我有車！」一名男子喊道。

湯姆朝強納森家的窗口看過去，看到席夢黑色的頭部側影，她正從窗簾縫朝外瞄。不可能留她在這裡，湯姆想。他一定要送強納森到醫院，而用他自己的車還比等救護車要快一點。「瑞夫斯！——你守在這裡，我一分鐘就回來。——沒問題，太太，」湯姆跟一名女子說（這時已經有五或六個人圍在他們四周了），「我馬上用我的車送他去醫院！」湯姆跑過街心，用力敲強納森家的門。「席夢，是我，湯姆！」

席夢一打開前門，湯姆就說：「強納森受傷了，我們要馬上送他去醫院。妳拿一件外套我們就走，喬治也帶著去！」

喬治已經站在玄關裡，席夢甚至不去拿外套，浪費時間，但她沒忘記伸手到一件外套的口袋裡去找鑰匙，然後急忙朝湯姆趕過去。「受傷了？被槍打中嗎？」

「恐怕是，我的車停在左邊那裡，綠色那一輛。」湯姆的車就停在義大利人剛才停車地點後面二十呎的地方。席夢要趕到強納森的身邊，但是湯姆安撫她，跟她說這時候她最好幫他開車門，車門沒鎖。圍過來的人愈來愈多，但就是還沒有警察趕到，一名矮小的男子還多事，質問湯姆他以為自己是哪一根蔥，這樣子跑來指揮大家？

「你吃飽了撐著啊？」湯姆用英語罵回去，他和瑞夫斯正手忙腳亂要把強納森抬起來，而且要愈輕愈好。把車子弄近一點可能比較好，但他們既然已經抬起了強納森，那就繼續下去吧。幸好有兩人也出手相助，所以幾步之後就不困難了。他們把強納森放進後座角落固定好撐住。

湯姆坐進車裡，嘴裡很乾。「這一位是崔凡尼太太，」湯姆跟瑞夫斯說，「這一位瑞夫斯・米諾。」

「妳好嗎？」瑞夫斯用他的美國腔向席夢打招呼。

席夢坐進後座，陪在強納森身邊。瑞夫斯讓喬治坐到他身邊，湯姆把車開上街心，就朝楓丹白露醫院疾駛而去。

「爸爸昏倒了？」喬治問道。

「對，喬治。」席夢已經忍不住開始啜泣。

強納森聽到了他們的聲音，但沒辦法開口講話。他沒辦法動，連一根手指頭也不聽使喚。他只覺得眼前一片灰，像大海的潮水不斷朝外面退去——好像是在英國海岸——往下沉，往下攤。已經離席夢好遠好遠，但他的頭正靠在席夢的胸口——或他自己覺得吧。但是湯姆沒死。湯姆還在開車，強納森想，像上帝。不知哪裡應該是有一顆子彈吧，但不知怎麼，這時也不重要了。這便是死亡，就是這時候，他以前鼓起勇氣想要面對卻一直還沒機會面對，一直想做好準備卻始終沒有辦法。應該是本來就沒辦法為死亡作好準備的吧，畢竟，到頭來能做的也只是向死亡豎起白旗。而他做過的，做壞的，做成的，追求的——這時候感覺都好荒謬！

一輛才趕到的救護車從湯姆的車邊開過去，警笛長鳴。湯姆開得很小心，只要四、五分鐘就會到了。車裡每一個人都屏氣凝神，沒出一絲聲音，湯姆開著開著不禁毛骨悚然。好像他和瑞夫斯、席夢、喬治，還有強納森——若他還感覺得到的話——全被凍結在先前的一秒內，這一秒就這樣無止又無休，無止又無休。

「這人死了啊！」一名住院醫生說了這一句，口氣透著驚訝。

「可是——」湯姆沒辦法相信，再也講不出話來。

只有席夢發出一聲哭喊。

他們站在醫院一處門口的水泥地，強納森已經送上擔架，兩名醫院的雜役抬著擔架站在原地，好像不知如何是好。

「席夢，妳要不要——」湯姆講到這裡就不知該如何接下去。雜役正在把強納森抬進去，席夢馬上轉頭去追強納森，喬治跟在席夢後面。湯姆連忙朝席夢追去，心想要向她拿她家的鑰匙，進她家去處理掉那兩具屍體，看要怎麼辦，但他忽然停住，鞋子就在水地上滑了一下。警方在他回到崔凡尼家前一定就先到了，警方這時候搞不好已經破門而入，因為住那一條街的人一定會跟警方說這一場亂子都是從灰色的那一棟房子起來的。槍聲響了後，有一個人（湯姆自己）還跑回去那一棟房子，接著他和一名女子、一名小男孩又從屋裡跑出來，坐進一輛車。

席夢的身影已經緊跟著強納森的擔架拐過轉角不見。那感覺好像湯姆看的是她在送葬行列裡的身影。湯姆轉身朝瑞夫斯走回去。

「我們走吧，」湯姆跟瑞夫斯說，「趁還能走快走。」湯姆要趕在有人來找他們問問題或記下他的駕照號碼前先閃人。

湯姆和瑞夫斯坐進湯姆的車裡，湯姆開車離開，朝紀念碑和麗影的方向開去。

「強納森死了——你想是嗎？」瑞夫斯開口問。

「應該是吧。唔——你也聽到住院醫生說的話了。」

瑞夫斯在座位上往下一癱，揉起了眼睛。

但還沒真的打進意識裡去，湯姆心想，他們兩個都是。湯姆很怕會有車子從醫院那裡跟著他們出來，警車他一樣也怕。沒有人送了一具死屍到醫院，還可以拍拍屁股走人，沒人找他問話。還有，席夢會怎麼說呢？這一天晚上她一聲不吭，警方也不會為難她，但第二天呢？「還有你啊，老弟，」湯姆又說，而且嗓音很沙啞。「沒有骨頭斷掉？沒有牙被敲掉？」瑞夫斯這人一定會招，湯姆想起來了，而且說不定馬上就招。

「只被菸燙了幾個洞，」瑞夫斯答得低聲下氣，好像燙傷比起子彈根本不算什麼。瑞夫斯也留了一臉鬍子，有一吋長，偏紅的顏色。

「那我想你應該知道崔凡尼家這時候的爛攤子是什麼吧？——兩具男屍。」

「喔。好。——是，我當然知道。就是失蹤了嘛，一直沒有回去。」

「我要回那裡去處理一下——想辦法處理一下，但警方這時候應該已經在那裡了。」後方傳來一聲警笛，嚇得湯姆一時慌張，緊緊抓住方向盤，結果是一輛白色的救護車，車頂的燈是藍色的，救護車在紀念碑附近超過湯姆的車，然後急轉彎朝右去，向巴黎奔馳。湯姆好希望車裡載的是強納森，要送到巴黎，巴黎的醫生比較高明，知道怎麼救他。這時湯姆想到，強納森是故意一步踩在他和車裡開槍那人中間的。他這樣子想，對還是錯？一直沒人超他們的車，也沒有車子響起警笛要他們靠邊停，兩人一路開到維勒佩斯。瑞夫斯靠在車門上面睡著了，但車子一停，他就醒了。

「到家了，甜蜜的家到了。」湯姆跟瑞夫斯說。

兩人在車庫裡才鑽出車外，湯姆鎖好車庫，再拿鑰匙打開屋門。一切祥和。不可思議！

「你要不要在沙發上躺一下？我去泡茶？」湯姆問瑞夫斯。「我們這時候需要喝幾口茶。」

兩人喝了加茶威士忌——茶比威士忌多。瑞夫斯又再以他一貫的低聲下氣，問湯姆他家裡有沒有燙傷軟膏，湯姆從樓下廁所的醫藥櫃裡拿了一點東西給瑞夫斯，瑞夫斯就躲進那一間廁所去敷他的傷口。他說傷口都在他的肚皮上。湯姆點起一根雪茄，倒不是他的癮頭犯了要吸雪茄，而是因為雪茄能給他一種安定感，也可能是虛幻的安定感吧，但重要的不就在這幻覺嗎？就在面對問題要有這種虛幻的安定感。

待瑞夫斯回到了起居室，還走到大鍵琴前面彈了幾個音。

「對啊，」湯姆跟瑞夫斯說，「新買的，我要看看楓丹白露有沒有課可以上——別的地方也可以。赫綠思說不定也可以一起學。可不能像耍猴戲一樣在這樣的琴上亂敲一通。」湯姆忽然有一股無名火冒了上來，倒不是氣瑞夫斯，根本就不知道是在氣什麼。「你在阿斯科納出了什麼事？」

瑞夫斯又再小啜一口他手上的加茶威士忌，幾秒鐘都沒吭聲，像在把自己從另一世界一吋一吋拖回這裡來。「我在想強納森。死了。——我也不希望這樣，你知道。」

湯姆換一下交疊的腿。他也在想強納森。「我是說阿斯科納。那裡出了什麼事？」

「喔，好吧。我跟你說過我覺得好像被人盯上了，對不對？後來，就在兩天前——對，是兩天前——他們有一個人就在街上堵到了我。很年輕的一個，一身夏天的運動服，像義大利觀光客的樣子。但他講英語，『行李收一收，退房，我們等你。』那你說，我——我當然知道不照做會怎樣——我是說我若行李收一收但馬上開溜的話。那時候約是禮拜天晚上七點。就是昨天。」

「昨天是禮拜天沒錯。」

瑞夫斯呆呆盯著咖啡桌，但上身坐得挺直，一隻手輕輕擱在上腹，說不定菸頭的燙傷就是在那裡。「還有，我沒拿行李，到現在都還在阿斯科納旅館的大廳。他們比手勢要我走出旅館大門，說『別管了。』」

「你可以打電話給旅館，」湯姆說，「像是從楓丹白露這裡打過去。」

「對。所以——他們一直問我問題，要知道背後的主使。我跟他們說沒有人主使。但也不可能就是我，我，主使！」瑞夫斯笑了一聲，但是氣弱聲嘶。「我沒準備說出你來，湯姆，不管怎樣，又不是你要把黑手黨趕出漢堡。所以後來——後來就開始用菸頭燙了。他們問我火車上的人是誰。我大概不像佛立茲那樣挺得住吧。唉，佛立茲老兄——」

「佛立茲沒死，對吧？」湯姆問道。

「沒有。就我所知沒有。總之，丟臉的事還是長話短說的好，我就跟他們說了強納森的名字——還有他住哪裡。我說出來——因為我被他們壓在不知哪裡的樹林子裡，拿香菸燙。我記得那時我還想我就算喊破喉嚨要人來救，應該也沒人聽得到。後來他們揪住我的鼻子，像是要悶死我。」瑞夫斯在沙發上動了動。

湯姆能體會那滋味。「那他們沒提到我的名字？」

「沒有。」

湯姆暗想，那他和強納森來的那一招，是不是可以說是有了效果？說不定吉諾蒂家族還真以為他們追湯姆・雷普利是追錯了。「他們應該是吉諾蒂家的人吧，我看。」

「照理講，應該是。」

「你不知道？」

「他們沒說，天哪！怎麼會說？」

說的也是。「沒提到安吉——或利波這樣的名字？或是一個叫路奇的頭目？」

瑞夫斯想了想。「路奇——好像聽過吧。但我那時嚇呆了，湯姆——」

湯姆長嘆一聲。「安吉和利波就是我和強納森禮拜六晚上做掉的那兩個，」湯姆的口氣很輕，好像還有旁人會聽到。「都是吉諾蒂家的。他們跑到我這裡來，我們——他們後來被塞在他們開來的車裡一起讓一把火燒了，地點離這裡很遠。強納森也在我這裡，而且他很厲害。你去看報紙就知道！」湯姆帶笑再說，「我們還要利波打電話給他們老大路奇，跟他說我不是他要找的那一個人。所以，我才會問你吉諾蒂家的事。我很想知道是不是有效。」

瑞夫斯還在回想。「他們真的沒提過你的名字，這我確定。在這裡幹掉他們兩個人啊。在屋裡！真有你的！湯姆！」瑞夫斯在沙發上往後靠，面露微笑，好像這是他幾天來頭一回可以放輕鬆。說不定還真是如此。

「不過，他們終歸知道我的名字，」湯姆再說，「我不知道今天晚上車裡的那兩個人認出我來沒有。那就——看我的命吧。」湯姆沒想到自己會講出這幾個字來。他的意思原本是機會一半一半；大概就這意思。「我是說，」湯姆再往下說，這時的口氣就比較堅定，「我不知道他們今天晚上氣出夠了沒有，到底他們已經撂倒了強納森。」

湯姆站起來，轉過身沒看瑞夫斯。強納森死了。而且，強納森還根本就沒必要和湯姆一起走出家門朝車子那邊去。強納森到底是不是故意往前一步擋在他和車裡朝外瞄的槍中間？但是湯姆也沒辦法肯定車裡真的有槍在向外瞄嗎？事情來得好快。強納森一直沒辦法和席夢和好，一直沒能聽到席夢一句原諒的話——什麼也沒有，除了被黑手黨勒住脖子，席夢照顧了他幾分鐘。

「瑞夫斯，你要不要去睡一下？還是想吃一點東西？你餓了嗎？」

「我看我是累到沒胃口吃東西了，我想先睡一下，謝謝你，湯姆。我本來還抓不準你會不會收留我呢。」

湯姆笑出聲來。「我自己本來也抓不準。」湯姆帶瑞夫斯到樓上的客房，還道歉說強納森已經睡過幾小時了，他可以幫瑞夫斯換床單，但瑞夫斯再三表示沒有關係。

「有這樣的床已經是天大的福氣。」瑞夫斯說完，開始脫衣，但也累得開始搖搖晃晃。

湯姆則是在想，黑手黨的打手今晚若再來一次的話，他就有比較大的義大利槍可用，外加他自己的步槍，還有那一把魯格槍，幫手則是這個累得要死的瑞夫斯，不再是強納森。不過，湯姆也不覺得黑手黨今天晚上會捲土重來。他們可能寧可先拉到楓丹白露外面很遠的地方。湯姆只願他真的射中了駕駛，至少也要讓他中槍，身受重傷。

第二天早上，湯姆留瑞夫斯繼續睡，自己坐在起居室喝咖啡，收音機轉到一個很紅的法語節目，這節目每一小時播一次新聞。但很不巧，這時候才剛過九點。湯姆心裡不住在想，席夢這時候不知會是怎麼在跟警方說的？她前一天晚上又是怎麼說的？湯姆想，她應該不會把他說出來，因為這樣一來，強納森和黑手黨被殺的事有關係就會曝光。但他會不會想錯了？難道她不可以說是湯姆‧雷普利脅迫她先生，所以才——但怎麼個脅迫法？他拿什麼去逼強納森？不會，席夢應該會說，「我也不知道黑手黨的人（或義大利人）怎麼會跑到我家裡來的，」諸如此類還比較可能。「那和你先生在一起的人又是誰？目擊證人說還有另一名男子——說的是美國口音。」湯姆只願前一晚那些旁觀的人不會想到他的口音，但也可能會。「我不知道，」席夢很可能就這樣子回答。「應該是認識我先生的人吧，但我想不起來他叫什麼……」

想起來，好像沒什麼事有誰抓得準的——這時候大概就這樣了吧。

瑞夫斯快到十點的時候從樓上下來，湯姆再多弄了一些咖啡，還幫他弄了一份炒蛋。

「為了你好，我還是快快閃人，」瑞夫斯說，「你可以開車送我到——我想奧利好嗎？還有，我要打一通電話交代一下行李的事，但不好從你家裡打。你可以載我到楓丹白露去一趟嗎？」

「我可以送你到楓丹白露，再到奧利。你要到哪裡去？」

「我在想蘇黎士。到了那裡，我就可以再神不知、鬼不覺回阿斯科納去把行李拿回來。但我若打電話給旅館，他們應該可以透過『美國運通』把行李送到蘇黎士去。我就說我忘了拿！」瑞夫斯笑了一聲，孩子氣、無憂無慮的笑聲——或者，硬擠出來的笑？

接下來就是錢的問題。湯姆家裡大概有一千三百法郎左右的現金，他說幫瑞夫斯買機票應該沒問題，還會剩下一點可以讓他到了蘇黎士再拿去換成瑞士法郎。瑞夫斯的行李箱裡有旅行支票。

「那你的護照呢？」湯姆再問。

「這裡，」瑞夫斯拍一下胸前口袋，「兩份都在。有鬍子的勞夫・普拉特和沒鬍子的我，都在。漢堡一個兄弟幫我拍的照片，黏了假鬍子。你大概沒想到那些義大利人竟然沒把我的護照搜走？運氣還真好，啊？」

運氣是很好。瑞夫斯這人有金剛不壞之身，湯姆心想，像細細長長的蜥蜴一溜煙就從石頭上面爬過去跑得不見蹤影。瑞夫斯被人綁過，拿菸頭燙過，天知道還被人怎樣嚇過，從車上推下來，但這時候竟然在吃炒蛋，兩隻眼睛完好無缺，連鼻梁也沒斷。

「我要回去用我本來的護照。所以這一早就要把鬍子剃掉，也要洗個澡——若可以的話。我一醒來就急著下來了，因為還以為我睡到多晚呢。」

瑞夫斯去洗澡，湯姆便打電話，問往蘇黎士的班機。那一天有三班，第一班在中午一點二十分起飛，奧利機場接電話的女孩說很可能還有一個機位。

24

湯姆陪瑞夫斯在正午過沒幾分鐘就到了奧利的機場，湯姆去停車。瑞夫斯打電話到阿斯科納的「三隻小熊」旅館，問他的行李怎樣，旅館同意幫他把行李送到蘇黎士。瑞夫斯其實不是太擔心，至少不像湯姆，湯姆若留了一只沒上鎖的行李箱在別人那裡，裡面還有一本很重要的通訊錄，他就會焦急得不得了。瑞夫斯明天在蘇黎士應該就可以拿到他的行李箱，裡面的東西一概沒人動過。湯姆拿了他自己的一個小行李箱，一定要瑞夫斯收下，裡面放了一件替換的襯衫、一件毛衣、一套睡衣、襪子和內衣，湯姆還把自己的牙刷和牙膏也放進去，因為湯姆覺得這樣的行李箱才有正常的樣子，不致啟人疑竇。不過，湯姆不知怎麼就是不肯把強納森只用過一次的新牙刷拿給瑞夫斯。湯姆也給了瑞夫斯一件雨衣。

瑞夫斯刮掉鬍子後變得比較蒼白。「湯姆，你不用送我上飛機，我自己會處理。感激不盡。你救了我一命。」

未必盡然，除非義大利人他們本來是要在人行道上斃了瑞夫斯的，只是湯姆覺得不太可能。

「只要沒接到你的消息，」湯姆微笑說道，「我就當你一切都好。」

「好，湯姆！」揮一下手，瑞夫斯就走入玻璃門後看不見了。

湯姆拿了車，朝回家的方向開，心情亂糟糟，而且愈來愈傷心。但他不會再想要晚上找人來家裡聚會幫他甩掉難過的情緒，不會再找葛瑞他們，不會再找克雷格他們。連到巴黎看一場電影也不用。湯姆在晚上七點左右打電話給赫綠思，看她到瑞士去玩了沒有。若去了，她父母應該會有她在瑞士小木屋那裡的電話號碼，或看是怎樣的聯絡方式。赫綠思向來都會想到這些事，一定會留下聯絡電話或是地址，讓人找得到她。

當然，警方隨時可能找上門來，到時候就可以讓他擺脫這般低落的情緒了。他哪有什麼好跟警方說的？前一天晚上他一直都在家，沒出去過。湯姆笑了出來，而且是放下心上大石的笑聲。但他當然要先探出口風，知道席夢到底跟警方說了什麼——他打探得出來最好。

不過警方始終沒來，湯姆也沒費力氣去找席夢探口風。湯姆當然不免像平常一樣會焦慮，擔心警方沒出現是正忙著蒐集證據和證辭，就等萬事齊備要來將他一舉成擒。湯姆買了一點東西當晚餐，在大鍵琴上練了練指法，再寫了一封親切的短箋給安奈特太太，由安奈特太太在里昂的姊姊代轉：

我親愛的安奈特太太：

麗影這裡好想念妳啊。但還是希望妳好好度假，放鬆一下，盡情享受幾天初夏的美好辰光。麗影這裡一切都好。我這幾天會找一天晚上打電話給妳，問候一下。奉上最大的祝福。

想妳的湯姆

巴黎的電台報了一則新聞，說楓丹白露街頭有一起「槍擊案」，三人遇害，但都沒報出名字。禮拜二的報紙（湯姆在維勒佩斯買了《法國晚報》）倒是登了五吋長的一則新聞：楓丹白露居民強納森‧崔凡尼遭人槍殺，兩名義大利人也在崔凡尼的屋內遭槍擊身亡。湯姆的眼睛略過這兩人的名字，像是不想記住這兩人，但他知道，這兩人的名字還是會在他的記憶裡面留駐很長的一段時間：阿爾費歐利和龐蒂。席夢‧崔凡尼太太向警方表示，這兩名義大利人為何闖入她家，她並不清楚。他們按了門鈴後就闖進她家，一名崔凡尼太太未具名的友人協助她丈夫抵抗，後來還開車送他們夫婦，還有他們的幼子，一起到楓丹白露的醫院，但她丈夫到院時已死亡。

協助，湯姆不禁莞爾，想到那兩個義大利人頭骨被人在崔凡尼家裡敲碎！順手拿了榔頭就敲，崔凡尼家的那一名友人，也說不定是崔凡尼本人，而對方可是一口氣就來了四個，全都帶了槍。湯姆開始覺得可以放鬆下來了，甚至放聲笑一笑都無妨——若笑聲有一點神經，哪能怪他？他知道報上的細節會愈登愈多，而且就算新聞沒有，警方那邊的矛頭也會開始慢慢指向席夢，說不定也會指向他。不過湯姆相信，席夢女士一定會盡力保護她丈夫的名聲和她在瑞士的那一筆老本，要不然她跟警方透露的事不會到現在還是沒多少。她大可以把湯姆‧雷普利的名字講出來，她大可以把她的懷疑講出來，對不對？報上說崔凡尼太太答應警方日後會再作更仔細的供述。但是，看來沒有。

強納森‧崔凡尼的葬禮預訂於五月十七日，禮拜三，下午三點，於聖路易教堂舉行。禮拜三，湯姆很想去參加，但又覺得這時候他最不該做的，便是去參加強納森的葬禮；席夢一定是這樣的看法。而且，葬禮畢竟是為生者辦的，而非死者。所以時間一到，湯姆以默哀相應，一人在花園裡整理花花草草。（他一定要催一催這些欠罵的工人，快幫他把溫室做好！）湯姆也愈來愈相信強納森是故意踏出那一步來幫他擋子彈。

之後不出幾天，警方應該就會去找席夢問話，要她說出協助她丈夫禦敵的友人姓名。那些義大利人——說不定這時候警方已經查出他們的身份是黑手黨——目標會不會是他們這一位友人，而非強納森．崔凡尼本人？警方當然會給席夢幾天時間撫平傷痛，但到時候他們一定會再找她問話。而湯姆也想得到，席夢的立場反而還會更堅定，死守她先前的說法：這一位友人不願透露姓名，他也不是崔凡尼家很熟的朋友，他那時候的作法全屬自衛，她丈夫也是，她這時候只想把這一場噩夢拋諸腦後。

再過了約莫一個月，六月時，赫綠思已經從瑞士之旅回家來了，湯姆先前就崔凡尼一案作過的猜測，全都被他料中——報上一直未再出現崔凡尼太太進一步的供述——湯姆卻在楓丹白露的法蘭西街遇到席夢，席夢正在湯姆站的人行道這一邊，朝他這方向走來。湯姆那時正抱著一具很沉的罈子，他剛買下來的，要放在花園裡用。湯姆沒想到他會遇到席夢，因為他先前聽說她已經帶著兒子搬到土魯斯；她在土魯斯買了一棟房子。湯姆是從高席耶的美術用品店改裝後的店家老闆那裡聽來的，新開的店是高價的熟食店，老闆人很年輕也比較毛躁。這麼重的罈子他原本要託給花店店員幫他送，這時害他搬到手臂都要沒力了，加上腦子裡還留著西洋芹沙拉和奶油鮭魚的怪味不去，取代了高席耶生前他早已習慣的氣味，無嗅無味的顏料、全新的畫筆和畫布，還有，他以為席夢應該已經離他好幾百哩遠——這時，忽然撞見席夢，湯姆還以為他看見鬼了，眼前這是靈異的幻象。湯姆沒穿外套，身上的襯衫皺巴巴，而且若不是撞見席夢，他早就把鐔子放在人行道上喘一口氣。他的車就停在下個轉角處。席夢也看到他，還馬上睜大眼睛朝他瞪過來，像是遇到了不共戴天的仇人。席夢走到湯姆身邊時略停了一下，湯姆也差一點就要停下腳步，心想起碼打一聲招呼，「日安，太太，」也好。只是——席夢啐了湯姆一口，沒命中湯姆的臉，連他的人也沒吐到，而是一口吐在聖梅希街上。

這一口，說不定在黑手黨也等於是報了大仇吧。湯姆希望冤冤相報到此為止——不論是黑手黨那邊，還是席夢女士這邊。其實，席夢這一吐還像是湯姆的定心丸，不快是不快，不論有沒有命中目標。也就是說，席夢若沒有意思要保住瑞士銀行裡的那一筆錢，她才不用吐他口水，因為湯姆早就身陷囹圄了。席夢這一吐，只是略微有一點羞愧吧，湯姆想。也因為這一吐，席夢和世上眾人算是沆瀣一氣。其實，湯姆甚至覺得席夢的良心，應該還沒有她丈夫那般有愧呢——若他還在世的話！

國家圖書館出版品預行編目資料

雷普利遊戲／派翠西亞・海史密斯（Patricia Highsmith）著；宋偉航譯. -- 初版. -- 臺北市：遠流，2010.08
面； 公分. --（文學館；E0233）
譯自：Ripley's Game
ISBN 978-957-32-4580-3（平裝）

874.57 99011792

文學館 COSMOS E0233

雷普利遊戲

作者：派翠西亞・海史密斯（Patricia Highsmith）
譯者：宋偉航
策劃：詹宏志
出版三部總監：吳家恆
執行主編：曾淑正
美術設計：Zero

發行人：王榮文
出版發行：遠流出版事業股份有限公司
地址：台北市南昌路二段81號6樓
電話：（02）23926899 傳真：（02）23926658
郵撥：0189456-1

著作權顧問：蕭雄淋律師
法律顧問：董安丹律師

2010年8月1日 初版一刷
行政院新聞局局版臺業字第1295號
售價：新台幣320元

ISBN 978-957-32-4580-3

YLib 遠流博識網 http://www.ylib.com E-mail: ylib@ylib.com

Ripley's Game by Patricia Highsmith
First published in 1974